anaquel

Niebla

MIGUEL DE UNAMUNO

Niebla

Introducción, notas y actividades
de Milagros Rodríguez Cáceres

 Bruño

Directores de la colección:
Felipe B. Pedraza Jiménez
Julián Moreiro

Diseño:
Pablo Jurado

Quinta edición

ISBN: 978-84-216-1471-6
Depósito legal: M. 40.079–2007
Imprime: Gráficas Rógar, S. A.

Índice

Introducción

1. Unamuno y su época

1.1. Entorno histórico y social

La etapa de fin de siglo, a la que pertenece nuestro autor, está marcada por un importante hecho histórico: la pérdida definitiva del imperio colonial español en 1898.

La restauración borbónica, que se había iniciado con la subida al trono de Alfonso XII (1875), creó un sistema político estable, pero con graves deficiencias. Aunque en 1890, bajo el gobierno del liberal Sagasta, se implantó el sufragio universal masculino, el llamado *pucherazo* o fraude era una práctica común en las elecciones.

La fórmula que garantizaba la estabilidad del régimen era el riguroso turno pacífico con que se alternaban los gobiernos conservadores y liberales; pero a veces corrió el riesgo de irse a pique por las escisiones que se produjeron en el seno de estos partidos mayoritarios.

A las tensiones internas se unió la situación conflictiva en las últimas colonias: Cuba, Puerto Rico y Filipinas, que ya venía de tiempo atrás. El estatuto que se les concedió en 1897 no alcanzó su objetivo pacificador. Los Estados Unidos, que protegían a los sublevados para extender sobre ellos su influencia comercial y política, declararon la guerra a España, tomando como pretexto el hundimiento del Maine, un buque de la armada norteamericana fondeado en el puerto de La Habana. Así se entabló una lucha desigual que acabó para nosotros en una aplastante derrota.

El Desastre de 1898 puso sobre el tapete la situación crítica por la que atravesaba España y la necesidad de emprender urgentes reformas. Dio origen a una corriente intelectual denominada Regeneracionismo, que fructificó en interesantes obras ensayísticas y litera-

9

rias. Se trataba de analizar las causas del proverbial atraso español y de proponer remedios. Los regeneracionistas —entre los que se cuenta el propio Unamuno en una primera etapa de su vida— dirigen sus ataques contra las clases dirigentes y censuran también la abulia colectiva y el haberse dormido en los laureles de un pasado glorioso. Sus principales caballos de batalla son la lucha contra el caciquismo y la necesidad de mejorar la instrucción del pueblo. Pese a sus buenas intenciones, cayeron en errores y contradicciones, y pecaron a menudo de ingenuos y utópicos.

A principios de siglo se producen grandes cambios sociales y económicos. El capitalismo español, aunque dependiente del exterior, se va desarrollando, lo que trae consigo la concentración de la industria en las ciudades. Como consecuencia, los movimientos obreros y sindicales adquieren fuerza y protagonismo.

Las tensiones sociales no terminan. Una de las fuentes de conflicto va a ser el intento de ocupación del norte de África. Entre los más graves se cuenta la llamada «Semana trágica» de Barcelona de 1909, como protesta contra el envío de reservistas a Marruecos. La guerra europea de 1914 dividirá la opinión pública española en aliadófilos y germanófilos y acentuará los desequilibrios.

1.2. Entorno cultural y estético

Los críticos e historiadores reconocen unánimemente la existencia de una «crisis universal de las letras y del espíritu que inicia hacia 1885 la disolución del siglo XIX y que se había de manifestar en el arte, la ciencia, la religión, la política y gradualmente en los demás aspectos de la vida entera»[1].

---

[1]   Federico de Onís: *Antología de la poesía española e hispanoamericana (1882-1932)* (Centro de estudios históricos, Madrid, 1934), pág. XV.

Miguel de Unamuno.

Los grandes hallazgos técnicos y científicos de la segunda mitad del XIX habían engendrado una entusiasta fe en el progreso. Ahora sobreviene el desencanto, pues esas beneficiosas trasformaciones no han podido acabar con todos los problemas del hombre y han engendrado otros nuevos. No es raro, por tanto, que el nuevo arte y la nueva cultura vuelvan los ojos a la naturaleza y que reviva el sueño idílico del Romanticismo.

Frente al Realismo decimonónico, aparecen corrientes espiritualistas. La actitud vital de artistas e intelectuales va a estar regida por el irracionalismo y la subjetividad como respuesta al positivismo de antaño. Surge el interés por todo lo esotérico y trascendente, por el más allá y los poderes sobrenaturales.

En los pensadores de fin de siglo —Unamuno es un buen ejemplo— influyen de forma decisiva filósofos antirracionalistas y existencialistas como Arthur Schopenhauer (1788-1860), Soren Kierkegaard (1813-1855) y Friedrich Nietzsche (1844-1900). Con ellos retornan las preocupaciones y angustias «románticas» que el positivismo había querido ahogar.

En el terreno estético, lo que se ha dado en llamar fin de siglo está configurado por una multiplicidad de corrientes relacionadas entre sí y a veces contradictorias, bajo el denominador común del subjetivismo y la reacción antirrealista. Una de las más importantes es el Simbolismo, cuyo fruto fueron creaciones poéticas en las que se intenta representar por medio de imágenes los misterios, las intuiciones que no tienen expresión directa en la lengua. Sus creadores más destacados (Charles Baudelaire, Paul Verlaine, Arthur Rimbaud) ejercieron un extraordinario influjo en los poetas españoles finiseculares.

Característica de los creadores de esta época es la técnica impresionista. Tiene su origen en el movimiento pictórico llamado Impresionismo, en el que se desintegran las figuras y se recrean con manchas de color que, al ser miradas a distancia, permiten reconstruir la imagen. Así pues, la técnica impresionista consiste en presentar las figuras incompletas, meramente sugeridas.

Trasladada al terreno de la obra literaria, se caracteriza por las frases breves y la falta de nexos de unión, ya que no interesan las relaciones lógicas entre las partes del discurso, sino las imágenes que se graban en la mente del lector y que le permiten evocar el conjunto. Se acentúa el interés por la percepción sensorial; en esa realidad difuminada se resaltan los matices de color, sonidos, aromas... La técnica impresionista conformó el estilo de nuestros grandes creadores finiseculares: Miguel de Unamuno, Azorín, Manuel y Antonio Machado, Pío Baroja, Ramón del Valle-Inclán...

Ciñéndonos a la literatura española, los autores de esta época constituyen el movimiento denominado Modernismo, de ámbito hispánico, pues se desarrolla paralelamente a uno y otro lado del Atlántico. Recordemos que una de sus figuras más preclaras es el poeta nicaragüense Rubén Darío, que habría de dejar una huella decisiva en nuestras letras. Una parte de estos creadores, entre los que se cuenta Unamuno, se adhirieron a la corriente regeneracionista, preocupada por el análisis de los problemas de España. Como estas inquietudes se intensificaron a raíz del Desastre de 1898, es habitual emplear el nombre de Generación del 98 para designar al grupo.

Ha hecho fortuna la consideración de Federico de Onís[2] del Modernismo como un concepto de época. Sería la forma hispánica de la crisis de fin de siglo. Se trata de una serie de tendencias cuyo punto de unión es el propósito de innovación estética, el subjetivismo extremo, el ansia de libertad ilimitada, el interés por los am-

---

[2] *Antología de la poesía española e hispanoamericana....*

bientes exóticos y la vida bohemia, en actitud de rechazo del entorno. Se hace patente la huella de los movimientos europeos, en especial del Simbolismo, con su peculiar profundización en la percepción de la realidad.

1.3. Perfil humano y literario de Miguel de Unamuno

Miguel de Unamuno y Jugo (Bilbao, 1864) fue un hombre singular que tenía, además, afán de singularizarse. Su temperamento ardiente y apasionado lo arrastraba a actitudes extremas. Desgarrado por la angustia existencial y la pérdida de la fe, sus batallas íntimas lo abocaban a una perpetua agonía. Se esforzó en sus escritos por suscitar en los demás esas mismas inquietudes.

Desde que el 13 de junio de 1891 toma posesión de la cátedra de griego de la Universidad de Salamanca, su vida está indisolublemente ligada a la ciudad del Tormes. Compagina la labor docente con su dedicación a las letras. Los diversos géneros que cultiva (ensayo, artículo, novela, poesía, teatro) no tienen otra finalidad que verter sus inquietudes íntimas; de ahí que no exista entre las diversas modalidades una división tajante. Toda su obra constituye un corpus único con absoluta unidad temática y de estilo.

Después de unos años en que se dedica a reflexionar en sus ensayos y artículos sobre el tema de España (*En torno al casticismo, Vida de don Quijote y Sancho*), son los conflictos religiosos y existenciales, en especial el ansia de inmortalidad, los que van a ocupar toda su atención (*Del sentimiento trágico de la vida, La agonía del cristianismo*). Inventa el nombre de «nivola» para unas peculiares narraciones, eminentemente subjetivas y líricas, que tienen mucho de ensayo filosófico. A través de una acción muy concentrada, se presenta al des-

Cuba. Saliendo para el frente.

nudo el drama íntimo de los personajes, que es el mismo que el de su autor (*Amor y pedagogía, Niebla, Abel Sánchez, La tía Tula, San Manuel Bueno, mártir...*).

En sus versos (*Rosario de sonetos líricos, El Cristo de Velázquez, Rimas de dentro...*) nuestro autor no busca el «fugitivo halago al oído carnal», sino el reflejar las «tormentas de lo eterno» que sacuden su alma, y también paisajes y ambientes españoles, cuya contemplación deriva casi siempre en reflexiones existenciales o religiosas.

Este denso contenido trascendente es el principal lastre de su «teatro del alma», formado por tragedias de acción demasiado esquemática y personajes descarnados, más apropiado para la lectura que para la escena: *Fedra, Soledad, El otro, El hermano Juan...*

Se entrega simultáneamente a la actividad política desde una ideología socialista, aunque peculiar y propia, como todo en don Miguel. Al estallar la primera guerra mundial en 1914, toma partido por la causa aliada y se manifiesta como germanófobo acérrimo. Su enfrentamiento a la dictadura de Primo de Rivera le costará el ser destituido de su cátedra y del vicerrectorado de la Universidad y la condena al exilio, que trascurre dolorosamente en Fuerteventura, París y Hendaya, incluso después de haber recibido el indulto.

Tras la caída del dictador (1930), pone fin a su quijotesco destierro voluntario y es recibido apoteósicamente como símbolo de la lucha contra la opresión. Acoge favorablemente a la república, pero pronto empieza a sentirse decepcionado y alza la voz contra lo que considera excesos. Del ferviente nacionalismo vasco de antaño ha pasado a defender un radical centralismo y a fustigar la política autonomista; del mismo modo que años atrás había cambiado su consigna de europeizar España por la de españolizar Europa.

El alzamiento del 18 de julio de 1936 cuenta con su

apoyo, pero tampoco transige con los abusos de los llamados «nacionales». Un incidente con el general Millán Astray provoca una nueva destitución de sus cargos y el arresto domiciliario. Muere de repente el 31 de diciembre de ese mismo año de 1936[3].

---

[3] Muy detallado es el recorrido por la biografía del autor bilbaíno que nos ofrece Luis S. Granjel: *Retrato de Unamuno* (Guadarrama, Madrid, 1957).

2. Cronología

Acontecimientos históricos y culturales	Vida y obra de Unamuno
1864	
Primera internacional socialista. *Guerra y paz* de León Tolstoi.	Nace en Bilbao el 29 de septiembre.
1865	
Primera huelga general en España. Termina la guerra de Secesión en los Estados Unidos, que se había iniciado en 1861. Nace Ángel Ganivet.	
1866	
Nacen Ramón del Valle-Inclán, Jacinto Benavente y Carlos Arniches. *Crimen y castigo* de Fedor Dostoievski.	
1867	
Nacen Rubén Darío, Vicente Blasco Ibáñez y Luigi Pirandello. *El capital* de Karl Marx. *Thérèse Raquin* de Émile Zola.	
1868	
Revolución burguesa llamada «La Gloriosa». Marcha a Francia de Isabel II y formación de un gobierno provisional presidido por Serrano.	
1869	
Nace Ramón Menéndez Pidal.	

Acontecimientos históricos y culturales	Vida y obra de Unamuno
1870	
Asesinato del general Prim. Nace Ignacio Zuloaga.	Muere su padre, don Félix.
1871	
Reinado de Amadeo I de Saboya. Segundo Reich alemán (1871-1914). Edición póstuma de las *Obras* de Gustavo Adolfo Bécquer. Empieza a publicarse *Les Rougon-Macquart* de Zola.	
1872	
Nace Pío Baroja.	
1873	
Tercera guerra carlista (1873-1875). Abdicación de Amadeo I de Saboya. Se proclama la I República. Nacen Azorín y Marcel Proust. Comienzo de los *Episodios nacionales* de Benito Pérez Galdós. *Ana Karenina* de Tolstoi.	
1874	
Bombardeo carlista contra los liberales refugiados en Bilbao. Gobierno de Serrano. Pronunciamiento del general Martínez Campos en Sagunto. Nacen Manuel Machado y Ramiro de Maeztu. *Pepita Jiménez* de Juan Valera.	Vive el bombardeo de Bilbao por las tropas carlistas.
1875	
Restauración de la monarquía con la subida al trono de Alfonso XII. Nace Antonio Machado.	

19

Acontecimientos históricos y culturales		Vida y obra de Unamuno
	1876	
Fundación de la Institución libre de enseñanza. Supresión de los fueros de las Vascongadas. Nace Manuel de Falla.		
	1879	
Fundación del PSOE por Pablo Iglesias. Nacen Gabriel Miró, Eduardo Marquina y Francisco Villaespesa.		
	1880	
Abolición de la esclavitud en Cuba. Nacen Manuel Azaña y Ramón Pérez de Ayala. *Los hermanos Karamazov* de Dostoievski.		Comienza a cursar la carrera de Filosofía y letras en la Universidad Complutense de Madrid.
	1881	
Nacen Juan Ramón Jiménez y Pablo Picasso.		
	1883	
Nace José Ortega y Gasset. *Así hablaba Zaratustra* de Friedrich Nietzsche.		
	1884	
La Regenta de Clarín.		Defiende su tesis doctoral: *Crítica del problema sobre el origen y prehistoria de la raza vasca.*
	1885	
Muerte de Alfonso XII. Regencia de María Cristina (1885-1902). Descubrimiento de la vacuna anticolérica por Jaime Ferrán. Muere Rosalía de Castro. *Germinal* de Zola.		

Acontecimientos históricos y culturales	Vida y obra de Unamuno
1887	
Invención de la linotipia. Nace Gregorio Marañón. *Fortunata y Jacinta* de Pérez Galdós.	
1888	
Fundación de la UGT, sindicato socialista. Nace Ramón Gómez de la Serna. *Azul...* de Rubén Darío.	
1889	
Segunda internacional. Promulgación en España del Código civil.	Viaja por Francia e Italia.
1891	
Encíclica *Rerum novarum* de León XIII. Nace Pedro Salinas. *El retrato de Dorian Gray* de Oscar Wilde.	Se casa con Concepción Lizárraga, a la que conocía desde niño. Toma posesión de la cátedra de griego de la Universidad de Salamanca.
1892	
Primer viaje a España de Rubén Darío.	
1893	
Nace Jorge Guillén.	
1895	
Movimientos independentistas en Cuba y Filipinas. Cinematógrafo de los hermanos Lumière.	*En torno al casticismo* (ensayo).
1896	
Prosas profanas de Rubén Darío. Nace Gerardo Diego.	

21

Acontecimientos históricos y culturales	Vida y obra de Unamuno
1897	
Asesinato de Cánovas del Castillo.	Sufre una intensa crisis religiosa. Aparece su primera novela: *Paz en la guerra*. Empieza a escribir el *Diario íntimo*.
1898	
Derrota de la armada española por los Estados Unidos. Tratado de París, por el que España pierde Cuba, Puerto Rico y Filipinas. Nacen Federico García Lorca, Vicente Aleixandre, Dámaso Alonso y José María Pemán.	
1899	
	La venda (teatro).
1900	
Subida al trono de Italia de Víctor Manuel III (1900-1944).	Es nombrado rector de la Universidad de Salamanca. Empieza a escribir en *La nación* de Buenos Aires.
1901	
Teoría de los reflejos condicionados de Pavlov.	
1902	
Subida al trono de Alfonso XIII. *Camino de perfección* de Baroja. *La voluntad* de Azorín. Empieza la serie de las *Sonatas* de Valle-Inclán. Nacen Rafael Alberti y Luis Cernuda. *Quinta sinfonía* de Gustav Mahler.	*Amor y pedagogía* (novela).

Acontecimientos históricos y culturales	Vida y obra de Unamuno
1903	
Descubrimiento del radio por los esposos Curie.	
1904	
La busca de Baroja. José Echegaray obtiene el Premio Nobel de Literatura.	
1905	
Nace Jean-Paul Sartre.	*Vida de don Quijote y Sancho* (ensayo).
1906	
Santiago Ramón y Cajal obtiene el Premio Nobel de Medicina.	
1907	
Gobierno de Maura. *Soledades, galerías, otros poemas* de Antonio Machado. *Las señoritas de Avignon* de Picasso. Valle-Inclán comienza las *Comedias bárbaras*.	*Poesías*. Termina *Niebla*.
1909	
«Semana trágica» de Barcelona. Ejecución del pedagogo anarquista Francisco Ferrer y Guardia. Guerra de África (1909-1927). *Los intereses creados* de Benavente.	*La princesa doña Lambra* (teatro). *La difunta* (teatro).
1910	
Gobierno de Canalejas. Se crean la Residencia de estudiantes y el Centro de estudios históricos. Subida al trono de Jorge V de Inglaterra. Nace Miguel Hernández.	*El pasado que vuelve* (teatro). *Fedra* (teatro).

23

Acontecimientos históricos y culturales	Vida y obra de Unamuno
1911	
Creación del sindicato anarquista CNT. *El árbol de la ciencia* de Baroja. Muere Gustav Mahler.	*Por tierras de Portugal y de España* (artículos). *Rosario de sonetos líricos.*
1912	
Asesinato de Canalejas. Tratado hispano-francés sobre Marruecos. *Campos de Castilla* de Antonio Machado.	*Contra esto y aquello* (artículos).
1913	
Gobierno de Eduardo Dato. Ocupación de Tetuán por las tropas españolas. Einstein formula la teoría de la relatividad. *Consagración de la primavera* de Igor Stravinski (música).	*Del sentimiento trágico de la vida* (ensayo).
1914	
Estalla la primera guerra mundial (1914-1918). España se declara neutral. Batalla del Marne. *Meditaciones del Quijote* de Ortega y Gasset. *En busca del tiempo perdido* de Marcel Proust.	Es destituido del cargo de rector. Publica *Niebla.*
1915	
Muere Francisco Giner de los Ríos. *La metamorfosis* de Franz Kafka.	Participa en las campañas en favor del bando aliado.
1916	
Batalla de Verdún. Muere Rubén Darío. Nace Camilo José Cela. Ortega empieza *El espectador.*	

Acontecimientos históricos y culturales	Vida y obra de Unamuno
1917	
Revolución rusa de octubre y derrocamiento del zar Nicolás II. Los Estados Unidos entran en guerra con Alemania. *Diario de un poeta recién casado* de Juan Ramón Jiménez.	Visita el frente italiano de Udina. *Abel Sánchez* (novela).
1918	
Gobierno de Maura. Fin de la primera guerra mundial. Guerra civil en Rusia (1918-1920). Klemen inventa el aeroplano ligero. *Greguerías* de Gómez de la Serna. *La decadencia de Occidente* de Oswald Spengler.	
1920	
Muere Pérez Galdós. *Luces de bohemia* y *Divinas palabras* de Valle-Inclán.	Se presenta a las elecciones como candidato socialista. Es nombrado decano de su universidad. *El Cristo de Velázquez* (poesía). *Tres novelas ejemplares y un prólogo*.
1921	
Asesinato de Eduardo Dato. Desastres de Annual y Monte Arruit. Fundación del Partido comunista de España. *España invertebrada* de Ortega y Gasset. *Belarmino y Apolonio* de Pérez de Ayala.	Obtiene el cargo de vicerrector. *La tía Tula* (novela). *Soledad* (teatro). *Raquel encadenada* (teatro).

25

Acontecimientos históricos y culturales	Vida y obra de Unamuno
1922	
Víctor Manuel III encarga la formación de gobierno a Benito Mussolini. La Cierva inventa el autogiro. *Nuestro padre San Daniel* de Gabriel Miró. *Ulises* de James Joyce.	*Andanzas y visiones españolas* (artículos).
1923	
Golpe de Estado del general Miguel Primo de Rivera y comienzo de la dictadura. Ortega funda la *Revista de Occidente*.	*Rimas de dentro* (poesía).
1924	
Muere Lenin. Nace Luis Martín Santos. *Veinte poemas de amor y una canción desesperada* de Pablo Neruda. *Manifiesto surrealista* de Marcel Breton.	Es destituido de su cátedra, cesado como decano y vicerrector y desterrado a la isla de Fuerteventura. En el mes de julio Primo de Rivera lo indulta y se exilia voluntariamente a París. Publica *Teresa* (poesía).
1925	
Comienza en Italia la dictadura fascista de Mussolini. Revolución nacional china (1925-1927). Mueren Pablo Iglesias y Antonio Maura. *La deshumanización del arte* de Ortega y Gasset. *El pensamiento de Cervantes* de Américo Castro.	Se traslada a Hendaya. *De Fuerteventura a París* (poesía). *L'agonie du Christianisme* (ensayo traducido al francés por Jean Cassou).

Acontecimientos históricos y culturales	Vida y obra de Unamuno
1926	
Tirano Banderas de Valle-Inclán. *El cementerio marino* de Paul Valéry. *El acorazado Potemkim* de Eisenstein (cine).	*Sombras de sueño* (teatro). *El otro* (teatro).
1927	
Los jóvenes poetas españoles celebran el centenario de Góngora. *Ser y tiempo* de Martin Heidegger.	*Cómo se hace una novela* (memorias).
1928	
Fleming descubre la penicilina. *Romancero gitano* de García Lorca. *Cántico* de Jorge Guillén.	*Romancero del destierro.* Empieza a escribir *Cancionero (Diario poético),* que se prolongará hasta su muerte. La editorial madrileña Renacimiento publica las *Obras completas* (1928-1930, 9 vols.).
1929	
Quiebra de la bolsa de Nueva York y crisis económica mundial. Dictadura de Stalin. Karvius y Telefunken inventan la televisión.	*El hermano Juan* (teatro).
1930	
Cae Primo de Rivera y se inicia la «dictablanda» del general Berenguer. Levantamiento militar en Jaca de los capitanes Fermín Galán y García Hernández.	Con el fin de la dictadura regresa a España.

27

Acontecimientos históricos y culturales	Vida y obra de Unamuno

1931

Alfonso XIII abandona el país. Se proclama la II República bajo la presidencia de Niceto Alcalá Zamora. *Poema del cante jondo* de García Lorca. *Luces en la ciudad* de Charles Chaplin (cine).

Es nombrado alcalde-presidente honorario del ayuntamiento de Salamanca, rector de la universidad, presidente del Consejo de instrucción pública, diputado a cortes y académico de la Lengua, aunque nunca llegará a leer el discurso de ingreso. Publica *San Manuel Bueno, mártir*. Edición española de *La agonía del cristianismo*.

1932

Pronunciamiento del general Sanjurjo. Fundación de «La Barraca», dirigida por García Lorca y Eduardo Ugarte. *Espadas como labios* de Aleixandre.

1933

Fundación de la Falange española por José Antonio Primo de Rivera. Triunfo de las derechas en las elecciones españolas. Subida al poder de Adolf Hitler. Tercer Reich alemán (1933-1940). Presidencia de Roosevelt en los Estados Unidos. *La voz a ti debida* de Pedro Salinas. *Bodas de sangre* de García Lorca.

Decide no volverse a presentar como candidato a diputado. Dimite de su cargo de presidente del Consejo de instrucción pública.

Acontecimientos históricos y culturales	Vida y obra de Unamuno
1934	
Revolución obrera en Asturias. *Juan de Mairena* de Antonio Machado. *Yerma* de García Lorca. *La destrucción o el amor* de Aleixandre. Muere Ramón y Cajal.	Se jubila de su actividad docente, aunque sigue como rector vitalicio. Es nombrado doctor «honoris causa» por la Universidad de Grenoble. Publica *El hermano Juan* (teatro). Mueren su mujer y su hija Salomé.
1936	
Triunfo en las elecciones del Frente popular (liberales e izquierdas). Sublevación militar y comienzo de la guerra civil española (1936-1939). Mueren Valle-Inclán y García Lorca.	Doctor «honoris causa» por la Universidad de Oxford. Apoya el alzamiento del 18 de julio. Azaña lo destituye del rectorado, pero en el mes de setiembre es confirmado por el general Cabanellas. Se enfrenta al general Millán Astray. Franco lo vuelve a destituir. Es condenado a arresto domiciliario. Muere el 31 de diciembre.

3. Análisis de *Niebla*

3.1. *Niebla* en la trayectoria literaria de Unamuno

Niebla estaba prácticamente terminada, salvo pequeñas adiciones posteriores, en agosto de 1907. Resulta sorprendente que no se publicara hasta 1914 y, mucho más aún, que en esos siete años el autor no hablara de ella, ni siquiera en sus cartas. Probablemente pudo deberse a la acogida poco satisfactoria que tuvo su novela anterior: *Amor y pedagogía* (1902).

En unas notas que Mario J. Valdés[1] encontró entre los papeles de Unamuno, éste considera a *Niebla* «definitivamente fracasada» y la califica de «aborto de novela». A pesar de ello, le sonrió el éxito. Se tradujo a varias lenguas y conoció dos ediciones más en vida del autor, una en 1928 y otra en 1935. Hoy es unánimemente considerada la mejor de sus obras narrativas.

Con *Amor y pedagogía* había intentado, sin conseguirlo del todo, crear un nuevo género en el que confluyen novela y filosofía, al que llamó de forma caprichosa «nivola». Es *Niebla* la obra con la que queda definitivamente perfilado. Consigue aquí su objetivo de interiorizar al máximo la acción, prescindiendo de la pintura del entorno, del paisaje y las costumbres, de las descripciones, es decir, de todo lo externo, para centrarse en la intimidad de sus criaturas.

Como explica Víctor Goti, uno de los personajes de la obra (§ 1100)[2], Unamuno inventa la palabra *nivola* a

---

[1]   Prólogo *Niebla* (Cátedra, «Letras hispánicas», n.º 154, Madrid, 1984), pág. 49.
[2]   De aquí en adelante, utilizamos este signo convencional (§) para los párrafos; la numeración remite siempre a nuestra edición de *Niebla*.

Fachada de la Universidad de Salamanca.

ejemplo de Manuel Machado que, en cierta ocasión, al objetarle alguien que un soneto suyo no podía ser considerado como tal, replicó que no era un soneto sino un *sonite.*

3.2. Contenido, tema y estructura

Niebla es una novela en que el plano real y el de la ficción se mezclan de forma sorprendente. Esto se percibe nada más abrir el libro, cuando vemos que el prólogo está escrito por uno de los personajes, Víctor Goti, amigo y confidente del protagonista. Por un momento se incorpora al mundo de los seres de carne y hueso para emitir su juicio sobre la estética unamuniana. Tras los irónicos jugueteos de Víctor se advierte la presencia del autor, que hace a través de él una parodia de sí mismo, atribuyéndole sus propias obsesiones y teorías, entre ellas la creación de la *nivola.*

No menos desconcertante es que el personaje se rebele contra su creador, acusándolo de haber falseado los hechos. Unamuno no puede ocultar su contrariedad y le responde en un *Post-prólogo* amenazante, escrito desde la posición de ventaja que le da el ser quien mueve los hilos de la tramoya.

Tras este original enfoque introductorio, perfectamente coherente con otros artificios narrativos que vemos en la obra, empieza a desarrollarse el cuerpo del relato. Los 33 capítulos se estructuran de la siguiente manera:

- Los 5 primeros nos muestran el inicio de la trasformación que va a sufrir Augusto desde que conoce a una mujer. Empieza a salir de la nebulosa en que estaba envuelto y a tomar contacto con el mundo exterior.

- A partir del capítulo VI comienzan los vaivenes de las inciertas relaciones del protagonista con Eugenia, que van evolucionando hasta el XXX. Los reveses sentimentales hunden a Augusto en confusas cavilaciones. El espacio de tiempo en que se desarrollan estos sucesos es indefinido, pero parece muy breve.

- Los capítulos XXXI-XXXIII nos sitúan en otra perspectiva. El protagonista pierde la autonomía de que gozaba a nuestros ojos y adquirimos la conciencia de que no es más que un ser ficticio, que está totalmente a expensas de su creador. Irrumpe la primera persona en la voz narradora, que se identifica con el Unamuno real, rector de la Universidad de Salamanca y ensayista.

Tan curioso como el prólogo es la *Oración fúnebre por modo de epílogo,* en la que el perro Orfeo filosofa, como pudiera hacerlo el propio Unamuno, sobre la condición humana.

Un factor estructural importante es el hecho de que a lo largo de la novela los episodios que protagoniza Augusto Pérez alternan con otros ajenos a la acción central. Algunos tienen una levísima conexión con la trama. Así, los problemas de la paternidad tardía de Víctor Goti (caps. XIV y XXII); o la visita del protagonista al erudito Antolín S. Paparrigópulos, experto en psicología femenina (cap. XXIII). En el primer caso, el autor aprovecha la ocasión para divagar sobre la paternidad, tema que siempre le interesó; en el segundo, para hacer una caricatura del científico positivista.

Otras historietas todavía quedan menos justificadas, como la folletinesca vida matrimonial de don Eloíno Rodríguez de Alburquerque y Álvarez de Castro (cap. XVII) y de don Antonio (cap. XXI), dos personajes a los que ni siquiera conocemos y que no volveremos a ver más. 33

De todas formas, no disuenan con el tono de la obra ni con los planteamientos a los que nos tiene acostumbrados Unamuno.

En *Niebla* se desarrollan por vía *nivolesca* asuntos que preocupaban muy hondamente al autor. Por supuesto, el momento clave es la entrevista entre Augusto y Unamuno, aunque en algunos diálogos y monólogos anteriores ya hemos podido vislumbrar el fondo de la cuestión. Se traza un perfecto paralelo entre la vida de los hombres y la de los entes de ficción. Unos y otros serán aniquilados en el momento en que el ser que los creó —Dios o el autor— deje de soñarlos. Como apunta Ricardo Gullón[3], «*Niebla* es la novela del absurdo existencial, del hombre perdido en la angustia de una vida sin finalidad».

También se plantea el conflicto de la personalidad. Augusto, como Unamuno, lucha por encontrar la suya. Sufre la pesadilla de verse escindido cuando se mira en el espejo e incluso llega a dudar de su propia identidad.

· Bien puede decirse que el autor pone en marcha toda esta tramoya *nivolesca* para afrontar los problemas que considera esenciales: «el de la personalidad, el de la "realidad" del ser hombre, y su corolario: la mortalidad o inmortalidad del alma individual»[4].

3.3. Estudio de los personajes

Desde las primeras líneas de la novela Augusto se nos presenta como un individuo extraño que el narrador mira con sonrisa burlona. Sus palabras y actitudes

---

[3] *Autobiografías de Unamuno* (Gredos, Biblioteca Románica Hispánica, II 76, Madrid, 1964), pág. 86.

[4] Eugenio G. de Nora: *La novela española contemporánea (1898-1967)*, I (Gredos, Biblioteca Románica Hispánica, II, 41, Madrid, 1979, 2.ª ed.), pág 22.

resultan artificiales, chocantes y a menudo ridículas. Tiene un grado de introversión que raya en lo patológico. Es como ese paraguas cerrado dentro de su funda que tanto le disgusta abrir. Sustenta la teoría de que las cosas están para mirarlas, no para usarlas. Por eso evita todo contacto directo con la realidad; es un mero espectador de la vida, desde su postura de solterón acomodado y ocioso.

En el capítulo V se nos revelan los orígenes psicológicos de esas anomalías: la dependencia de la madre, que al morir dejó a Augusto en el limbo. El pasado gravita excesivamente sobre él. Ve su casa no como un hogar, sino como un cenicero en el que se guardan los restos del último puro que se fumó su padre.

Al conocer a Eugenia se opera en él un profundo cambio. En un principio sólo la considera como una «flor de mi aburrimiento vital»; pero cuando se da cuenta de que es una mujer decidida, que tiene el carácter y la voluntad que a él le faltan, sufre una conmoción. Empiezan sus cavilaciones y desasosiegos, pero al menos se siente vivo.

Se encuentra aturdido porque con Eugenia ha descubierto a la mujer y ahora le gustan todas. Como su amigo Víctor le explica, ha pasado del concepto abstracto de mujer a lo concreto, y de lo concreto a lo genérico.

Al verse rechazado, desfallece y empieza a cuestionarse su propia existencia; teme no ser más que una ficción, un sueño de Dios que se desvanecerá en cuanto Él despierte.

Nuestro inseguro y fantasmal Augusto Pérez es «un ente dudoso y nebuloso, escasamente vivo: un ser mental artificioso, "nivolesco" y no humano»[5].

---

[5] Nora: *La novela española contemporánea...*, pág. 23.

En torno al protagonista se mueven una serie de criaturas que son simples títeres manejados por el autor. Es Eugenia la que, sin pretenderlo, desencadena todo el proceso. Se alude reiteradamente a dos cualidades suyas contrapuestas: la resplandeciente mirada de sus ojos de fuego y sus blancas manos, finas y frías como la nieve. Quedan simbolizadas así las dos caras de su personalidad que nos muestra la novela: orgullosa, fría, y en último término calculadora, con Augusto; ardiente, apasionada y posesiva, con Mauricio. Existe una total y absoluta disociación entre la Eugenia de carne y hueso y la que el protagonista forja en su mente.

Frente a ella, Rosario es una criatura primitiva, cuya malicia inocente o inocencia maliciosa no deja de sorprender a Augusto, que la utiliza como conejillo de Indias.

Interesante es la figura de Víctor Goti, a la vez prologuista del libro, personaje ficticio y desdoblamiento de Unamuno. Diagnostica con gran sagacidad los males de Augusto. Se muestra consciente de que realidad y ficción se confunden.

La sombra de doña Soledad, la madre del protagonista, vaga por el relato. Va asociada a la imagen de una casa tibia, en donde entra la luz a través de las cortinas blancas. Al morir ella, Augusto se verá impulsado a buscar una nueva «madre».

Mauricio es el típico chulo sin escrúpulos. Se resiste a dejarse encadenar por una mujer. Está dispuesto a todo antes de perder su libertad. No le convence el mito de don Juan porque él sustenta la teoría de que en la mayor parte de los casos —en el suyo, desde luego— el hombre no es seductor, sino seducido.

Completan este retablo dos simpáticas parejas. Domingo y Liduvina, los criados de Augusto, son fieles y cariñosos con su señorito. A menudo les consulta para

Estatua de Unamuno. Salamanca.

aclarar sus ideas, pero las sencillas respuestas nacidas del sentido común no tienen cabida en el brumoso cerebro del protagonista. Don Fermín y doña Ermelinda, los tíos de Eugenia, forman el típico matrimonio antitético de la comedia. Ella es una persona interesada, que pierde el oremus en cuanto ve la posibilidad de meter en casa a un caballero de buena renta. Más simpático resulta su marido, que aprovecha las visitas de Augusto para soltar sus ideas sobre el anarquismo y la necesidad de hablar esperanto. Es un tipo esquemático y caricaturesco.

Con razón puede decirse que, de todos los personajes que intervienen en la novela, el que más se humaniza a nuestra vista es, paradójicamente, Orfeo; sobre todo en el monólogo final, donde nos da la clave de este gran absurdo que es la existencia del hombre.

3.4. Influjos y relaciones

Nuestra novela presenta claras resonancias de *La vida es sueño* de Pedro Calderón de la Barca, ya que se habla constantemente de la existencia como sueño; pero aquí no es sueño propio, sino de otro, ya sea el autor, ya sea Dios. También nos viene a la memoria otra pieza calderoniana: *El gran teatro del mundo*. Se insiste en la idea de que estamos representando una comedia ante nosotros mismos; somos a la vez actores y espectadores que fingimos el personaje que somos o soñamos ser.

Muchos de los asuntos que Unamuno aborda en *Niebla* están también expuestos en *Del sentimiento trágico de la vida* (1913), apasionado ensayo en torno a la inmortalidad del alma. En los planteamientos de ambas puede rastrearse el influjo de las numerosas lecturas filosóficas de que hizo acopio, especialmente de Kierkegaard y Schopenhauer.

MIGUEL DE UNAMUNO

DEL SENTIMIENTO TRÁGICO DE LA VIDA

RENACIMIENTO
SOCIEDAD ANÓNIMA EDITORIAL
Calle de Pontejos, núm. 3, 1.º
MADRID

El personaje de Augusto, mezcla de rasgos trágicos y grotescos, no es una criatura única en el universo unamuniano. Tiene evidente parentesco con los protagonistas de algunos cuentos, aunque éstos sean mucho más esquemáticos y simples: *El sencillo don Rafael, cazador y tresillista, En manos de la cocinera...* Todos ellos se aburren en una vida vacía y sin sentido.

También se han hallado paralelismos con personajes de otros autores. Señalemos el caso singular del protagonista de *El amigo Manso* de Benito Pérez Galdós, otra auténtica *nivola* en la que sin duda se inspiró Unamuno. Igual que Augusto, Máximo Manso es un ser de vida vulgar que logra enardecerse por vez primera gracias al amor de una joven y que se reintegra a la nada tras el desengaño. Desde el primer capítulo se parte del supuesto de que estamos ante un ente ficticio, fruto tan sólo de la inspiración de un novelista.

La técnica de intercalar episodios secundarios dentro de la trama sigue el modelo de la primera parte del *Quijote.* Se hace referencia expresa a ello (§ 1074).

Niebla es una obra representativa de las inquietudes del autor, que puede relacionarse, por tanto, con las ideas expuestas en otros muchos escritos, sea cual sea su género.

3.5. Técnica y estilo

En *Niebla,* como en todas las *nivolas* de Unamuno, más que el argumento importa la acción interior, que se revela en las lucubraciones del personaje. Para exponer ante el lector la intimidad de Augusto, Unamuno se sirve de la técnica del diálogo y el monólogo. Desde un principio vemos al protagonista enfrascado en interminables conversaciones consigo mismo; es un ser pasivo que sólo trabaja con la imaginación. También abundan los diálogos, a través de los cuales afloran los conflictos de personalidad, no sólo de Augusto sino también de sus interlocutores.

A partir del capítulo V el diálogo y el monólogo se complementan con lo que Unamuno llama, paradójicamente, «monodiálogo», es decir, un diálogo con un presunto interlocutor que no participa, de forma que el personaje sigue hablando solo. En este caso el destinatario es Orfeo. Para verbalizar sus divagaciones íntimas ante el perro, Augusto se ve obligado a ordenarlas y a dar mayor consistencia a su argumentación.

Nuestro autor intenta enriquecer la lengua literaria recuperando los viejos vocablos castizos que van cayendo en desuso. Su prosa está llena de arcaísmos, tanto léxicos como morfosintácticos, que le dan un peculiar sabor añejo: «Se empeña don Miguel de Unamuno en que ponga yo un prólogo a *este su* libro...» (§ 1). También amplía el léxico con dialectalismos, especialmente leoneses. Coincide esta actitud con el sentir general de la época, pero es también fruto de su deseo de sumergirse en la vida del pueblo.

Muy característicos del lenguaje unamuniano son los neologismos, otro medio de enriquecer el vocabulario: «El único laboratorio de psicología femenina o de *ginepsicología* es el matrimonio» (§ 1602). Forma además nuevos compuestos de gran fuerza expresiva: «la abnegada legión de los *pincha-ranas, caza-vocablos, barrunta-fechas* y *cuenta-gotas* de toda laya...» (§ 1456).

Unamuno tiene pasión por los juegos de conceptos etimológicos, que le ayudan a exponer con más precisión sus ideas: «La manía de viajar viene de *topofobía* [odio al lugar en que uno está], y no de *filotopía* [afán de conocer nuevos lugares]...» (§ 31).

Su afición conceptista lo lleva a utilizar a menudo recursos retóricos como la paradoja: «*burla* muy *en serio*» (§ 6). Muchas veces se mezcla con el retruécano, logrando así una expresión más sorprendente: «Pero acaso no

41

hay nada *más malicioso que la inocencia,* o bien, *más inocente que la malicia»* (§ 1177).

Aparecen constantemente parejas de palabras que, manteniendo el significado, intercambian su forma gramatical: «... no quisiera morirse sin haber escrito una *bufonada trágica* o una *tragedia bufa»* (§ 8).

La concepción estilística de don Miguel se mueve entre dos polos contrarios. Quiere escribir de forma espontánea y directa, a la pata la llana, si se nos permite la expresión, pero no renuncia a la frase larga y sintácticamente compleja, aprendida en la lectura de los grandes maestros. Quiebra el lenguaje culto con frecuentes expresiones coloquiales: «Aquí nadie quiere que le *tomen el pelo,* ni *hacer el primo,* ni que *se queden con él...»* (§ 7). Pero no se anula el influjo de la tradición literaria con la que intenta romper. Aunque en algunos momentos puede parecer retórico, es la suya una retórica muy particular, que no sigue modelos tópicos, sino que nace de sus arrebatos personales.

En ocasiones la prosa resulta algo descuidada. No es raro encontrar reiteraciones cacofónicas y construcciones sintácticas forzadas:

> Al oír esto quedóse el pobre hombre mirándome un rato con una de esas miradas perforadoras que parecen atravesar la mira e ir más allá, miró luego un momento a mi retrato al óleo que preside a mis libros, le volvió el color y el aliento, fue recobrándose, se hizo dueño de sí, apoyó los codos en mi camilla, a que estaba arrimado frente a mí, y la cara en las palmas de las manos, y mirándome con una sonrisa en los ojos, me dijo lentamente...
>
> (§ 1956)

Le falta la decidida voluntad de estilo que hallamos en otras figuras de su tiempo. Y eso se debe, sin duda, a que no quería que sus lectores vieran en él al escritor sino al hombre. No hace falta decir que estos lunares, fruto de la concepción unamuniana del estilo, no disminuyen en absoluto los grandes valores expresivos que encierra su obra.

3.6. Valor y sentido

Si hubiese que buscar la clave del éxito de *Niebla,* cabría resaltar ante todo lo original del planteamiento y la extraordinaria agilidad con que Unamuno expone a lo largo de sus páginas muchas de sus ideas filosóficas fundamentales, impregnadas de una sutil ironía. El cruce de planos entre realidad y ficción nos sitúa en una perspectiva inesperada que amplía los horizontes de la mera trama argumental.

No es ajeno a la atracción que ejerce la novela el lenguaje directo, apasionado y vehemente que caracteriza a nuestro autor. Pese a la densidad del contenido, los constantes diálogos le dan vivacidad y dinamismo, convirtiéndola en una obra de agradabilísima lectura. Los personajes están caracterizados con mucha gracia; recordemos como muestra las divertidas intervenciones de don Fermín, el tío anarquista de Eugenia.

Es, en definitiva, una de las mejores novelas de nuestro siglo, que, alejada de unas coordenadas espaciales y temporales concretas, resulta plenamente vigente después de tantos años.

4. Bibliografía básica comentada

Díez, Ricardo: *El desarrollo estético de la novela de Unamuno,* Playor, Madrid, 1976.

Estudia la evolución de la narrativa unamuniana y los diversos influjos estéticos que en ella pueden detectarse.

Elizalde, Ignacio: *Miguel de Unamuno y su novelística,* Caja de Ahorros Provincial de Guipúzcoa, San Sebastián, 1983.

Libro que brinda una interesante y minuciosa visión de conjunto de la obra narrativa de nuestro autor.

Granjel, Luis S[ánchez]: *Retrato de Unamuno,* Guadarrama, Madrid, 1957.

Ofrece un detallado análisis de la peripecia vital y la actividad literaria de Unamuno, con especial hincapié en los aspectos psicológicos e ideológicos y, sobre todo, en los graves problemas existenciales y las crisis religiosas que siempre lo atormentaron.

Marías, Julián: *Miguel de Unamuno,* Espasa-Calpe, «Selecciones Austral», n.° 18, Madrid, 1980, 2.ª ed.

Es un valioso estudio de conjunto en el que se trazan las líneas maestras del pensamiento filosófico, aunque no sistemático, de Unamuno, y se analiza cómo esas angustias y obsesiones son exteriorizadas a través de los personajes de ficción que crea.

Miguel de Unamuno, edición de Antonio Sánchez Barbudo, en «El escritor y la crítica», Taurus, Madrid,
1980, 2.ª ed.

Libro misceláneo que recoge trabajos —algunos de
ellos fundamentales— de diversos autores. Hace referencia tanto al pensamiento filosófico como a la obra de
ficción: novela, poesía y teatro.

NORA, Eugenio G. de: «La novela agónica de Unamuno»,
en *La novela española contemporánea (1898-1967),*
I, Gredos, Madrid, 1979, 2.ª ed., págs. 13-48.

Se va analizando el contenido e interpretando una
a una las novelas de Unamuno, sin perder nunca de
vista los principios estéticos y el pensamiento que sub-
yace en todas ellas.

PARAÍSO, Isabel: Prólogo a la edición de *Niebla,* Plaza y
Janés, «Clásicos Plaza y Janés», n.º 44, Barcelona,
1985.

Comienza con una noticia bibliográfica y una biografía de Unamuno, para pasar luego al estudio concreto
de nuestra novela, en lo que se refiere a temas, estructura, personajes, estilo... Se remata con una breve antología de textos afines a *Niebla.*

PEDRAZA JIMÉNEZ, Felipe B. y RODRÍGUEZ CÁCERES, Milagros: «Miguel de Unamuno», en *Manual de literatura española, IX. Generación de fin de siglo: Prosistas,* Cénlit, Tafalla (Navarra), 1987, págs. 225-392.

Es un extenso capítulo en el que se pretende ofre-
cer una visión completa de la vida, personalidad, pensamiento, producción literaria y estilo del autor bilbaíno,

45

recogiendo las principales aportaciones bibliográficas. Se analizan una por una todas las obras pertenecientes a los diversos géneros.

RIBBANS, Geoffrey: *Niebla y soledad. Aspectos de Unamuno y Machado,* Gredos, Biblioteca Románica Hispánica, II, 162, Madrid, 1971.

Es un estudio fundamental en el que la parte dedicada a Unamuno trata de su evolución como novelista, con especial atención a *Amor y pedagogía* y, sobre todo, a *Niebla,* cuya estructura y significado son objeto de análisis.

SÁNCHEZ BARBUDO, Antonio: *Estudios sobre Galdós, Unamuno y Machado,* Guadarrama, Madrid, 1968, 2.ª ed.; hay otra edición posterior en Lumen, Barcelona, 1981.

En este libro se recogen varios artículos que intentan profundizar en la personalidad unamuniana. Se ocupa de los distintos estados de espíritu que desembocan en la crisis decisiva de 1897, y de *San Manuel Bueno, mártir,* reflejo de las angustias religiosas del autor.

VALDÉS, Mario J.: Prólogo a la edición crítica de *Niebla,* Cátedra, «Letras hispánicas», n.º 154, Madrid, 1984.

Se centra en el estudio de la estructura de la novela, que distribuye en cinco círculos concéntricos. Se detiene después en la historia del texto, desde el manuscrito de 1907 a su publicación.

MIGUEL DE UNAMUNO

:: N I E B L A ::

(NIVOLA)

PRÓLOGO DE

VICTOR GOTI

RENACIMIENTO

MADRID ⎰ BUENOS AIRES
SAN MARCOS, 42 ⎱ LIBERTAD, 172

1914

5. Nuestra edición

Seguimos la primera edición de *Niebla,* de 1914, que publicó la editorial madrileña Renacimiento. Sólo nos hemos permitido modernizar la acentuación y algunos usos ortográficos e introducir ligeros cambios en la puntuación que pueden facilitar la lectura. Por supuesto, se han subsanado las erratas y también lo que consideramos descuidos evidentes que no responden a una intención expresiva.

Creemos que esta edición es la más próxima al genuino estilo de don Miguel. Aunque él revisó personalmente la de 1935 —no así la de 1928—, no estamos seguros de que algunos de los cambios que se introdujeron no fueran obra de los impresores, en un intento de hacer más académica el habla del autor. A veces los editores corrigen las concordancias «ad sensum» a las que tan aficionado era el novelista. Nos parece innecesario; es preferible mantener la expresión original que, por otro lado, tiene su razón de ser.

Miguel de Unamuno

Niebla

Prólogo

Se empeña don Miguel de Unamuno en que ponga yo[1] un prólogo a este su libro[2] en que se relata la tan lamentable historia de mi buen amigo Augusto Pérez y su misteriosa muerte, y yo no puedo menos sino escribirlo, porque los deseos del señor Unamuno son para mí mandatos, en la más genuina acepción de este vocablo. Sin haber yo llegado al extremo de escepticismo hamletiano[3] de mi pobre amigo Pérez, que llegó hasta a dudar de su propia existencia, estoy por lo menos firmemente persuadido de que carezco de eso que los psicólogos llaman libre albedrío[4], aunque para mi consuelo creo también que tampoco goza don Miguel de él.

Parecerá acaso extraño a alguno de nuestros lectores que sea yo, un perfecto desconocido en la república de las letras españolas, quien prologue un libro de don Miguel, que es ya ventajosamente conocido en ella, cuando la costumbre es que sean los escritores más conocidos los que hagan en los prólogos la presentación de aquellos otros que lo

---

[1]   El que ha tomado la palabra es Víctor Goti, personaje al que ya tendremos ocasión de conocer más adelante, pues de sus andanzas se nos habla en *Niebla.*

[2]   Ya dijimos en el estudio introductorio que Unamuno es muy aficionado a los arcaísmos; he aquí un buen ejemplo. Obsérvese que le ha contagiado ese rasgo al bueno de Víctor Goti, que es quien ahora escribe.

[3]   Hamlet, el protagonista del drama de William Shakespeare que lleva ese título, viene siendo considerado como el prototipo de la duda.

[4]   El libre albedrío es la capacidad de decidir sin estar sometido fatalmente a fuerzas externas.

sean menos[5]. Pero es que nos hemos puesto de acuerdo don Miguel y yo para alterar esta perniciosa costumbre, invirtiendo los términos, y que sea el desconocido el que al conocido presente. Porque en rigor los libros más se compran por el cuerpo del texto que no por el prólogo, y es natural por tanto que cuando un joven principiante como yo, desee darse a conocer, en vez de pedir a un veterano de las letras que le escriba un prólogo de presentación, debe rogarle que le permita ponérselo a una de sus obras. Y esto es a la vez resolver uno de los problemas de ese eterno pleito de los jóvenes y los viejos.

Únenme, además, no pocos lazos con don Miguel de Unamuno. Aparte de que este señor saca a relucir en este libro, sea novela o *nivola*[6] —y conste que esto de la *nivola* es invención mía—, no pocos dichos y conversaciones que con el malogrado Augusto Pérez tuve, y que narra también en ella la historia del nacimiento de mi tardío hijo Victorcito[7], parece que tengo algún lejano parentesco con don Miguel, ya que mi apellido es el de uno de sus antepasados, según doctísimas investigaciones ge-

---

[5] Nos encontramos ante una parodia de prólogo. Bien podría pensar Unamuno, como Cervantes al prologar el *Quijote,* que nadie sabía mejor que él lo que había que poner al frente de sus libros; de ahí que lo escribiera él mismo, hablando por boca de un personaje. En tono burlón, medio en broma, medio en serio, va a exponer sus ideas literarias y filosóficas y a contestar a las críticas que recibe de los lectores menos dotados intelectualmente, de los que dirá con ironía que poseen «tesoros de candidez ingenua y de simplicidad palomina» (§4).

[6] Ya hemos visto que Unamuno emplea esta denominación para la mayoría de sus novelas, con el fin de dejar bien claro que no responden puntualmente a los rasgos propios del género; son otra cosa. En esta ocasión atribuye su invento a Víctor Goti, que lo expone ufano a Augusto Pérez en el diálogo del capítulo XVII (§ 1075-1100). Se vuelve sobre el tema en los párrafos 1893-1909.

[7] Efectivamente, se hace referencia a este conflicto familiar en los capítulos XIV y XXII.

nealógicas de mi amigo Antolín S. Paparrigópulos[8], tan conocido en el mundo de la erudición.

Yo no puedo preveer[9] ni la acojida[10] que esta *nivola* obtendrá de parte del público que lee a don Miguel, ni cómo se la tomarán a éste. Hace algún tiempo que vengo siguiendo con alguna atención la lucha que don Miguel ha entablado con la ingenuidad pública y estoy verdaderamente asombrado de lo profunda y cándida que es ésta. Con ocasión de sus artículos en el *Mundo gráfico*[11] y en alguna otra publicación análoga, ha recibido don Miguel algunas cartas y recortes de periódicos de provincias que ponen de manifiesto los tesoros de candidez ingenua y de simplicidad palomina que todavía se conservan en nuestro pueblo. Una vez comentan aquella su frase de que el Sr. Cervantes (don Miguel) no carecía de algún ingenio y parece se escandalizan de la irreverencia; otra se enternecen por esas sus melancólicas reflexiones sobre la caída de las hojas; ya se entusiasman por su grito «¡guerra a la guerra!», que le arrancó el dolor de ver que los hombres se mueren aunque no los maten; ya reproducen aquel puñado de verdades no paradójicas[12] que publicó después de haberlas recojido por todos los cafés, círculos y cotarrillos, donde an-

---

[8] Antolín S. Paparrigópulos es un pintoresco filósofo cuyas peregrinas teorías se exponen en el capítulo XXIII (§ 1448 y ss.). Quizá el apellido del personaje sea deformación del de un historiador griego llamado Konstantinos Paparrigopoulos (1815-1891).

[9] *preveer:* nuestro autor usa esta forma verbal que hoy sustituimos por *prever*.

[10] Unamuno escribe con jota algunas palabras que hoy llevan ge: *cojer, lijero...* Respetamos en este caso esa peculiaridad ortográfica.

[11] Revista madrileña creada en 1911.

[12] Unamuno es especialmente aficionado a la paradoja, recurso del que suele servirse en la exposición de sus teorías. En este caso se trata de «verdades no paradójicas» porque son ramplonas y de escasa relevancia.

daban podridas de puro manoseadas y hediendo a ramplonería ambiente, por lo que las reconocieron como suyas los que las reprodujeron, y hasta ha habido palomilla sin hiel[13] que se ha indignado de que este logómaco[14] de don Miguel escriba algunas veces Kultura con K mayúscula[15] y después de atribuirse habilidad para inventar amenidades, reconozca ser incapaz de producir colmos[16] y juegos de palabras, pues sabido es que para este público ingenuo el ingenio y la amenidad se reducen a eso: a los colmos y los juegos de palabras.

5   Y menos mal que ese ingenuo público no parece haberse dado cuenta de alguna otra de las diabluras de don Miguel, a quien a menudo le pasa lo de pasarse de listo, como es aquello de escribir un artículo y luego subrayar al azar unas palabras cualesquiera de él, invirtiendo las cuartillas para no poder fijarse en cuáles lo hacía. Cuando me lo contó le pregunté por qué había hecho eso y me dijo: «¡Qué sé yo... por buen humor! ¡Por hacer una pirueta! Y además porque me encocoran[17] y ponen de mal humor los subrayados y las palabras en bas-

---

tardilla[18]. Eso es insultar al lector, es llamarle torpe, es decirle: ¡fíjate, hombre, fíjate, que aquí hay intención! Y por eso le recomendaba yo a un señor que escribiese sus artículos todo en bastardilla para que el público se diese cuenta de que eran intencionadísimos desde la primera palabra a la última. Eso no es más que la pantomima de los escritos; querer sustituir en ellos con el gesto lo que no se expresa con el acento y entonación. Y fíjate, amigo Víctor, en los periódicos de la extrema derecha, de eso que llamamos integrismo[19], y verás cómo abusan de la bastardilla, de la versalita[20], de las mayúsculas, de las admiraciones y de todos los recursos tipográficos. ¡Pantomima, pantomima, pantomima! Tal es la simplicidad de sus medios de expresión, o más bien tal es la conciencia que tienen de la ingenua simplicidad de sus lectores. Y hay que acabar con esta ingenuidad.»

Otras veces le he oído sostener a don Miguel que eso que se llama por ahí humorismo, el legítimo, ni ha prendido en España apenas, ni es tan fácil que en ella prenda en mucho tiempo. Los que aquí se llaman humoristas —dice— son satíricos unas veces y otras irónicos, cuando no puramente festivos. Llamar humorista a Taboada[21], verbigracia[22], es abusar del término. Y no hay nada menos humorístico que la sátira áspera, pero clara y tras-

---

[18]   *bastardilla*: tipo de letra, inclinada, que utilizan los impresores para destacar determinadas palabras.
[19]   *integrismo*: facción política española de finales del siglo XIX que defiende a ultranza, en toda su integridad, la tradición.
[20]   *versalita*: tipo de letra mayúscula pero de tamaño menor.
[21]   Luis Taboada (1848-1906) es un periodista español que escribe artículos satíricos.
[22]   *verbigracia*: expresión latina que equivale a *por ejemplo*.

parente de Quevedo[23], en la que se ve el sermón enseguida. Como humorista no hemos tenido más que Cervantes, y si éste levantara la cabeza, ¡cómo había de reírse —me decía don Miguel— de los que se indignaron de que yo le reconociese algún ingenio, y, sobre todo, cómo se reiría de los ingenuos que han tomado en serio alguna de sus más sutiles tomaduras de pelo! Porque es indudable que entraba en la burla —burla muy en serio— que de los libros de caballerías hacía el remedar el estilo de éstos, y aquello de «no bien el rubicundo Febo, etc.», que como modelo de estilo presentan algunos ingenuos cervantistas, no pasa de ser una graciosa caricatura del barroquismo literario. Y no digamos nada de aquello de tomar por un modismo lo de «la del alba sería» con que empieza un capítulo cuando el anterior acaba con la palabra *hora*[24].

Nuestro público, como todo público poco culto, es naturalmente receloso, lo mismo que lo es nuestro pueblo. Aquí nadie quiere que le tomen el pelo, ni hacer el primo, ni que se queden con él, y así en cuanto alguien le habla quiere saber desde luego a qué atenerse y si lo hace en broma o en serio. Dudo que en otro pueblo alguno moleste tanto el que se mezclen las burlas con las veras, y en cuanto a eso de que no se sepa bien si una cosa va o no en serio, ¿quién de nosotros lo soporta? Y es mucho más difícil que un receloso español de término medio se dé cuenta de que una cosa está di-

---

[23]   Francisco de Quevedo y Villegas (1580-1645) es uno de nuestros máximos poetas y prosistas barrocos. Cultiva la vena satírica y el humor conceptista.

[24]   Efectivamente, en ocasiones se ha tomado como modelo estilístico lo que Cervantes escribió con intención paródica, imitando la artificiosa lengua de los libros de caballerías.

cha en serio y en broma a la vez, de veras y de burlas, y bajo el mismo respecto.

Don Miguel tiene la preocupación del bufo trágico y me ha dicho más de una vez que no quisiera morirse sin haber escrito una bufonada trágica o una tragedia bufa, pero no en que lo bufo o grotesco y lo trágico estén mezclados o yuxtapuestos, sino fundidos y confundidos en uno. Y como yo le hiciese observar que eso no es sino el más desenfrenado romanticismo, me contestó: «no lo niego, pero con poner motes a las cosas no se resuelve nada. A pesar de mis más de veinte años de profesar la enseñanza de los clásicos, el clasicismo que se opone al romanticismo no me ha entrado. Dicen que lo helénico es distinguir, definir, separar; pues lo mío es indefinir, confundir».

Y en el fondo esto no es más que una concepción o, mejor aún que concepción, un sentimiento de la vida que no me atrevo a llamar pesimista porque sé que esta palabra no le gusta a don Miguel. Es su idea fija, monomaníaca, de que si su alma no es inmortal y no lo son las almas de los demás hombres y aun de todas las cosas, e inmortales en el sentido mismo en que las creían ser los ingenuos católicos de la Edad Media, entonces, si no es así, nada vale nada ni hay esfuerzo que merezca la pena[25]. Y de aquí la doctrina del tedio de Leopardi[26], después que pereció su engaño extremo,

ch'io eterno mi credea[27],

---

[25] El autor salmantino estaba obsesionado por el tema de la inmortalidad, que trata en buena parte de sus escritos.
[26] Giacomo Leopardi (1798-1837) es un poeta romántico italiano que nos da una visión del mundo melancólica y pesimista.
[27] «Que yo eterno me creía».

de creerse eterno. Y esto explica que tres de los autores más favoritos de don Miguel sean Sénancour[28], Quental[29] y Leopardi.

10   Pero este adusto y áspero humorismo confusionista, además de herir la recelosidad de nuestras gentes, que quieren saber desde que uno se dirige a ellas a qué atenerse, molesta a no pocos. Quieren reírse, pero es para hacer mejor la digestión y para distraer las penas, no para devolver lo que indebidamente se hubiesen tragado y que puede indigestárseles, ni mucho menos para digerir las penas. Y don Miguel se empeña en que si se ha de hacer reír a las gentes, debe ser no para que con las contracciones del diafragma ayuden a la digestión, sino para que vomiten lo que hubieren engullido[30], pues se ve más claro el sentido de la vida y del universo con el estómago vacío de golosinas y excesivos manjares. Y no admite eso de la ironía sin hiel ni del humorismo discreto, pues dice que donde no hay alguna hiel no hay ironía y que la discreción está reñida con el humorismo, o como él se complace en llamarle: malhumorismo[31].

Todo lo cual le lleva a una tarea muy desagradable y poco agradecida, de la que dice que no es sino un masaje de la ingenuidad pública, a ver si el ingenio colectivo de nuestro pueblo se va agilizando y sutilizando[32] poco a poco. Porque le saca de

---

[28]   Etienne de Sénancour (1770-1846) es un escritor francés, autor de la novela *Obermann*, en la que recoge sus impresiones personales.

[29]   Antero de Quental (1842-1891) es un poeta portugués de la época realista cuyas obras están impregnadas de reflexiones existenciales.

[30]   *Hubieren engullido* es futuro perfecto de subjuntivo, forma verbal común en la época clásica, hoy en desuso.

[31]   Aquí se desarrolla la idea que tenía Unamuno sobre la función estética y moral del humor.

[32]   *sutilizarse*: hacerse más sutil, más agudo.

sus casillas el que digan que nuestro pueblo, sobre todo el meridional, es ingenioso. «Pueblo que se recrea en las corridas de toros y halla variedad y amenidad en ese espectáculo sencillísimo, está juzgado en cuanto a mentalidad», dice. Y agrega que no puede haber mentalidad más simple y más córnea[33] que la de un aficionado. ¡Vaya usted con paradojas más o menos humorísticas al que acaba de entusiasmarse con una estocada de Vicente Pastor[34]! Y abomina del género festivo de los revisteros de toros, sacerdotes del juego de vocablos y de toda la bazofia del ingenio de puchero.

Si a esto se añade los juegos de conceptos metafísicos en que se complace, se comprenderá que haya muchas gentes que se aparten con disgusto de su lectura, los unos porque tales cosas les levantan dolor de cabeza, y los otros porque, atentos a lo de que *sancta sancte tractanda sunt,* lo santo ha de tratarse santamente, estiman que esos conceptos no deben dar materia para burlas y jugueteos. Mas él dice a esto que no sabe por qué han de pretender que se trate en serio ciertas cosas los hijos espirituales de quienes se burlaron de las más santas, es decir, de las más consoladoras creencias y esperanzas de sus hermanos. Si ha habido quien se ha burlado de Dios, ¿por qué no hemos de burlarnos de la Razón, de la Ciencia y hasta de la Verdad? Y si nos han arrebatado nuestra más cara y más íntima esperanza vital, ¿por qué no hemos de confundirlo todo para matar el tiempo y la eternidad y para vengarnos?

---

[33] *córnea:* dura, cerril.
[34] Vicente Pastor fue un torero madrileño de principios de siglo.

Fácil es también que salga diciendo alguno que hay en este libro pasajes escabrosos, o si se quiere, pornográficos; pero ya don Miguel ha tenido buen cuidado de hacerme decir a mí algo al respecto en el curso de esta *nivola*[35]. Y está dispuesto a protestar de esa imputación y a sostener que las crudezas que aquí puedan hallarse ni llevan intención de halagar apetitos de la carne pecadora, ni tienen otro objeto que ser punto de arranque imaginativo para otras consideraciones.

Su repulsión a toda forma de pornografía es bien conocida de cuantos le conocen. Y no sólo por las corrientes razones morales, sino porque estima que la preocupación libidinosa es lo que más estraga la inteligencia. Los escritores pornográficos, o simplemente eróticos, le parecen los menos inteligentes, los más pobres de ingenio, los más tontos, en fin[36]. Le he oído decir que de los tres vicios de la clásica terna de ellos: las mujeres, el juego y el vino, los dos primeros estropean más la mente que el tercero. Y conste que don Miguel no bebe más que agua. «A un borracho se le puede hablar —me decía una vez— y hasta dice cosas, pero ¿quién resiste la conversación de un jugador o un mujeriego? No hay por debajo de ella sino la de un aficionado a toros, colmo y copete[37] de la estupidez.»

15 No me extraña a mí, por otra parte, este consorcio de lo erótico con lo metafísico, pues creo sa-

---

[35] Víctor habla de la diferencia entre realismo y pornografía en el capítulo XXV (§ 1577-1582).

[36] En la primera década del siglo XX el género erótico alcanzó un éxito extraordinario. Las novelas más célebres se vendían muchísimo más que las obras de autores tan prestigiosos como el propio Unamuno.

[37] *copete:* pelo que se lleva levantado sobre la frente; quiere significar el punto más alto de algo.

ber que nuestros pueblos empezaron siendo, como sus literaturas nos lo muestran, guerreros y religiosos para pasar más tarde a eróticos y metafísicos. El culto a la mujer coincidió con el culto a las sutilezas conceptistas[38]. En el albor espiritual de nuestros pueblos, en efecto, en la Edad Media, la sociedad bárbara sentía la exaltación religiosa y aun mística y la guerrera —la espada lleva cruz en el puño—; pero la mujer ocupaba muy poco y muy secundario lugar en su imaginación y las ideas estrictamente filosóficas dormitaban, envueltas en teología, en los claustros conventuales. Lo erótico y lo metafísico se desarrollan a la par. La religión es guerrera; la metafísica es erótica o voluptuosa.

Es la religiosidad lo que le hace al hombre ser belicoso o combativo, o bien es la combatividad la que le hace religioso, y por otro lado es el instinto metafísico, la curiosidad de saber lo que no nos importa, el pecado original, en fin, lo que le hace sensual al hombre, o bien es la sensualidad la que, como a Eva, le despierta el instinto metafísico, el ansia de conocer la ciencia del bien y del mal. Y luego hay la mística, una metafísica de la religión que nace de la sensualidad de la combatividad.

Bien sabía esto aquella cortesana ateniense, Teodota, de que Jenofonte[39] nos cuenta en sus *Recuerdos* la conversación que con Sócrates[40] tuvo, y que proponía al filósofo, encantada de su modo de

---

[38] Llama «sutilezas conceptistas» a los juegos de palabras, como los que se prodigan en la poesía cortesana del siglo XV.
[39] Jenofonte (430-355 a. C.) es un historiador ateniense, discípulo de Sócrates, cuya obra más célebre es la *Anábasis*.
[40] Sócrates (469-399 a. C.) es un filósofo ateniense cuyas doctrinas han llegado a nosotros a través de Platón y Jenofonte.

investigar, o más de partear[41] la verdad, que se convirtiera en celestino[42] de ella y le ayudase a cazar amigos. *(Synthérates[43]*, con-cazador, dice el texto, según don Miguel, profesor de griego, que es a quien debo esta interesantísima y tan reveladora noticia). Y en toda aquella interesantísima conversación entre Teodota, la cortesana, y Sócrates, el filósofo partero, se ve bien claro el íntimo parentesco que hay entre ambos oficios, y cómo la filosofía es en grande y buena parte lenocinio[44] y el lenocinio es también filosofía.

Y si todo esto no es así como digo, no se me negará al menos que es ingenioso, y basta[45].

No se me oculta, por otra parte, que no estará conforme con esa mi distinción entre religión y belicosidad de un lado y filosofía y erótica de otro, mi querido maestro don Fulgencio Entrambosmares del Aquilón[46], de quien don Miguel ha dado tan circunstanciada noticia en su novela o *nivola Amor y pedagogía*. Presumo que el ilustre autor del *Ars magna combinatoria*[47] establecerá: una religión guerrera y una religión erótica, una metafísica guerrera y otra erótica, un erotismo religioso y un

---

[41] *partear*: asistir a la mujer que está de parto; en este caso significa ayudar a dar a luz la verdad.

[42] *celestino*: alcahuete, que media en las relaciones amorosas de hombres y mujeres; el nombre proviene del célebre personaje de *La Celestina* de Fernando de Rojas.

[43] *synthérates*: compañero de caza.

[44] *lenocinio*: oficio de alcahuete.

[45] Obsérvese que Víctor Goti se ha puesto a filosofar por su cuenta y riesgo, como si del propio Unamuno se tratara.

[46] Don Fulgencio Entrambosmares del Aquilón es un filósofo escolástico que aparece en la novela unamuniana *Amor y pedagogía*. Se trata de un personaje caricaturesco, sobre cuyas teorías se permite ironizar Víctor Goti-Unamuno.

[47] *Ars magna combinatoria* es una obra de don Fulgencio.

erotismo metafísico, un belicosismo metafísico y otro religioso, y, por otra parte, una religión metafísica y una metafísica religiosa, un erotismo guerrero y un belicosismo erótico; todo esto aparte de la religión religiosa, la metafísica metafísica, el erotismo erótico y el belicosismo belicoso. Lo que hace diez y seis combinaciones binarias. ¡Y no digo nada de las ternarias del género, verbigracia, de una religión metafísico-erótica o de una metafísica guerrero-religiosa! Pero yo no tengo ni el inagotable ingenio combinatorio de don Fulgencio, ni menos el ímpetu confusionista e indefinicionista de don Miguel.

20   Mucho se me ocurre atañedero[48] al inesperado final de este relato y a la versión que en él da don Miguel de la muerte de mi desgraciado amigo Augusto, versión que estimo errónea[49], pero no es cosa de que me ponga yo ahora aquí a discutir en este prólogo con mi prologado. Pero debo hacer constar en descargo de mi conciencia que estoy profundamente convencido de que Augusto Pérez, cumpliendo el propósito de suicidarse que me comunicó en la última entrevista que con él tuve, se suicidó realmente y de hecho, y no sólo idealmente y de deseo. Creo tener pruebas fehacientes en apoyo de mi opinión; tantas y tales pruebas, que deja de ser opinión para llegar a conocimiento.

Y con esto acabo.

Víctor Goti

---

[48]   *atañedero*: que atañe o se refiere a algo.
[49]   Repentinamente el personaje deja sus lucubraciones para aludir, sin dar detalles, a un hecho fundamental del relato, en torno a cuya interpretación discrepa de Unamuno. El lector aún no puede entender en qué consiste esta diferencia de pareceres. Tendrá que llegar hasta el final de la *nivola*.

Post-prólogo

De buena gana discutiría aquí alguna de las afirmaciones de mi prologuista, Víctor Goti, pero como estoy en el secreto de su existencia —la de Goti—, prefiero dejarle la entera responsabilidad de lo que en ese su prólogo dice[1]. Además, como fui yo quien le rogué que me lo escribiese, comprometiéndome de antemano —o sea, *a priori*— a aceptarlo tal y como me lo diera, no es cosa ni de que lo rechace, ni siquiera de que me ponga a corregirlo y rectificarlo ahora a posmano —o sea, *a posteriori*—. Pero otra cosa es que deje pasar ciertas apreciaciones suyas sin alguna mía.

No sé hasta qué punto sea lícito hacer uso de confidencias vertidas en el seno de la más íntima amistad y llevar al público opiniones o apreciaciones que no las destinaba a él quien las profiriera[2]. Y Goti ha cometido en su prólogo la indiscreción de publicar juicios míos que nunca tuve intención de que se hiciesen públicos. O por lo menos nunca quise que se publicaran con la crudeza con que en privado los exponía.

Y respecto a su afirmación de que el desgraciado... Aunque, desgraciado, ¿por qué? Bien; supongamos que lo hubiese sido. Su afirmación, digo, de que el desgraciado, o lo que fuese, Augusto Pérez se suicidó y no murió como yo cuento su muerte, es decir, por mi libérrimo albedrío y decisión, es

---

[1] El autor no parece muy complacido con las palabras de su prologuista.

[2] *profiriera*: se trata de un uso arcaico del pretérito imperfecto de subjuntivo con valor de pretérito pluscuamperfecto de indicativo («había proferido»).

cosa que me hace sonreír[3]. Opiniones hay, en efecto, que no merecen sino una sonrisa. Y debe de andarse mi amigo y prologuista Goti con mucho tiento en discutir así mis decisiones, porque si me fastidia mucho, acabaré por hacer con él lo que con su amigo Pérez hice, y es que le dejaré morir o le mataré a guisa de[4] médico. Los cuales ya saben mis lectores que se mueven en este dilema: o dejan morir al enfermo por miedo a matarle, o le matan por miedo de que se les muera. Y así yo soy capaz de matar a Goti si veo que se me va a morir, o de dejarle morir si temo haber de matarle.

25 Y no quiero prolongar más este post-prólogo, que es lo bastante para darle la alternativa a mi amigo Víctor Goti, a quien agradezco su trabajo.

M. DE U.

---

[3] Don Miguel no puede ocultar su irritación por el hecho de que Goti se permita poner en tela de juicio el dominio absoluto que tiene sobre los personajes que ha creado.

[4] *a guisa de*: a modo, a manera de.

Niebla

I

Al aparecer Augusto a la puerta de su casa extendió el brazo derecho, con la mano palma abajo y abierta, y dirigiendo los ojos al cielo quedóse un momento parado en esta actitud estatuaria y augusta. No era que tomaba posesión del mundo exterior, sino era que observaba si llovía. Y al recibir en el dorso de la mano el frescor del lento orvallo[1] frunció el sobrecejo. Y no era tampoco que le molestase la llovizna, sino el tener que abrir el paraguas. ¡Estaba tan elegante, tan esbelto, plegado y dentro de su funda! Un paraguas cerrado es tan elegante como es feo un paraguas abierto.

«Es una desgracia esto de tener que servirse uno de las cosas —pensó Augusto—; tener que usarlas. El uso estropea y hasta destruye toda belleza. La función más noble de los objetos es la de ser contemplados. ¡Qué bella es una naranja antes de comida! Esto cambiará en el cielo, cuando todo nuestro oficio se reduzca, o más bien se ensanche, a contemplar a Dios y todas las cosas en Él. Aquí, en esta pobre vida, no nos cuidamos sino de servirnos de Dios; pretendemos abrirlo, como a un paraguas, para que nos proteja de toda suerte de males.»

Díjose así y se agachó a recogerse los pantalones. Abrió el paraguas por fin y se quedó un momento suspenso y pensando: «y ahora, ¿hacia dónde voy? ¿tiro a la derecha o a la izquierda?» Porque

[1] *orvallo*: llovizna.

Augusto no era un caminante, sino un paseante de la vida. «Esperaré a que pase un perro —se dijo— y tomaré la dirección inicial que él tome.»

En esto pasó por la calle no un perro, sino una garrida[2] moza, y tras de sus ojos se fue, como imantado y sin darse de ello cuenta, Augusto.

30 Y así una calle y otra y otra.

«Pero aquel chiquillo —iba diciéndose Augusto, que más bien que pensaba hablaba consigo mismo— ¿qué hará allí, tirado de bruces en el suelo? ¡Contemplar a alguna hormiga, de seguro! ¡La hormiga, ¡bah!, uno de los animales más hipócritas! Apenas hace sino pasearse y hacernos creer que trabaja. Es como ese gandul que va ahí, a paso de carga, codeando a todos aquellos con quienes se cruza, y no me cabe duda de que no tiene nada que hacer. ¡Qué ha de tener que hacer, hombre, qué ha de tener que hacer! Es un vago, un vago como... ¡No, yo no soy un vago! Mi imaginación no descansa. Los vagos son ellos, los que dicen que trabajan y no hacen sino aturdirse y ahogar el pensamiento. Porque, vamos a ver, ese mamarracho de chocolatero que se pone ahí, detrás de esa vidriera, a darle al rollo majadero[3], para que le veamos, ese exhibicionista del trabajo, ¿qué es sino un vago? Y a nosotros ¿qué nos importa que trabaje o no? ¡El trabajo! ¡El trabajo! ¡Hipocresía! Para trabajo el de ese pobre paralítico que va ahí medio arrastrándose... Pero ¿y qué sé yo? ¡Perdone, hermano! —esto se lo dijo en voz alta—. ¿Hermano? ¿Hermano en qué?

---

[2] *garrida*: gallarda, hermosa.
[3] *rollo majadero*: cilindro de madera que se utiliza para extender las masas.

¡En parálisis! Dicen que todos somos hijos de Adán. Y éste, Joaquinito, ¿es también hijo de Adán? ¡Adiós, Joaquín! ¡Vaya, ya tenemos el inevitable automóvil, ruido y polvo! ¿Y qué se adelanta con suprimir así distancias? La manía de viajar viene de topofobía, y no de filotopía[4], el que viaja mucho va huyendo de cada lugar que deja y no buscando cada lugar a que llega. Viajar... viajar... Qué chisme más molesto es el paraguas... Calla, ¿qué es esto?»

Y se detuvo a la puerta de una casa donde había entrado la garrida moza que le llevara imantado tras de sus ojos. Y entonces se dio cuenta Augusto de que la había venido siguiendo. La portera de la casa le miraba con ojillos maliciosos, y aquella mirada le sugirió a Augusto lo que entonces debía hacer. «Esta Cerbera[5] aguarda —se dijo— que le pregunte por el nombre y circunstancias de esta señorita a que he venido siguiendo, y, ciertamente, esto es lo que procede ahora. Otra cosa sería dejar mi seguimiento sin coronación, y eso no, las obras deben acabarse. ¡Odio lo imperfecto!» Metió la mano al bolsillo y no encontró en él sino un duro. No era cosa de ir entonces a cambiarlo; se perdería tiempo y ocasión en ello.

—Dígame, buena mujer —interpeló a la portera sin sacar el índice y el pulgar del bolsillo—, ¿podría decirme aquí, en confianza y para *inter nos*[6],

---

[4] *Topofobía* es el odio a permanecer en un lugar; hoy preferimos la forma *topofobia*. Por el contrario, *filotopía* es la afición a conocer nuevos lugares. Son dos neologismos, con los que Unamuno forma uno de esos juegos de palabras etimológicos que tanto le gustan.

[5] *Cerbera*: alusión al Cancerbero, perro de tres cabezas que, según la mitología, guardaba la entrada del infierno. Es habitual aplicarlo irónicamente a los porteros.

[6] *para inter nos*: confidencialmente.

el nombre de esta señorita que acaba de entrar?

—Eso no es ningún secreto ni nada malo, caballero.

35 —Por lo mismo.

—Pues se llama doña Eugenia Domingo del Arco.

—¿Domingo? Será Dominga...

—No, señor, Domingo; Domingo es su primer apellido.

—Pues cuando se trata de mujeres, ese apellido debía cambiarse en Dominga. Y si no, ¿dónde está la concordancia?

40 —No la conozco, señor.

—Y dígame... dígame... —sin sacar los dedos del bolsillo—. ¿Cómo es que sale así sola? ¿Es soltera o casada? ¿Tiene padre?

—Es soltera y huérfana. Vive con unos tíos...

—¿Paternos o maternos?

—Sólo sé que son tíos.

45 —Basta y aun sobra.

—Se dedica a dar lecciones de piano.

—¿Y le[7] toca bien?

—Ya tanto no sé.

—Bueno, bien, basta; y tome por la molestia.

50 —Gracias, señor, gracias. ¿Se le ofrece más? ¿Puedo servirle en algo? ¿Desea le lleve algún mandado?

—Tal vez... tal vez... No por ahora... ¡Adiós!

—Disponga de mí, caballero, y cuente con una absoluta discreción.

---

[7] Leísmo, en vez de «lo toca», puesto que se trata de un objeto directo que designa una cosa. Veremos otros muchos casos. En las ediciones posteriores aparecen corregidos los usos anómalos de los pronombres personales.

«Pues, señor —iba diciéndose Augusto al separarse de la portera—, ve aquí cómo he quedado comprometido con esa buena mujer. Porque ahora no puedo dignamente dejarlo así. Qué dirá, si no, de mí este dechado de porteras. ¿Conque... Eugenia Dominga, digo Domingo, del Arco? Muy bien, voy a apuntarlo, no sea que se me olvide. No hay más arte mnemotécnica que llevar un libro de memorias en el bolsillo. Ya lo decía mi inolvidable don Leoncio: ¡no metáis en la cabeza lo que os quepa en el bolsillo! A lo que habría que añadir por complemento: ¡no metáis en el bolsillo lo que os quepa en la cabeza! Y la portera, ¿cómo se llama la portera?»

Volvió unos pasos atrás.

55 —Dígame una cosa más, buena mujer...

—Usted mande...

—Y usted, ¿cómo se llama?

—¿Yo? Margarita.

—¡Muy bien, muy bien... gracias!

60 —No hay de qué.

Y volvió a marcharse Augusto, encontrándose al poco rato en el paseo de la Alameda.

Había cesado la llovizna. Cerró y plegó su paraguas y lo enfundó. Acercóse a un banco, y al palparlo se encontró con que estaba húmedo. Sacó un periódico, lo colocó sobre el banco y sentóse. Luego su cartera y blandió su pluma estilográfica. «He aquí un chisme utilísimo —se dijo—; de otro modo, tendría que apuntar con lápiz el nombre de esa señorita y podría borrarse. ¿Se borrará su imagen de mi memoria? Pero ¿cómo es? ¿Cómo es la dulce Eugenia? Sólo me acuerdo de unos ojos... Tengo la sensación del toque de unos ojos... Mientras yo divagaba líricamente, unos ojos tiraban dulcemente de mi corazón. ¡Veamos! Eugenia Domingo, sí, Do-
70 mingo del Arco. ¿Domingo? No me acostumbro a

eso de que se llame Domingo... No; he de hacerle cambiar el apellido y que se llame Dominga. Pero, y nuestros hijos varones ¿habrán de llevar por segundo apellido el de Dominga? Y como han de suprimir el mío, este impertinente Pérez, dejándolo en una P., ¿se ha de llamar nuestro primogénito Augusto P. Dominga? Pero... ¿adónde me llevas, loca fantasía?» Y apuntó en su cartera: Eugenia Domingo del Arco, Avenida de la Alameda, 58. Encima de esta apuntación había estos dos endecasílabos:

De la cuna nos viene la tristeza
y también de la cuna la alegría...

«Vaya —se dijo Augusto—, esta Eugenita, la profesora de piano, me ha cortado un excelente principio de poesía lírica trascendental. Me queda interrumpida. ¿Interrumpida?... Sí, el hombre no hace sino buscar en los sucesos, en las vicisitudes de la suerte, alimento para su tristeza o su alegría nativas. Un mismo caso es triste o alegre según nuestra disposición innata. ¿Y Eugenia? Tengo que escribirle. Pero no desde aquí, sino desde casa. ¿Iré más bien al Casino? No, a casa, a casa. Estas cosas desde casa, desde el hogar. ¿Hogar? Mi casa no es hogar. Hogar... hogar... ¡Cenicero más bien! ¡Ay, mi Eugenia!»

65   Y se volvió Augusto a su casa.

II

Al abrirle el criado la puerta...

Augusto, que era rico y solo, pues su anciana madre había muerto no hacía sino seis meses[1] antes de estos menudos sucedidos, vivía con un criado y una cocinera, sirvientes antiguos en la casa e hijos de otros que en ella misma habían servido. El criado y la cocinera estaban casados entre sí, pero no tenían hijos.

Al abrirle el criado la puerta le preguntó Augusto si en su ausencia había llegado alguien.

—Nadie, señorito.

70 Eran pregunta y respuesta sacramentales, pues apenas recibía visitas en casa Augusto.

Entró en su gabinete, tomó un sobre y escribió en él: «Señorita doña Eugenia Domingo del Arco. E.P.M.» Y enseguida, delante del blanco papel, apoyó la cabeza en ambas manos, los codos en el escritorio, y cerró los ojos. «Pensemos primero en ella» —se dijo. Y esforzóse por atrapar en la oscuridad el resplandor de aquellos otros ojos que le arrastraran al azar.

Estuvo así un rato sugiriéndose la figura de Eugenia, y como apenas si la había visto, tuvo que figurársela. Merced a esta labor de evocación fue surgiendo a su fantasía una figura vagarosa[2] ceñida de ensueños. Y se quedó dormido. Se quedó dormido porque había pasado mala noche, de insomnio.

—¡Señorito!

—¿Eh? —exclamó despertándose.

---

[1] En cambio, un poco más adelante (§ 233) nos dice que han pasado dos años desde que murió su madre.

[2] *vagarosa*: que vaga de un lugar a otro.

75   —Está ya servido el almuerzo.

¿Fue la voz del criado, o fue el apetito, de que aquella voz no era sino un eco, lo que le despertó? ¡Misterios psicológicos! Así pensó Augusto, que se fue al comedor diciéndose: ¡oh, la psicología!

Almorzó con fruición su almuerzo de todos los días: un par de huevos fritos, un bisteque con patatas y un trozo de queso Gruyère. Tomó luego su café y se tendió en la mecedora. Encendió un habano, se lo llevó a la boca, y diciéndose: «¡Ay, mi Eugenia!», se dispuso a pensar en ella.

«¡Mi Eugenia, sí, la mía —iba diciéndose—, esta que me estoy forjando a solas, y no la otra, no la de carne y hueso, no la que vi cruzar por la puerta de mi casa, aparición fortuita, no la de la portera! ¿Aparición fortuita? ¿Y qué aparición no lo es? ¿Cuál es la lógica de las apariciones? La de la sucesión de estas figuras que forman las nubes de humo del cigarro. ¡El azar! El azar es el íntimo ritmo del mundo, el azar es el alma de la poesía. ¡Ah, mi azarosa Eugenia! Esta mi vida mansa, rutinaria, humilde, es una oda pindárica[3], tejida con las mil pequeñeces de lo cotidiano. ¡Lo cotidiano! ¡El pan nuestro de cada día, dánosle hoy! Dame, Señor, las mil menudencias de cada día. Los hombres no sucumbimos a las grandes penas ni a las grandes alegrías, y es porque esas penas y esas alegrías vienen embozadas en una inmensa niebla de pequeños incidentes. Y la vida es esto, la niebla. La vida es una nebulosa. Ahora surge de ella Eugenia. ¿Y quién es Eugenia? Ah, caigo en la cuenta de que hace tiempo la andaba buscando. Y mientras yo la buscaba

---

[3]   Píndaro (518-438 a. C.) es un poeta griego famoso por las odas con que celebraba los triunfos atléticos.

ella me ha salido al paso. ¿No es esto acaso encontrar algo? Cuando uno descubre una aparición que buscaba, ¿no es que la aparición, compadecida de su busca, se le viene al encuentro? ¿No salió la América a buscar a Colón? ¿No ha venido Eugenia a buscarme a mí? ¡Eugenia! ¡Eugenia! ¡Eugenia!»

Y Augusto se encontró pronunciando en voz alta el nombre de Eugenia. Al oírle llamar, el criado, que acertaba a pasar junto al comedor, entró diciendo:

80 —¿Llamaba, señorito?

—¡No, a ti no! Pero, calla, ¿no te llamas tú Domingo?

—Sí, señorito —respondió Domingo sin extrañeza alguna por la pregunta que se le hacía.

—¿Y por qué te llamas Domingo?

—Porque así me llaman.

85 «Bien, muy bien —se dijo Augusto—; nos llamamos como nos llaman. En los tiempos homéricos tenían las personas y las cosas dos nombres, el que les daban los hombres y el que les daban los dioses. ¿Cómo me llamará Dios? ¿Y por qué no he de llamarme yo de otro modo que como los demás me llaman? ¿Por qué no he de dar a Eugenia otro nombre distinto del que le dan los demás, del que le da Margarita, la portera? ¿Cómo la llamaré?»

—Puedes irte —le dijo al criado.

Se levantó de la mecedora, fue al gabinete, tomó la pluma y se puso a escribir:

«Señorita: Esta misma mañana, bajo la dulce llovizna del cielo, cruzó usted, aparición fortuita, por delante de la puerta de la casa donde aún vivo y ya no tengo hogar. Cuando desperté, fui a la puerta de la suya, donde ignoro si tiene usted hogar o no le tiene. Me habían llevado allí sus ojos, sus ojos, que son refulgentes estrellas mellizas en la nebulosa de mi mundo. Perdóneme, Eugenia, y deje que le dé familiarmente este dulce nombre; perdóneme la lírica. Yo vivo en perpetua lírica infinitesimal.

No sé qué más decirle. Sí, sí sé. Pero es tanto, tanto lo que tengo que decirle, que estimo mejor aplazarlo para cuando nos veamos y nos hablemos. Pues es lo que ahora deseo, que nos veamos, que nos hablemos, que nos escribamos, que nos conozcamos. Después... Después, ¡Dios y nuestros corazones dirán!

90 ¿Me dará usted, pues, Eugenia, dulce aparición de mi vida cotidiana, me dará usted oídos?

Sumido en la niebla de su vida espera su respuesta.

AUGUSTO PÉREZ.»

Y rubricó diciéndose: «Me gusta esta costumbre de la rúbrica por lo inútil.»

Cerró la carta y volvió a echarse a la calle.

«¡Gracias a Dios —se decía camino de la Avenida de la Alameda—, gracias a Dios que sé adónde voy y que tengo adónde ir! Esta mi Eugenia es una bendición de Dios. Ya ha dado una finalidad, un hito de término a mis vagabundeos callejeros. Ya tengo casa que rondar; ya tengo una portera confidente...»

95 Mientras iba así hablando consigo mismo cruzó con Eugenia sin advertir siquiera el resplandor de sus ojos. La niebla espiritual era demasiado densa. Pero Eugenia, por su parte, sí se fijó en él, diciéndose: «¿quién será este joven? ¡No tiene mal porte y parece bien acomodado!» Y es que, sin darse clara cuenta de ello, adivinó a uno que por la mañana la había seguido. Las mujeres saben siempre

cuándo se las mira, aun sin verlas, y cuándo se las ve sin mirarlas.

Y siguieron los dos, Augusto y Eugenia, en direcciones contrarias, cortando con sus almas la enmarañada telaraña espiritual de la calle. Porque la calle forma un tejido en que se entrecruzan miradas de deseo, de envidia, de desdén, de compasión, de amor, de odio, viejas palabras cuyo espíritu quedó cristalizado, pensamientos, anhelos, toda una tela misteriosa que envuelve las almas de los que pasan.

Por fin se encontró Augusto una vez más ante Margarita la portera, ante la sonrisa de Margarita. Lo primero que hizo ésta al ver a aquél fue sacar la mano del bolsillo del delantal.

—Buenas tardes, Margarita.

—Buenas tardes, señorito.

100 —Augusto, buena mujer, Augusto.

—Don Augusto —añadió ella.

—No a todos los nombres les cae el don —observó él—. Así como de Juan a don Juan hay un abismo, así le hay de Augusto a don Augusto. ¡Pero... sea! ¿Salió la señorita Eugenia?

—Sí, hace un momento.

—¿En qué dirección?!

105 —Por ahí.

Y por ahí se dirigió Augusto. Pero al rato volvióse. Se le había olvidado la carta.

—¿Hará el favor, señora Margarita, de hacer llegar esta carta a las propias blancas manos de la señorita Eugenia?

—Con mucho gusto.

—Pero a sus propias blancas manos, ¿eh? A sus manos tan marfileñas como las teclas del piano a que acarician.

110 —Sí, ya, lo sé de otras veces.

—¿De otras veces? ¿Qué es eso de otras veces?

—Pero ¿es que cree el caballero que es ésta la primera carta de este género...?

—¿De este género? Pero ¿usted sabe el género de mi carta?

—Desde luego. Como las otras.

115 —¿Como las otras? ¿Como qué otras?

—¡Pues pocos pretendientes que ha tenido la señorita...!

—Ah, ¿pero ahora está vacante?

—¿Ahora? No, no, señor, tiene algo así como un novio... aunque creo que no es sino aspirante a novio... Acaso le tenga en prueba... puede ser que sea interino...

—¿Y cómo no me lo dijo?

120 —Como usted no me lo preguntó...

—Es cierto. Sin embargo, entréguele esta carta y en propias manos, ¿entiende? ¡Lucharemos! ¡Y vaya otro duro!

—Gracias, señor, gracias.

Con trabajo se separó de allí Augusto, pues la conversación nebulosa, cotidiana, de Margarita la portera empezaba a agradarle. ¿No era acaso un modo de matar el tiempo?

«¡Lucharemos! —iba diciéndose Augusto calle abajo—, ¡sí, lucharemos! ¿Conque tiene otro novio, otro aspirante a novio...? ¡Lucharemos! *Militia est vita hominis super terram*[4]! Ya tiene mi vida una finalidad; ya tengo una conquista que llevar a cabo. ¡Oh, Eugenia, mi Eugenia, has de ser mía! ¡Por lo menos, mi Eugenia, esta que me he forjado sobre la visión fugitiva de aquellos ojos, de aquella yunta

---

[4] «Guerra es la vida del hombre sobre la tierra».

de estrellas en mi nebulosa, esta Eugenia sí que ha de ser mía, sea la otra, la de la portera, de quien fuere! ¡Lucharemos! Lucharemos y venceré. Tengo el secreto de la victoria. ¡Ah, Eugenia, mi Eugenia!»

125   Y se encontró a la puerta del Casino, donde ya Víctor le esperaba para echar la cotidiana partida de ajedrez.

III

—Hoy te retrasaste un poco, chico —dijo Víctor a Augusto—, ¡tú, tan puntual siempre!

—Qué quieres... quehaceres...

—¿Quehaceres, tú?

—Pero ¿es que crees que sólo tienen quehaceres los agentes de bolsa? La vida es mucho más compleja de lo que tú te figuras.

130 —O yo más simple de lo que tú crees...

—Todo pudiera ser.

—¡Bien, sal!

Augusto avanzó dos casillas el peón del rey, y en vez de tararear como otras veces trozos de ópera, se quedó diciéndose: «¡Eugenia, Eugenia, Eugenia, mi Eugenia, finalidad de mi vida, dulce resplandor de estrellas mellizas en la niebla, lucharemos! Aquí sí que hay lógica, en esto del ajedrez, y, sin embargo, ¡qué nebuloso, qué fortuito después de todo! ¿No será la lógica también algo fortuito, algo azaroso? Y esa aparición de mi Eugenia, ¿no será algo lógico? ¿No obedecerá a un ajedrez divino?»

—Pero, hombre —le interrumpió Víctor—, ¿no quedamos en que no sirve volver atrás la jugada? ¡Pieza tocada, pieza jugada!

135 —En eso quedamos, sí.

—Pues si haces eso, te como gratis ese alfil.

—Es verdad, es verdad; me había distraído.

—Pues no distraerse; que el que juega no asa castañas. Y ya lo sabes: pieza tocada, pieza jugada.

—¡Vamos, sí, lo irreparable!

140 —Así debe ser. Y en ello consiste lo educativo de este juego.

«¿Y por qué no ha de distraerse uno en el juego? —se decía Augusto—. ¿Es o no es un juego la

79

vida? ¿Y por qué no ha de servir volver atrás las jugadas? ¡Esto es la lógica! Acaso esté ya la carta en manos de Eugenia. *Alea iacta est!*[1] A lo hecho, pecho. ¿Y mañana? ¡Mañana es de Dios! ¿Y ayer, de quién es? ¿De quién es ayer? ¡Oh, ayer, tesoro de los fuertes! ¡Santo ayer, sustancia de la niebla cotidiana!»

—¡Jaque! —volvió a interrumpirle Víctor.

—Es verdad, es verdad... veamos... Pero ¿cómo he dejado que las cosas lleguen a este punto?

—Distrayéndote, hombre, como de costumbre. Si no fueses tan distraído serías uno de nuestros primeros jugadores.

145   —Pero, dime, Víctor, ¿la vida es juego o es distracción?

—Es que el juego no es sino distracción.

—Entonces, ¿qué más da distraerse de un modo o de otro?

—Hombre, de jugar, jugar bien.

—¿Y por qué no jugar mal? ¿Y qué es jugar bien y qué jugar mal? ¿Por qué no hemos de mover estas piezas de otro modo que como las movemos?

150   —Esto es la tesis, Augusto amigo, según tú, filósofo conspicuo[2], me has enseñado.

—Bueno, pues voy a darte una gran noticia.

—¡Venga!

—Pero, asómbrate, chico.

—Yo no soy de los que se asombran *a priori* o de antemano.

---

[1] «La suerte está echada», frase que pronunció Julio César (102?-44 a. C.) al atravesar el río Rubicón para entablar batalla con Pompeyo; expresa la imposibilidad de volverse atrás.

[2] *conspicuo*: sobresaliente.

155 —Pues allá va: ¿sabes lo que me pasa?

—Que cada vez estás más distraído.

—Pues me pasa que me he enamorado.

—Bah, eso ya lo sabía yo.

—¿Cómo que lo sabías...?

160 —Naturalmente, tú estás enamorado *ab origine,* desde que naciste: tienes un amorío innato.

—Sí, el amor nace con nosotros cuando nacemos.

—No he dicho amor, sino amorío. Y ya sabía yo, sin que tuvieras que decírmelo, que estabas enamorado o más bien enamoriscado. Lo sabía mejor que tú mismo.

—Pero ¿de quién? Dime, ¿de quién?

—Eso no lo sabes tú más que yo.

165 —Pues, calla, mira, acaso tengas razón...

—¿No te lo dije? Y si no, dime, ¿es rubia o morena?

—Pues, la verdad, no lo sé. Aunque me figuro que debe de ser ni lo uno ni lo otro; vamos, así, pelicastaña.

—¿Es alta o baja?

—Tampoco me acuerdo bien. Pero debe de ser una cosa regular. Pero ¡qué ojos, chico, qué ojos tiene mi Eugenia!

170 —¿Eugenia?

—Sí, Eugenia Domingo del Arco, Avenida de la Alameda, 58.

—¿La profesora de piano?

—La misma. Pero...

—Sí, la conozco. Y ahora... ¡jaque otra vez!

175 —Pero...

—¡Jaque he dicho!

—Bueno...

Y Augusto cubrió el rey con un caballo. Y acabó perdiendo el juego.

Al despedirse, Víctor, poniéndose la diestra, a guisa de yugo, sobre el cerviguillo[3], le susurró al oído:

180 —Conque Eugenita la pianista, ¿eh? Bien, Augustito, bien; tú poseerás la tierra[4].

«¡Pero esos diminutivos —pensó Augusto—, esos terribles diminutivos!» Y salió a la calle.

---

[3] *cerviguillo*: parte exterior de la cerviz o cuello, cuando es gruesa y abultada.
[4] Alude a una de las bienaventuranzas: «Bienaventurados los mansos porque ellos poseerán la tierra».

IV

«¿Por qué el diminutivo es señal de cariño? —iba diciéndose Augusto camino de su casa—. ¿Es acaso que el amor achica la cosa amada? ¡Enamorado yo! ¡Yo enamorado! ¡Quién había de decirlo...! Pero ¿tendrá razón Víctor? ¿Seré un enamorado *ab initio?* Tal vez mi amor ha precedido a su objeto. Es más, es este amor el que lo ha suscitado, el que lo ha extraído de la niebla de la creación. Pero si yo adelanto aquella torre, no me da el mate, no me lo da. ¿Y qué es amor? ¿Quién definió el amor? Amor definido deja de serlo... Pero, Dios mío, ¿por qué permitirá el alcalde que empleen para los rótulos de los comercios tipos de letra tan feos como ése? Aquel alfil estuvo mal jugado. ¿Y cómo me he enamorado si en rigor no puedo decir que la conozco? Bah, el conocimiento vendrá después. El amor precede al conocimiento, y éste mata a aquél. *Nihil volitum quin praecognitum*[1] me enseñó el P. Zaramillo, pero yo he llegado a la conclusión contraria y es que *nihil cognitum quin praevolitum*[2]. Conocer es perdonar, dicen. No, perdonar es conocer. Primero el amor, el conocimiento después. Pero ¿cómo no vi que me daba mate al descubierto? Y para amar algo, ¿qué basta? ¡Vislumbrarlo! El vislumbre; he aquí la intuición amorosa, el vislumbre en la niebla. Luego viene el precisarse, la visión perfecta, el resolverse la niebla en gotas de agua o en granizo, o en nieve, o en piedra. La ciencia es una pedrea. ¡No, no, niebla, niebla! ¡Quién fuera águila para pasearse por los se-

---

[1] «No se quiere nada sin haberlo conocido antes».
[2] «No se conoce nada sin haberlo querido antes».

nos de las nubes! Y ver al sol a través de ellas, como lumbre nebulosa también.

¡Oh, el águila! ¡Qué cosas se dirían el águila de Patmos[3], la que mira al sol cara a cara y no ve en la negrura de la noche, cuando escapándose de junto a San Juan se encontró con la lechuza de Minerva, la que ve en lo oscuro de la noche, pero no puede mirar al sol, y se había escapado del Olimpo![4]»

Al llegar a este punto cruzó Augusto con Eugenia y no reparó en ella.

185   «El conocimiento viene después... —siguió diciéndose—. Pero... ¿Qué ha sido eso? Juraría que han cruzado por mi órbita dos refulgentes y místicas estrellas gemelas... ¿Habrá sido ella? El corazón me dice... ¡Pero, calla, ya estoy en casa!»

Y entró.

Dirigióse a su cuarto, y al reparar en la cama se dijo: «¡Solo! ¡dormir solo! ¡soñar solo! Cuando se duerme en compañía, el sueño debe de ser común. Misteriosos efluvios han de unir los dos cerebros. ¿O no es acaso que a medida que los corazones más se unen, más se separan las cabezas? Tal vez. Tal vez están en posiciones mutuamente adversas. Si dos amantes piensan lo mismo, sienten en contrario uno del otro; si comulgan en el mismo sentimiento amoroso, cada cual piensa otra cosa que el otro, tal vez lo contrario. La mujer sólo ama a su hombre mientras no piense como ella,

---

[3]   Patmos es la isla del mar Egeo donde San Juan escribió el *Apocalipsis*. El águila de Patmos es símbolo del evangelista. Aparece aquí dialogando con la lechuza de Minerva, diosa de la sabiduría. Representan el evangelio y la civilización griega, el misticismo y la racionalidad.

[4]   Según la mitología griega, el Olimpo era el lugar donde habitaban los dioses.

es decir, mientras piense. Veamos a este honrado matrimonio.»

Muchas noches, antes de acostarse, solía Augusto echar una partida de tute con su criado, Domingo, y mientras, la mujer de éste, la cocinera, contemplaba el juego.

Empezó la partida.

190 —¡Veinte en copas! —cantó Domingo.

—¡Decidme! —exclamó Augusto de pronto—. ¿Y si yo me casara?

—Muy bien hecho, señorito —dijo Domingo.

—Según y conforme —se atrevió a insinuar Liduvina, su mujer.

—Pues ¿no te casaste tú? —le interpeló Augusto.

195 —Según y conforme, señorito.

—¿Cómo según y conforme? Habla.

—Casarse es muy fácil; pero no es tan fácil ser casado.

—Eso pertenece a la sabiduría popular, fuente de...

—Y lo que es la que haya de ser mujer del señorito... —agregó Liduvina, temiendo que Augusto les espetara todo un monólogo.

200 —¿Qué? La que haya de ser mi mujer, ¿qué? Vamos, ¡dilo, dilo, mujer, dilo!

—Pues que como el señorito es tan bueno...

—Anda, dilo, mujer, dilo de una vez.

—Ya recuerda lo que decía la señora...

A la piadosa mención de su madre Augusto dejó las cartas sobre la mesa, y su espíritu quedó un momento en suspenso. Muchas veces su madre, aquella dulce señora, hija del infortunio, le había dicho: «Yo no puedo vivir ya mucho, hijo mío; tu padre me está llamando. Acaso le hago a él más falta que a ti. Así que yo me vaya de este mundo

85

y te quedes solo en él tú, cásate, cásate cuanto antes. Trae a esta casa dueña y señora. Y no es que yo no tenga confianza en nuestros antiguos y fieles servidores, no. Pero trae ama a la casa. Y que sea ama de casa, hijo mío, que sea ama. Hazla dueña de tu corazón, de tu bolsa, de tu despensa, de tu cocina y de tus resoluciones. Busca una mujer de gobierno, que sepa querer... y gobernarte.»

205 —Mi mujer tocará el piano —dijo Augusto sacudiendo sus recuerdos y añoranzas.

—¡El piano! Y eso ¿para qué sirve? —preguntó Liduvina.

—¿Para qué sirve? Pues ahí estriba su mayor encanto, en que no sirve para maldita de Dios la cosa, lo que se llama servir. Estoy harto de servicios...

—¿De los nuestros?

—¡No, de los vuestros, no! Y además el piano sirve, sí sirve... sirve para llenar de armonía los hogares y que no sean ceniceros.

210 —¡Armonía! Y eso ¿con qué se come?

—Liduvina... Liduvina...

La cocinera bajó la cabeza ante el dulce reproche. Era la costumbre de uno y de otra.

—Sí, tocará el piano, porque es profesora de piano.

—Entonces no lo tocará —añadió con firmeza Liduvina—. Y si no, ¿para qué se casa?

215 —Mi Eugenia... —empezó Augusto.

—¿Ah, pero se llama Eugenia y es maestra de piano? —preguntó la cocinera.

—Sí, ¿pues?

—¿La que vive con unos tíos en la Avenida de la Alameda, encima del comercio del señor Tiburcio?

86 —La misma. ¿Qué, la conoces?

220 —Sí... de vista...

—No, algo más, Liduvina, algo más. Vamos, habla; mira que se trata del porvenir y de la dicha de tu amo...

—Es buena muchacha, sí, buena muchacha...

—Vamos, habla, Liduvina... ¡por la memoria de mi madre!...

—Acuérdese de sus consejos, señorito. Pero ¿quién anda en la cocina? ¿A que es el gato?...

225 Y levantándose la criada, se salió.

—¿Y qué, acabamos? —preguntó Domingo.

—Es verdad, Domingo, no podemos dejar así la partida. ¿A quién le toca salir?

—A usted, señorito.

—Pues allá va.

230 Y perdió también la partida, por distraído.

«Pues, señor —se decía al retirarse a su cuarto—, todos la conocen; todos la conocen menos yo. He aquí la obra del amor. ¿Y mañana? ¿Qué haré mañana? ¡Bah! A cada día bástele su cuidado. Ahora, a la cama.»

Y se acostó.

Y ya en la cama siguió diciéndose: «Pues el caso es que he estado aburriéndome sin saberlo, y dos mortales años... desde que murió mi santa madre... Sí, sí, hay un aburrimiento inconciente[5]. Casi todos los hombres nos aburrimos inconcientemente. El aburrimiento es el fondo de la vida, y el aburrimiento es el que ha inventado los juegos, las distracciones, las novelas, y el amor. La niebla de la vida rezuma un dulce aburrimiento, licor agridulce. Todos estos sucesos cotidianos, insignificantes; todas estas dulces conversaciones con que

---

[5] *Inconciente* es un uso habitual en Unamuno para subrayar con más claridad la relación de este concepto con la conciencia.

matamos el tiempo y alargamos la vida, ¿qué son sino dulcísimo aburrirse? ¡Oh, Eugenia, mi Eugenia, flor de mi aburrimiento vital e inconciente, asísteme en mis sueños, sueña en mí y conmigo!»

Y quedóse dormido.

V

235   Cruzaba las nubes, águila refulgente, con las poderosas alas perladas de rocío, fijos los ojos de presa en la niebla solar, dormido el corazón en dulce aburrimiento al amparo del pecho forjado en tempestades; en derredor, el silencio que hacen los rumores remotos de la tierra, y allá en lo alto, en la cima del cielo, dos estrellas mellizas derramando bálsamo invisible. Desgarró el silencio un chillido estridente que decía: «*¡La Corresponden-cia...!*[1]» Y vislumbró Augusto la luz de un nuevo día.

«¿Sueño o vivo? —se preguntó embozándose en la manta—. ¿Soy águila o soy hombre? ¿Qué dirá el papel ése? ¿Qué novedades me traerá el nuevo día consigo? ¿Se habrá tragado esta noche un terremoto a Corcubión[2]? ¿Y por qué no a Leipzig[3]? ¡Oh, la asociación lírica de ideas, el desorden pindárico[4]! El mundo es un caleidoscopio. La lógica la pone el hombre. El supremo arte es el del azar. Durmamos, pues, un rato más.» Y diose media vuelta en la cama.

¡La Correspondencia...! ¡El vinagrero! Y luego un coche[5], y después un automóvil, y unos chiquillos después.

«¡Imposible! —volvió a decirse Augusto—. Esto es la vida que vuelve. Y con ella el amor... ¿Y qué es el amor? ¿No es acaso la destilación de todo

---

[1]   *La Correspondencia* es el título de varios periódicos españoles. El más importante de ellos fue *La Correspondencia de España* (Madrid, 1859). Probablemente aquí se emplea como nombre genérico.
[2]   *Corcubión*: pueblo de la provincia de La Coruña.
[3]   *Leipzig*: ciudad alemana de Sajonia.
[4]   Nueva alusión al poeta Píndaro (véase nota 3 del cap. II).
[5]   Se refiere a un coche de caballos, frente al automóvil de que habla poco después.

esto? ¿no es el jugo del aburrimiento? Pensemos en Eugenia; la hora es propicia.»

Y cerró los ojos con el propósito de pensar en Eugenia. ¿Pensar?

240 Pero este pensamiento se le fue diluyendo, derritiéndosele, y al poco rato no era sino una polca[6]. Es que un piano de manubrio se había parado al pie de la ventana de su cuarto y estaba sonando. Y el alma de Augusto repercutía notas, no pensaba.

«La esencia del mundo es musical —se dijo Augusto cuando murió la última nota del organillo—. Y mi Eugenia, ¿no es musical también? Toda ley es una ley de ritmo, y el ritmo es el amor. He aquí que la divina mañana, virginidad del día, me trae un descubrimiento: el amor es el ritmo. La ciencia del ritmo son las matemáticas; la expresión sensible del amor es la música. La expresión, no su realización; entendámonos.»

Le interrumpió un golpecito a la puerta.

—¡Adelante!

—¿Llamaba, señorito? —dijo Domingo.

245 —¡Sí... el desayuno!

Había llamado, sin haberse dado de ello cuenta, lo menos hora y media antes que de costumbre, y una vez que hubo llamado tenía que pedir el desayuno, aunque no era hora.

«El amor aviva y anticipa el apetito —siguió diciéndose Augusto—. ¡Hay que vivir para amar! Sí, ¡y hay que amar para vivir!»

Se levantó a tomar el desayuno.

—¿Qué tal tiempo hace, Domingo?

---

[6] La polca es un baile de ritmo rápido, que estuvo de moda en el siglo XIX.

250 —Como siempre, señorito.

—Vamos, sí, ni bueno ni malo.

—¡Eso!

Era la teoría del criado, quien también se las tenía.

Augusto se lavó, peinó, vistió y avió como quien tiene ya un objetivo en la vida, rebosando íntimo arregosto[7] de vivir. Aunque melancólico.

255 Echóse a la calle, y muy pronto el corazón le tocó a rebato. «¡Calla —se dijo—, si yo la había visto, si yo la conocía hace mucho tiempo; sí, su imagen me es casi innata...! ¡Madre mía, ampárame!» Y al pasar junto a él, al cruzarse con él Eugenia, la saludó aún más con los ojos que con el sombrero.

Estuvo a punto de volverse para seguirla, pero venció el buen juicio y el deseo que tenía de charlar con la portera.

«Es ella, sí, es ella —siguió diciéndose—, es ella, es la misma, es la que yo buscaba hace años, aun sin saberlo; es la que me buscaba. Estábamos destinados uno a otro en armonía preestablecida; somos dos mónadas[8] complementaria una de otra. La familia es la verdadera célula social. Y yo no soy más que una molécula. ¡Qué poética es la ciencia, Dios mío! ¡Madre, madre mía, aquí tienes a tu hijo; aconséjame desde el cielo! ¡Eugenia, mi Eugenia...!»

Miró a todas partes por si le miraban, pues se sorprendió abrazando al aire. Y se dijo: «El amor es un éxtasis; nos saca de nosotros mismos.»

---

[7] *arregosto*: gusto que se toma a una cosa a la que uno ya se ha acostumbrado.

[8] *mónada*: cada uno de los seres indivisibles, pero de naturaleza distinta, que componen el universo, según la teoría del filósofo alemán Leibniz (1646-1716).

Le volvió a la realidad —¿a la realidad?— la sonrisa de Margarita.

260 —¿Y qué, no hay novedad? —le preguntó Augusto.

—Ninguna, señorito. Todavía es muy pronto.

—¿No le preguntó nada al entregársela?

—Nada.

—¿Y hoy?

265 —Hoy sí. Me preguntó por sus señas de usted, y si le conocía, y quién era. Me dijo que el señorito no se había acordado de poner la dirección de su casa. Y luego me dio un encargo...

—¿Un encargo? ¿Cuál? No vacile.

—Me dijo que si volvía por acá le dijese que estaba comprometida, que tiene novio.

—¿Que tiene novio?

—Ya se lo dije yo, señorito.

270 —No importa, ¡lucharemos!

—Bueno, lucharemos.

—¿Me promete usted su ayuda, Margarita?

—Claro que sí.

—¡Pues venceremos!

275 Y se retiró. Fuese a la Alameda a refrescar sus emociones en la visión de verdura, a oír cantar a los pájaros sus amores. Su corazón verdecía y dentro de él cantábanle también como ruiseñores recuerdos alados de la infancia.

Era, sobre todo, el cielo de recuerdos de su madre derramando una lumbre derretida y dulce sobre todas sus demás memorias.

De su padre apenas se acordaba; era una sombra mítica que se le perdía en lo más lejano; era una nube sangrienta de ocaso. Sangrienta, porque siendo aún pequeñito lo vio bañado en sangre, de un vómito, y cadavérico. Y repercutía en su corazón, a tan larga distancia, aquel «¡hijo!» de su madre, que desgarró la casa; aquel «¡hijo!» que no se sabía si dirigido al padre moribundo o a él, a Augusto, empedernido[9] de incomprensión ante el misterio de la muerte.

Poco después su madre, temblorosa de congoja, le apechugaba a su seno, y con una letanía de «¡hijo mío! ¡hijo mío! ¡hijo mío!» le bautizaba en lágrimas de fuego. Y él lloró también, apretándose a su madre, y sin atreverse a volver la cara ni a apartarla de la dulce oscuridad de aquel regazo palpitante, por miedo a encontrarse con los ojos devoradores del Coco.

Y así pasaron días de llanto y de negrura, hasta que las lágrimas fueron yéndose hacia dentro y la casa fue derritiendo los negrores.

280   Era una casa dulce y tibia. La luz entraba por entre las blancas flores bordadas en los visillos. Las butacas abrían, con intimidad de abuelos hechos niños por los años, sus brazos. Allí estaba siempre el cenicero con la ceniza del último puro que apuró su padre. Y allí, en la pared, el retrato de ambos, del padre y de la madre, la viuda ya, hecho el día mismo en que se casaron. Él, que era alto, sentado, con una pierna cruzada sobre la otra, enseñando la lengüeta de la bota, y ella, que era bajita, de pie a su lado y apoyando la mano, una mano fina que no parecía hecha para agarrar, sino para posarse como paloma, en el hombro de su marido.

Su madre iba y venía sin hacer ruido, como un pajarillo, siempre de negro, con una sonrisa, que era el poso de las lágrimas de los primeros días de viudez, siempre en la boca y en torno de los ojos

---

[9]   *empedernido*: endurecido, insensible.

escudriñadores. «Tengo que vivir para ti, para ti solo —le decía por las noches, antes de acostarse—, Augusto.» Y éste llevaba a sus sueños nocturnos un beso húmedo aún en lágrimas.

Como un sueño dulce se les iba la vida.

Por las noches le leía su madre algo, unas veces la vida del santo del día, otras una novela de Julio Verne o algún cuento candoroso y sencillo. Y algunas veces hasta se reía, con una risa silenciosa y dulce que trascendía a lágrimas lejanas.

Luego entró al Instituto y por las noches era su madre quien le tomaba las lecciones. Y estudió para tomárselas. Estudió todos aquellos nombres raros de la historia universal, y solía decirle sonriendo: «Pero ¡cuántas barbaridades han podido hacer los hombres, Dios mío!» Estudió matemáticas, y en eso fue en lo que más sobresalió aquella dulce madre. «Si mi madre llega a dedicarse a las matemáticas...» —se decía Augusto. Y recordaba el interés con que seguía el desarrollo de una ecuación de segundo grado. Estudió psicología y esto era lo que más se le resistía—. «Pero ¡qué ganas de complicar las cosas!» —solía decir a esto. Estudió física y química e historia natural. De la historia natural lo que no le gustaba era aquellos motajos[10] raros que se les da en ella a los animales y las plantas. La fisiología le causaba horror, y renunció a tomar sus lecciones a su hijo. Sólo con ver aquellas láminas que representaban el corazón o los pulmones al desnudo, presentábasele la sanguinosa muerte de su marido—. «Todo esto es muy feo, hijo mío —le decía—; no estudies médico. Lo mejor es no saber cómo se tiene las cosas de dentro.»

---

[10]   *motajo*: despectivo de *mote*.

285   Cuando Augusto se hizo bachiller le tomó en brazos, le miró al bozo, y rompiendo en lágrimas exclamó: «¡Si viviese tu padre...!» Después le hizo sentarse sobre sus rodillas, de lo que él, un chicarrón ya, se sentía avergonzado, y así le tuvo, en silencio, mirando al cenicero de su difunto.

Y luego vino su carrera, sus amistades universitarias, y la melancolía de la pobre madre al ver que su hijo ensayaba las alas. «Yo para ti, yo para ti —solía decirle—, y tú, ¡quién sabe para qué otra!... Así es el mundo, hijo.» El día en que se recibió de licenciado en derecho, su madre, al llegar él a casa, le tomó y besó la mano de una manera cómicamente grave, y luego, abrazándole, díjole al oído: «¡Tu padre te bendiga, hijo mío!»

Su madre jamás se acostaba hasta que él lo hubiese hecho, y le dejaba con un beso en la cama. No pudo, pues, nunca trasnochar. Y era su madre lo primero que veía al despertarse. Y en la mesa, de lo que él no comía, tampoco ella.

Salían a menudo juntos de paseo y así iban, en silencio, bajo el cielo, pensando ella en su difunto y él pensando en lo que primero pasaba a sus ojos. Y ella le decía siempre las mismas cosas, cosas cotidianas, muy antiguas y siempre nuevas. Muchas de ellas empezaban así: «Cuando te cases...»

Siempre que cruzaba con ellos alguna muchacha hermosa, o siquiera linda, su madre miraba a Augusto con el rabillo del ojo.

290   Y vino la muerte, aquella muerte lenta, grave y dulce, indolorosa, que entró de puntillas y sin ruido, como un ave peregrina, y se la llevó a vuelo lento, en una tarde de otoño. Murió con su mano en la mano de su hijo, con sus ojos en los ojos de él. Sintió Augusto que la mano se enfriaba, sintió que los ojos se inmovilizaban. Soltó la mano después de haber dejado en su frialdad un beso cálido, y cerró los ojos. Se arrodilló junto al lecho y pasó sobre él la historia de aquellos años iguales.

Y ahora estaba aquí, en la Alameda, bajo el gorjear de los pájaros, pensando en Eugenia. Y Eugenia tenía novio. «Lo que temo, hijo mío —solía decirle su madre—, es cuando te encuentres con la primera espina en el camino de tu vida.» ¡Si estuviera aquí ella para hacer florecer en rosa a esta primera espina!

«Si viviera mi madre, encontraría solución a esto —se dijo Augusto—, que no es, después de todo, más difícil que una ecuación de segundo grado. Y no es, en el fondo, más que una ecuación de segundo grado.»

Unos débiles quejidos, como de un pobre animal, interrumpieron su soliloquio. Escudriñó con los ojos y acabó por descubrir, entre la verdura de un matorral, un pobre cachorrillo de perro que parecía buscar camino en tierra. «¡Pobrecillo! —se dijo—. Lo han dejado recién nacido a que muera; les faltó valor para matarlo.» Y lo recogió.

El animalito buscaba el pecho de la madre. Augusto se levantó y volvióse a casa pensando: «Cuando lo sepa Eugenia, ¡mal golpe para mi rival! ¡Qué cariño le va a tomar al pobre animalito! Y es lindo, muy lindo. ¡Pobrecito, cómo me lame la mano...!»

295 —Trae leche, Domingo; pero tráela pronto —le dijo al criado no bien éste le hubo abierto la puerta.

—¿Pero ahora se le ocurre comprar perro, señorito?

—No lo he comprado, Domingo; este perro no es esclavo, sino que es libre; lo he encontrado.

—Vamos, sí, es expósito.

—Todos somos expósitos, Domingo. Trae leche.

300 Le trajo la leche y una pequeña esponja para facilitar la succión. Luego hizo Augusto que se le trajera un biberón para el cachorrillo, para Orfeo[11], que así le bautizó, no se sabe ni sabía él tampoco por qué.

Y Orfeo fue en adelante el confidente de sus soliloquios, el que recibió los secretos de su amor a Eugenia.

«Mira, Orfeo —le decía silenciosamente—, tenemos que luchar. ¿Qué me aconsejas que haga? Si te hubiese conocido mi madre... Pero ya verás, ya verás cuando duermas en el regazo de Eugenia, bajo su mano tibia y dulce. Y ahora, ¿qué vamos a hacer, Orfeo?»

Fue melancólico el almuerzo de aquel día, melancólico el paseo, la partida de ajedrez melancólica y melancólico el sueño de aquella noche.

---

[11] El dar al perro el nombre del músico de Tracia que conmovía a los seres de la naturaleza con el dulce son de su instrumento, es una broma de Unamuno.

VI

«Tengo que tomar alguna determinación —se decía Augusto paseándose frente a la casa número 58 de la Avenida de la Alameda—; esto no puede seguir así.»

305 En aquel momento se abrió uno de los balcones del piso segundo, en que vivía Eugenia, y apareció una señora enjuta y cana con una jaula en la mano. Iba a poner el canario al sol. Pero al ir a ponerlo faltó el clavo y la jaula se vino abajo. La señora lanzó un grito de desesperación: «¡Ay, mi Pichín!» Augusto se precipitó a recoger la jaula. El pobre canario revoloteaba dentro de ella despavorido.

Subió Augusto a la casa, con el canario agitándose en la jaula y el corazón en el pecho. La señora le esperaba.

—¡Oh, gracias, gracias, caballero!

—Las gracias a usted, señora.

—¡Pichín mío! ¡mi Pichincito! ¡Vamos, cálmate! ¿Gusta usted pasar, caballero?

310 —Con mucho gusto, señora.

Y entró Augusto.

Llevólo la señora a la sala, y diciéndole: «Aguarde un poco, que voy a dejar a mi Pichín», le dejó solo.

En este momento entró en la sala un caballero anciano, el tío de Eugenia sin duda. Llevaba anteojos ahumados y un fez[1] en la cabeza. Acercóse a Augusto, y tomando asiento junto a él le dirigió estas palabras:

---

[1] *fez*: gorro de fieltro rojo en forma de cubilete, usado principalmente por los moros.

—(Aquí una frase en esperanto[2] que quiere decir: ¿Y usted no cree conmigo que la paz universal llegará pronto merced al esperanto?)

315 Augusto pensó en la huida, pero el amor a Eugenia le contuvo. El otro prosiguió hablando, en esperanto también.

Augusto se decidió por fin.

—No le entiendo a usted una palabra, caballero.

—De seguro que le hablaba a usted en esa maldita jerga que llaman esperanto —dijo la tía, que a este punto entraba. Y añadió dirigiéndose a su marido—: Fermín, este señor es el del canario.

—Pues no te entiendo más que tú cuando te hablo en esperanto —le contestó su marido.

320 —Este señor ha recogido a mi pobre Pichín, que cayó a la calle, y ha tenido la bondad de traérmelo. Y usted —añadió volviéndose a Augusto— ¿quién es?

—Yo soy, señora, Augusto Pérez, hijo de la difunta viuda de Pérez Rovira, a quien usted acaso conocería.

—¿De doña Soledad?

—Exacto; de doña Soledad.

—Y mucho que conocí a la buena señora. Fue una viuda y una madre ejemplar. Le felicito a usted por ello.

325 —Y yo me felicito de deber al feliz accidente de la caída del canario el conocimiento de ustedes.

—¡Feliz! ¿Llama usted feliz a ese accidente?

—Para mí, sí.

—Gracias, caballero —dijo don Fermín, agre-

---

[2] *esperanto*: idioma creado en 1887 por el médico ruso Zamenhof para que sirviese como lengua internacional.

gando: Rigen a los hombres y a sus cosas enig-
máticas leyes, que el hombre, sin embargo, puede vislumbrar. Yo, señor mío, tengo ideas particu-
lares sobre casi todas las cosas...

—Cállate con tu estribillo, hombre —exclamó
la tía—. ¿Y cómo es que pudo usted acudir tan
pronto en socorro de mi Pichín?

330 —Seré franco con usted, señora; le abriré mi
pecho. Es que rondaba la casa.

—¿Esta casa?

—Sí, señora. Tienen ustedes una sobrina en-
cantadora.

—Acabáramos, caballero. Ya, ya veo el feliz accidente. Y veo que hay canarios providenciales.

—¿Quién conoce los caminos de la Providencia? —dijo don Fermín.

335 —Yo los conozco, hombre, yo —exclamó su
señora; y volviéndose a Augusto—: Tiene usted
abiertas las puertas de esta casa... Pues ¡no faltaba más! Al hijo de doña Soledad... Así como así,
va usted a ayudarme a quitar a esa chiquilla un ca-
prichito que se le ha metido en la cabeza...

—¿Y la libertad? —insinuó don Fermín.

—Cállate tú, hombre, y quédate con tu anarquismo.

—¿Anarquismo? —exclamó Augusto.

Irradió de gozo el rostro de don Fermín, y añadió con la más dulce de sus voces:

340 —Sí, señor mío, yo soy anarquista, anarquista
místico, pero en teoría, entiéndase bien, en teoría.
No tema usted, amigo —y al decir esto le puso
amablemente la mano sobre la rodilla—, no echo
bombas. Mi anarquismo es puramente espiritual.
Porque yo, amigo mío, tengo ideas propias sobre
casi todas las cosas...

—Y usted ¿no es anarquista también? —preguntó Augusto a la tía, por decir algo.

—¿Yo? Eso es un disparate, eso de que no mande nadie. Si no manda nadie, ¿quién va a obedecer? ¿No comprende usted que eso es imposible?

—Hombres de poca fe, que llamáis imposible... —empezó don Fermín.

Y la tía interrumpiéndole:

345 —Pues bien, mi señor don Augusto, pacto cerrado. Usted me parece un excelente sujeto, bien educado, de buena familia, con una renta más que regular... Nada, nada, desde hoy es usted mi candidato.

—Tanto honor, señora...

—Sí; hay que hacer entrar en razón a esta mozuela. Ella no es mala, sabe usted, pero caprichosa. Luego, ¡fue criada con tanto mimo!... Cuando sobrevino aquella terrible catástrofe de mi pobre hermano...

—¿Catástrofe? —preguntó Augusto.

—Sí, y como la cosa es pública no debo yo ocultársela a usted. El padre de Eugenia se suicidó después de una operación bursátil desgraciadísima y dejándola casi en la miseria. Le quedó una casa, pero gravada con una hipoteca que se lleva sus rentas todas. Y la pobre chica se ha empeñado en ir ahorrando de su trabajo hasta reunir con qué levantar la hipoteca. Figúrese usted, ¡ni aunque se esté dando lecciones de piano sesenta años!

350 Augusto concibió al punto un propósito generoso y heroico.

—La chica no es mala —prosiguió la tía—, pero no hay modo de entenderla.

—Si aprendierais esperanto... —empezó don Fermín.

—Déjanos de lenguas universales. ¿Conque no nos entendemos en las nuestras y vas a traer otra?

—Pero ¿usted no cree, señora —le preguntó Augusto—, que sería bueno que no hubiese sino una sola lengua?

355 —¡Eso, eso! —exclamó alborozado don Fermín.

—Sí, señor —dijo con firmeza la tía—; una sola lengua: el castellano, y a lo sumo el bable[3] para hablar con las criadas, que no son racionales.

La tía de Eugenia era asturiana y tenía una criada, asturiana también, a la que reñía en bable.

—Ahora, si es en teoría —añadió—, no me parece mal que haya una sola lengua. Porque este mi marido, en teoría, es hasta enemigo del matrimonio...

—Señores —dijo Augusto levantándose—, estoy acaso molestando...

360 —Usted no molesta nunca, caballero —le respondió la tía—, y queda comprometido a volver por esta casa. Ya lo sabe usted, es usted mi candidato.

Al salir se le acercó un momento don Fermín y le dijo al oído: «¡No piense usted en eso!» «¿Y por qué no?» —le preguntó Augusto—. «Hay presentimientos, caballero, hay presentimientos...»

Al despedirse, las últimas palabras de la tía fueron: «Ya lo sabe, es mi candidato».

Cuando Eugenia volvió a casa, las primeras palabras de su tía al verla fueron:

—¿Sabes, Eugenia, quién ha estado aquí? Don Augusto Pérez.

---

[3] *bable*: dialecto asturiano.

365   —Augusto Pérez... Augusto Pérez... ¡Ah, sí! Y ¿quién le ha traído?

—Pichín, mi canario.

—Y ¿a qué ha venido?

—¡Vaya una pregunta! Tras de ti.

—¿Tras de mí y traído por el canario? Pues no lo entiendo. Valiera más que hablases en esperanto, como tío Fermín.

370   —Él viene tras de ti y es un mozo joven, no feo, apuesto, bien educado, fino, y sobre todo rico, chica, sobre todo rico.

—Pues que se quede con su riqueza, que si yo trabajo no es para venderme.

—Y ¿quién te ha hablado de venderte, polvorilla?

—Bueno, bueno, tía, dejémonos de bromas.

—Tú le verás, chiquilla, tú le verás e irás cambiando de ideas.

375   —Lo que es eso...

—Nadie puede decir de esta agua no beberé.

—¡Son misteriosos los caminos de la Providencia! —exclamó don Fermín—. Dios...

—Pero, hombre —le arguyó su mujer—, ¿cómo se compadece eso de Dios con el anarquismo? Ya te lo he dicho mil veces. Si no debe mandar nadie, ¿qué es eso de Dios?

—Mi anarquismo, mujer, me lo has oído otras mil veces, es místico, es un anarquismo místico. Dios no manda como mandan los hombres. Dios es también anarquista, Dios no manda, sino...

380   —Obedece, ¿no es eso?

—Tú lo has dicho, mujer, tú lo has dicho. Dios mismo te ha iluminado. ¡Ven acá!

Cogió a su mujer, le miró en la frente, sopló-le en ella, sobre unos rizos de blancos cabellos, y añadió:

—Te inspiró Él mismo. Sí, Dios obedece... obedece...

—Sí, en teoría, ¿no es eso? Y tú, Eugenita, déjate de bobadas, que se te presenta un gran partido.

385 —También yo soy anarquista, tía, pero no como tío Fermín, no mística.

—¡Bueno, se verá! —terminó la tía.

VII

«¡Ay, Orfeo! —decía ya en su casa Augusto, dándole la leche a aquél!—. ¡Ay, Orfeo! Di el gran paso, el paso decisivo; entré en su hogar, entré en el santuario. ¿Sabes lo que es dar un paso decisivo? Los vientos de la fortuna nos empujan y nuestros pasos son decisivos todos. ¿Nuestros? ¿Son nuestros esos pasos? Caminamos, Orfeo mío, por una selva enmarañada y bravía, sin senderos. El sendero nos lo hacemos con los pies según caminamos a la ventura. Hay quien cree seguir una estrella; yo creo seguir una doble estrella, melliza. Y esa estrella no es sino la proyección misma del sendero al cielo, la proyección del azar.

»¡Un paso decisivo! Y dime, Orfeo, ¿qué necesidad hay de que haya ni Dios ni mundo ni nada? ¿Por qué ha de haber algo? ¿No te parece que esa idea de la necesidad no es sino la forma suprema que el azar toma en nuestra mente?

»¿De dónde ha brotado Eugenia? ¿Es ella una creación mía o soy creación suya yo? ¿O somos los dos creaciones mutuas, ella de mí y yo de ella? ¿No es acaso todo creación de cada cosa y cada cosa creación de todo? Y ¿qué es creación? ¿qué eres tú, Orfeo? ¿qué soy yo?

390 »Muchas veces se me ha ocurrido pensar, Orfeo, que yo no soy, e iba por la calle antojándoseme que los demás no me veían. Y otras veces he fantaseado que no me veían como me veía yo, y que mientras yo me creía ir formalmente, con toda compostura, estaba, sin saberlo, haciendo el payaso, y los demás riéndose y burlándose de mí. ¿No te ha ocurrido alguna vez a ti esto, Orfeo? Aunque no, porque tú eres joven todavía y no tienes experiencia de la vida. Y además eres perro.

»Pero, dime, Orfeo, ¿no se os ocurrirá alguna vez a los perros creeros hombres, así como ha habido hombres que se han creído perros?

»¡Qué vida ésta, Orfeo, qué vida, sobre todo desde que murió mi madre! Cada hora me llega empujada por las horas que le precedieron; no he conocido el porvenir. Y ahora que empiezo a vislumbrarlo me parece se me va a convertir en pasado. Eugenia es ya casi un recuerdo para mí. Estos días que pasan... este día, este eterno día que pasa... deslizándose en niebla de aburrimiento. Hoy como ayer, mañana como hoy. Mira, Orfeo, mira la ceniza que dejó mi padre en aquel cenicero...

»Ésta es la revelación de la eternidad, Orfeo, de la terrible eternidad. Cuando el hombre se queda a solas y cierra los ojos al porvenir, al ensueño, se le revela el abismo pavoroso de la eternidad. La eternidad no es porvenir. Cuando morimos nos da la muerte media vuelta en nuestra órbita y emprendemos la marcha hacia atrás, hacia el pasado, hacia lo que fue. Y así, sin término, devanando la madeja de nuestro destino, deshaciendo todo el infinito que en una eternidad nos ha hecho, caminando a la nada, sin llegar nunca a ella, pues que ella nunca fue.

»Por debajo de esta corriente de nuestra existencia, por dentro de ella, hay otra corriente en sentido contrario; aquí vamos del ayer al mañana, allí se va del mañana al ayer. Se teje y se desteje a un tiempo. Y de vez en cuando nos llegan hálitos, vahos y hasta rumores misteriosos de ese otro mundo, de ese interior de nuestro mundo. Las entrañas de la historia son una contrahistoria, es un proceso inverso al que ella sigue. El río subterráneo va del mar a la fuente.

395 »Y ahora me brillan en el cielo de mi soledad los dos ojos de Eugenia. Me brillan con el resplandor de las lágrimas de mi madre. Y me hacen creer que existo, ¡dulce ilusión! *Amo, ergo sum!*[1] Este amor, Orfeo, es como lluvia bienhechora en que se deshace y concreta la niebla de la existencia. Gracias al amor siento al alma de bulto, la toco. Empieza a dolerme en su cogollo mismo el alma, gracias al amor, Orfeo. Y el alma misma ¿qué es sino amor, sino dolor encarnado?

»Vienen los días y van los días y el amor queda. Allá dentro, muy dentro, en las entrañas de las cosas se rozan y friegan la corriente de este mundo con la contraria corriente del otro, y de este roce y friega viene el más triste y el más dulce de los dolores: el de vivir.

»Mira, Orfeo, las lizas[2], mira la urdimbre[3], mira cómo la trama[4] va y viene con la lanzadera[5], mira cómo juegan las primideras[6]; pero, dime, ¿dónde está el enjullo[7] a que se arrolla la tela de nuestra existencia, dónde?»

Como Orfeo no había visto nunca un telar, es muy difícil que entendiera a su amo. Pero mirándole a los ojos mientras hablaba adivinaba su sentir.

---

[1] «Amo, luego existo».

[2] *liza*: hilo grueso de cáñamo. Unamuno desarrolla la alegoría de la vida como una tela que va y tejiendo el destino. Las palabras que emplea son elementos del telar.

[3] *urdimbre*: conjunto de hilos que se colocan en el telar paralelamente unos a otros.

[4] *trama*: conjunto de hilos que, enlazados y cruzados con los de la urdimbre, forman la tela.

[5] *lanzadera*: instrumento que se usa para unir los hilos de la trama con los de la urdimbre.

[6] *primidera*: pieza del telar que se mueve al tejer.

[7] *enjullo*: pieza horizontal de madera colocada en los telares para arrollar la tela.

VIII

Augusto temblaba y sentíase como en un potro de suplicio en su asiento; entrábanle furiosas ganas de levantarse de él, pasearse por la sala aquella, dar manotadas al aire, gritar, hacer locuras de circo, olvidarse de que existía. Ni doña Ermelinda, la tía de Eugenia, ni don Fermín, su marido, el anarquista teórico y místico, lograban traerle a la realidad.

400 —Pues sí, yo creo —decía doña Ermelinda—, don Augusto, que esto es lo mejor, que usted se espere, pues ella no puede ya tardar en venir; la llamo, ustedes se ven y se conocen y éste es el primer paso. Todas las relaciones de este género tienen que empezar por conocerse, ¿no es así?

—En efecto, señora —dijo como quien habla desde otro mundo Augusto—, el primer paso es verse y conocerse...

—Y yo creo que así que ella le conozca a usted, pues... ¡la cosa es clara!

—No tan clara —arguyó don Fermín—. Los caminos de la Providencia son misteriosos siempre... Y en cuanto a eso de que para casarse sea preciso o siquiera conveniente conocerse antes, discrepo... discrepo... El único conocimiento eficaz es el conocimiento *post nuptias*[1]. Ya me has oído, esposa mía, lo que en lenguaje bíblico significa conocer. Y, créemelo, no hay más conocimiento sustancial y esencial que ése, el conocimiento penetrante...

—Cállate, hombre, cállate, no desbarres.

---

[1] *post nuptias*: después del matrimonio.

405   —El conocimiento, Ermelinda...

Sonó el timbre de la puerta.

—¡Ella! —exclamó con misteriosa voz el tío.

Augusto sintió una oleada de fuego subirle del suelo hasta perderse, pasando por su cabeza, en lo alto, encima de él. Y empezó el corazón a martillarle el pecho.

Se oyó abrir la puerta, y ruido de unos pasos rápidos e iguales, rítmicos. Y Augusto, sin saber cómo, sintió que la calma volvía a reinar en él.

410   —Voy a llamarla —dijo don Fermín haciendo conato de levantarse.

—¡No, de ningún modo! —exclamó doña Ermelinda, y llamó.

Y luego a la criada al presentarse: —¡Di a la señorita Eugenia que venga!

Se siguió un silencio. Los tres, como en complicidad, callaban. Y Augusto se decía: «¿Podré resistirlo?, ¿no me pondré rojo como una amapola o blanco cual un lirio cuando sus ojos llenen el hueco de esa puerta? ¿no estallará mi corazón?»

Oyóse un ligero rumor, como de paloma que arranca en vuelo, un «¡ah!» breve y seco, y los ojos de Eugenia, en un rostro todo frescor de vida y sobre un cuerpo que no parecía pesar sobre el suelo, dieron como una nueva y misteriosa luz espiritual a la escena. Y Augusto se sintió tranquilo, enormemente tranquilo, clavado a su asiento y como si fuese una planta nacida en él, como algo vegetal, olvidado de sí, absorto en la misteriosa luz espiritual que de aquellos ojos irradiaba. Y sólo al oír que doña Ermelinda empezaba a decir a su sobrina: «Aquí tienes a nuestro amigo don Augusto Pérez...», volvió en sí y se puso en pie procurando sonreír.

415 —Aquí tienes a nuestro amigo don Augusto Pérez, que desea conocerte...

—¿El del canario? —preguntó Eugenia.

—Sí, el del canario, señorita —contestó Augusto acercándose a ella y alargándole la mano. Y pensó: «¡Me va a quemar con la suya!»

Pero no fue así. Una mano blanca y fría, blanca como la nieve y como la nieve fría, tocó su mano. Y sintió Augusto que se derramaba por su ser todo como un fluido de serenidad.

Sentóse Eugenia.

420 —Y este caballero... —empezó la pianista.

«¡Este caballero... este caballero... —pensó Augusto rapidísimamente—, este caballero! ¡Llamarme caballero! ¡Esto es de mal agüero!»

—Este caballero, hija mía, que ha hecho por una feliz casualidad...

—Sí, la del canario.

—¡Son misteriosos los caminos de la Providencia! —sentenció el anarquista.

425 —Este caballero, digo —agregó la tía—, que por una feliz casualidad ha hecho conocimiento con nosotros y resulta ser el hijo de una señora a quien conocí algo y respeté mucho; este caballero, puesto que es amigo ya de casa, ha deseado conocerte, Eugenia.

—¡Y admirarla! —añadió Augusto.

—¿Admirarme? —exclamó Eugenia.

—¡Sí, como pianista!

—¡Ah, vamos!

430 —Conozco, señorita, su gran amor al arte...

—¿Al arte? ¿A cuál, al de la música?

—¡Claro está!

—¡Pues le han engañado a usted, don Augusto!

«¡Don Augusto! ¡Don Augusto! —pensó

éste—. ¡Don...! ¡De qué mal agüero es este don!, ¡casi tan malo como aquel caballero!» Y luego, en voz alta:

435 —¿Es que no le gusta la música?

—Ni pizca, se lo aseguro.

«Liduvina tiene razón —pensó Augusto—, ésta después que se case, y si el marido la puede mantener, no vuelve a teclear un piano.» Y luego, en voz alta:

—Como es voz pública que es usted una excelente profesora...

—Procuro cumplir lo mejor posible con mi deber profesional, y ya que tengo que ganarme la vida...

440 —Eso de tener que ganarte la vida... —empezó a decir don Fermín.

—Bueno, basta —interrumpió la tía—; ya el señor don Agusto está informado de todo...

—¿De todo? ¿De qué? —preguntó con aspereza y con un ligerísimo ademán de ir a levantarse Eugenia.

—Sí, de lo de la hipoteca...

—¿Cómo? —exclamó la sobrina poniéndose en pie—. Pero, ¿qué es esto, qué significa todo esto, a qué viene esta visita?

445 —Ya te he dicho, sobrina, que este señor deseaba conocerte... Y no te alteres así...

—Pero es que hay cosas...

—Dispense a su señora tía, señorita —suplicó también Augusto poniéndose a su vez en pie, y lo mismo hicieron los tíos—; pero no ha sido otra cosa... Y en cuanto a eso de la hipoteca y a su abnegación de usted y amor al trabajo, yo nada he hecho para arrancar de su señora tía tan interesantes noticias; yo...

—Sí, usted se ha limitado a traer el canario

unos días después de haberme dirigido una carta...

—En efecto, no lo niego.

450 —Pues bien, caballero, la contestación a esa carta se la daré cuando mejor me plazca y sin que nadie me cohíba a ello. Y ahora vale más que me retire.

—¡Bien, muy bien! —exclamó don Fermín—. ¡Esto es entereza y libertad! ¡Ésta es la mujer del porvenir! ¡Mujeres así hay que ganarlas a puño, amigo Pérez, a puño!

—¡Señorita...! —suplicó Augusto acercándose a ella.

—Tiene usted razón —dijo Eugenia, y le dio para despedida la mano, tan blanca y tan fría como antes y como la nieve.

Al dar la espalda para salir y desaparecer así los ojos aquellos, fuentes de misteriosa luz espiritual, sintió Augusto que la ola de fuego le recorría el cuerpo, el corazón le martillaba el pecho y parecía querer estallarle la cabeza.

455 —¿Se siente usted malo? —le preguntó don Fermín.

—¡Qué chiquilla, Dios mío, qué chiquilla! —exclamaba doña Ermelinda.

—¡Admirable! ¡majestuosa! ¡heroica! ¡una mujer! ¡toda una mujer! —decía Augusto.

—Así creo yo —añadió el tío.

—Perdone, señor don Augusto —repetíale la tía—, perdone; esta chiquilla es un pequeño erizo; ¡quién lo había de pensar!...

460 —Pero ¡si estoy encantado, señora, encantado! ¡Si esta recia independencia de carácter, a mí, que no le tengo, es lo que más entusiasma!; si es ésta, ésta, ésta y no otra la mujer que yo necesito!

—¡Sí, señor Pérez, sí —declaró el anarquista—; ésta es la mujer del porvenir!

—¿Y yo? —arguyó doña Ermelinda.

—¡Tú, la del pasado! ¡Ésta es, digo, la mujer del porvenir! ¡Claro, no en balde me ha estado oyendo disertar un día y otro sobre la sociedad futura y la mujer del porvenir; no en balde la[2] he inculcado las emancipadoras doctrinas del anarquismo... sin bombas!

—¡Pues yo creo —dijo de mal humor la tía—, que esta chicuela es capaz hasta de tirar bombas!

465 —Y aunque así fuera... —insinuó Augusto.

—¡Eso no! ¡eso no! —el tío.

—Y ¿qué más da?

—¡Don Augusto! ¡Don Augusto!

—Yo creo —añadió la tía— que no por esto que acaba de pasar debe usted ceder en sus pretensiones...

470 —¡Claro que no! Así tiene más mérito.

—¡A la conquista, pues! Y ya sabe usted que nos tiene de su parte y que puede venir a esta su casa cuantas veces guste, y quiéralo o no Eugenia.

—Pero, mujer, ¡si ella no ha manifestado que le disgusten las venidas acá de don Augusto!... ¡Hay que ganarla a puño, amigo, a puño! Ya irá usted conociéndola y verá de qué temple es. Esto es todo una mujer[3], don Augusto, y hay que ganarla a puño, a puño. ¿No quería usted conocerla?

—Sí, pero...

---

[2] Caso de laísmo, al utilizar la forma *la* para el complemento indirecto femenino; iremos viendo otros ejemplos a lo largo de la novela.

[3] La expresión «todo una mujer» se justifica porque es una frase hecha en la que *todo* se ha fosilizado y adquirido valor adverbial, con el sentido de «enteramente», «en su totalidad»; además se ve atraído por el neutro de *esto*. Unamuno es muy aficionado a estas construcciones (véase nota 5 del cap. XXXII). Sin embargo, en el párrafo 1245 optará por la fórmula más habitual: «toda una mujer».

—Entendido, entendido. ¡A la lucha, pues, amigo mío!

475 —Cierto, cierto, y ahora ¡adiós!

Don Fermín llamó luego aparte a Augusto, para decirle:

—Se me había olvidado decirle que cuando escriba a Eugenia, lo haga escribiendo su nombre con jota y no con ge, Eujenia, y del Arco con Ka: Eujenia Domingo del Arko.

—Y, ¿por qué?

—Porque hasta que no llegue el día feliz en que el esperanto sea la única lengua, ¡una sola para toda la humanidad!, hay que escribir el castellano con ortografía fonética[4]. ¡Nada de ces! ¡guerra a la ce! Za, ze, zi, zo, zu con zeda[5], y ka, ke, ki, ko, ku con ka. ¡Y fuera las haches! ¡La hache es el absurdo, la reacción, la autoridad, la edad media, el retroceso! ¡Guerra a la hache!

480 —¿De modo que es usted foneticista[6] también?

—¿También? ¿por qué también?

—Por lo de anarquista y esperantista...

—Todo es uno, señor, todo es uno. Anarquismo, esperantismo, espiritismo, vegetarianismo, foneticismo... ¡todo es uno! ¡Guerra a la autoridad!, ¡guerra a la división de lenguas! ¡guerra a la vil materia y a la muerte! ¡guerra a la carne! ¡guerra a la hache! ¡Adiós!

Despidiéronse y Augusto salió a la calle como

---

[4] Aquí el personaje se hace eco de las teorías ortográficas defendidas y, en parte, practicadas por Unamuno, según las cuales la escritura debe ajustarse todo lo posible a la pronunciación.

[5] *zeda*: nombre de la letra zeta.

[6] *foneticista*: partidario de la ortografía fonética.

aligerado de un gran peso y hasta gozoso. Nunca hubiera presupuesto lo que le pasaba por dentro del espíritu. Aquella manera de habérsele presentado Eugenia la primera vez que se vieron de quieto y de cerca y que se hablaron, lejos de dolerle, encendíale más y le animaba. El mundo le parecía más grande, el aire más puro y más azul el cielo. Era como si respirase por vez primera. En lo más íntimo de sus oídos cantaba aquella palabra de su madre: «¡cásate!». Casi todas las mujeres con que cruzaba por la calle parecíanle guapas, muchas hermosísimas y ninguna fea. Diríase que para él empezaba a estar el mundo iluminado por una nueva luz misteriosa desde dos grandes estrellas invisibles que refulgían más allá del azul del cielo, detrás de su aparente bóveda. Empezaba a conocer el mundo. Y sin saber cómo, se puso a pensar en la profunda fuente de la confusión vulgar entre el pecado de la carne y la caída de nuestros primeros padres por haber probado del fruto del árbol de la ciencia del bien y del mal.

485   Y meditó en la doctrina de don Fermín sobre el origen del conocimiento.

Llegó a casa, y al salir Orfeo a recibirle lo cogió en sus brazos, le acarició y le dijo: «Hoy empezamos una nueva vida, Orfeo. ¿No sientes que el mundo es más grande, más puro el aire y más azul el cielo? ¡Ah, cuando la veas, Orfeo, cuando la conozcas...! ¡Entonces sentirás la congoja de no ser más que perro como yo siento la de no ser más que hombre! Y dime, Orfeo, ¿cómo podéis conocer si no pecáis, si vuestro conocimiento no es pecado? El conocimiento que no es pecado no es tal conocimiento, no es racional.»

Al servirle la comida su fiel Liduvina se le quedó mirando.

—¿Qué miras? —preguntó Augusto.

—Me parece que hay mudanza.

490 —¿De dónde sacas eso?

—El señorito tiene otra cara.

—¿Lo crees?

—Naturalmente. ¿Y qué, se arregla lo de la pianista?

—¡Liduvina! ¡Liduvina!

495 —Tiene usted razón, señorito; pero ¡me interesa tanto su felicidad!

—¿Quién sabe qué es eso?...

—Es verdad.

Y los dos miraron al suelo, como si el secreto de la felicidad estuviese debajo de él.

IX

Al día siguiente de esto hablaba Eugenia en el reducido cuchitril de una portería con un joven, mientras la portera había salido discretamente a tomar el fresco a la puerta de la casa.

500 —Es menester que esto se acabe, Mauricio —decía Eugenia—; así no podemos seguir, y menos después de lo que te digo pasó ayer.

—Pero, ¿no dices —dijo el llamado Mauricio— que ese pretendiente es un pobre panoli que vive en Babia?

—Sí, pero tiene dinero y mi tía no me va a dejar en paz. Y, la verdad, no me gusta hacer feos a nadie, y tampoco quiero que me estén dando la jaqueca.

—¡Despáchale!

—¿De dónde? ¿de casa de mis tíos? ¿Y si ellos no quieren?

505 —No le hagas caso.

—Ni le hago ni pienso hacerle, pero se me antoja que el pobrete va a dar en la flor de venir de visita a hora que esté yo. No es cosa, como comprendes, de que me encierre en mi cuarto y me niegue a que me vea, y sin solicitarme va a dedicarse a mártir silencioso.

—Déjale que se dedique.

—No, no puedo resistir a los mendigos de ninguna clase, y menos a esos que piden limosna con los ojos. ¡Y si vieras qué miradas me echa!

—¿Te conmueve?

510 —Me encocora. Y, la verdad, ¿por qué no he de decírtelo?, sí, me conmueve.

—¿Y temes?

—¡Hombre, no seas majadero! No temo nada. Para mí no hay más que tú.

117

—¡Ya lo sabía! —dijo lleno de convicción Mauricio, y poniendo una mano sobre una rodilla de Eugenia la dejó allí.

—Es preciso que te decidas, Mauricio.

515 —Pero ¿a qué, rica mía, a qué?

—¿A qué ha de ser, hombre, a qué ha de ser? ¡A que nos casemos de una vez!

—Y ¿de qué vamos a vivir?

—De mi trabajo hasta que tú lo encuentres.

—¿De tu trabajo?

520 —¡Sí, de la odiosa música!

—¿De tu trabajo? ¡Eso sí que no!; ¡nunca! ¡nunca! ¡nunca!; ¡todo menos vivir yo de tu trabajo! Lo buscaré, seguiré buscándolo, y en tanto, esperaremos...

—Esperaremos... esperaremos... ¡y así se nos irán los años! —exclamó Eugenia taconeando en el suelo con el pie sobre que estaba la rodilla en que Mauricio dejó descansar su mano.

Y él, al sentir así sacudida su mano, la separó de donde la posaba, pero fue para echar el brazo sobre el cuello de ella y hacer juguetear entre sus dedos uno de los pendientes de su novia. Eugenia le dejaba hacer.

—Mira, Eugenia, para divertirte le puedes poner, si quieres, buena cara a ese panoli.

525 —¡Mauricio!

—¡Tienes razón, no te enfades, rica mía! —y contrayendo el brazo atrajo a su cabeza la de Eugenia, buscó con sus labios los de ella y los juntó, cerrando los ojos, en un beso húmedo, silencioso y largo.

—¡Mauricio!

Y luego le besó en los ojos.

—¡Esto no puede seguir así, Mauricio!

118 530 —¿Cómo? Pero, ¿hay mejor que esto? ¿crees

que lo pasaremos nunca mejor?

—Te digo, Mauricio, que esto no puede seguir así. Tienes que buscar trabajo. Odio la música.

Sentía la pobre oscuramente, sin darse de ello clara cuenta, que la música es preparación eterna, preparación a un advenimiento que nunca llega, eterna iniciación que no acaba cosa. Estaba harta de música.

—Buscaré trabajo, Eugenia, lo buscaré.

—Siempre dices lo mismo y siempre estamos lo mismo.

535   —Es que crees...

—Es que sé que en el fondo no eres más que un haragán y que va a ser preciso que sea yo la que busque trabajo para ti. Claro, ¡como a los hombres os cuesta menos esperar...!

—Eso creerás tú...

—Sí, sí, sé bien lo que me digo. Y ahora, te lo repito, no quiero ver los ojos suplicantes del señorito don Augusto como los de un perro hambriento...

—¡Qué cosas se te ocurren, chiquilla!

540   —Y ahora —añadió levantándose y apartándole con la mano suya—, quietecito y a tomar el fresco, ¡que buena falta te hace!

—¡Eugenia! ¡Eugenia! —le suspiró con voz seca, casi febril, al oído—, si tú quisieras...

—El que tiene que aprender a querer eres tú, Mauricio. Conque... ¡a ser hombre! Busca trabajo, decídete pronto; si no, trabajaré yo; pero decídete pronto. En otro caso...

—En otro caso, ¿qué?

—¡Nada! ¡Hay que acabar con esto!

Y sin dejarle replicar se salió del cuchitril de la portería. Al cruzar con la portera le dijo:

545   —Ahí queda su sobrino, señora Marta, y díga-   119

le que se resuelva de una vez.

Y salió Eugenia con la cabeza alta a la calle, donde en aquel momento un organillo de manubrio encentaba[1] una rabiosa polca. «¡Horror! ¡horror! ¡horror!», se dijo la muchacha, y más que se fue, huyó calle abajo.

---

[1] *encentar*: empezar a gastar o cortar; en este caso es metafórico puesto que se trata de empezar a tocar una melodía.

X

Como Augusto necesitaba confidencia se dirigió al Casino, a ver a Víctor, su amigote, al día siguiente de aquella su visita a casa de Eugenia y a la misma hora en que ésta espoleaba la pachorra amorosa de su novio en la portería.

Sentíase otro Augusto y como si aquella visita y la revelación en ella de la mujer fuerte —fluía de sus ojos fortaleza— le hubiera arado las entrañas del alma, alumbrando en ellas un manantial hasta entonces oculto. Pisaba con más fuerza, respiraba con más libertad.

«Ya tengo un objetivo, una finalidad en esta vida —se decía—, y es conquistar a esta muchacha o que ella me conquiste. Y es lo mismo. En amor lo mismo da vencer que ser vencido. Aunque, ¡no... no! Aquí ser vencido es que me deje por el otro. Por el otro, sí, porque aquí hay otro, no me cabe duda. ¿Otro? ¿otro qué? ¿Es que acaso yo soy uno? Yo soy un pretendiente, un solicitante, pero el otro... el otro se me antoja que no es ya pretendiente ni solicitante; que no pretende ni solicita porque ha obtenido. Claro que no más que el amor de la dulce Eugenia. ¿No más...?»

Un cuerpo de mujer irradiante de frescura, de salud y de alegría, que pasó a su vera, le interrumpió el soliloquio y le arrastró tras de sí. Púsose a seguir, casi maquinalmente, al cuerpo aquel, mientras proseguía soliloquizando:

«¡Y qué hermosa es! Ésta y aquélla, una y otra. Y el otro acaso en vez de pretender y solicitar es pretendido y solicitado; tal vez no le corresponde como ella se merece... Pero ¡qué alegría es esta chiquilla! ¡y con qué gracia saluda a aquel que va por allá! ¿De dónde habrá sacado esos ojos? ¡Son casi como los otros, como los de Eugenia! ¡Qué dulzura debe de ser olvidarse de la vida y de la muerte entre sus brazos! ¡dejarse brezar[1] en ellos como en olas de carne! ¡El otro...! Pero el otro no es el novio de Eugenia, no es aquel a quien ella quiere; el otro soy yo. ¡Sí, yo soy el otro; yo soy otro!»

Al llegar a esta conclusión de que él era otro, la moza a que seguía entró en una casa. Augusto se quedó parado, mirando a la casa. Y entonces se dio cuenta de que la había venido siguiendo. Recapacitó que había salido para ir al Casino y emprendió el camino de éste. Y proseguía:

«Pero ¡cuántas mujeres hermosas hay en este mundo, Dios mío! Casi todas. ¡Gracias, Señor, gracias; *gratias agimus tibi propter magnam gloriam tuam!*[2] ¡tu gloria es la hermosura de la mujer, Señor! Pero ¡qué cabellera, Dios mío, qué cabellera!»

Era, en efecto, una gloriosa cabellera la de aquella criada de servicio, que con su cesta al brazo cruzaba en aquel momento con él. Y se volvió tras ella. La luz parecía anidar en el oro de aquellos cabellos, y como si éstos pugnaran por soltarse de su trenzado y esparcirse al aire fresco y claro. Y bajo la cabellera un rostro todo él sonrisa.

555 «Soy otro, soy el otro —prosiguió Augusto mientras seguía a la de la cesta—; pero ¿es que no hay otras? ¡Sí, hay otras para el otro! Pero como la una, como ella, como la única, ¡ninguna! ¡ninguna! Todas éstas no son sino remedos de ella, de la una, de la única, ¡de mi dulce Eugenia! ¿Mía? Sí; yo por el pensamiento, por el deseo la hago mía.

---

[1]   *brezar*: acunar.
[2]   Se trata de una frase del Gloria de la misa: «te damos gracias por tu inmensa gloria».

Él, el otro, es decir, el uno, podrá llegar a poseerla materialmente; pero la misteriosa luz espiritual de aquellos ojos es mía, ¡mía, mía! Y ¿no reflejan también una misteriosa luz espiritual estos cabellos de oro? ¿Hay una sola Eugenia, o son dos, una la mía y otra la de su novio? Pues si es así, si hay dos, que se quede él con la suya, y con la mía me quedaré yo. Cuando la tristeza me visite, sobre todo de noche; cuando me entren ganas de llorar sin saber por qué, ¡oh, qué dulce habrá de ser cubrir mi cara, mi boca, mis ojos, con estos cabellos de oro y respirar el aire que a través de ellos se filtre y se perfume! Pero...»

Sintióse de pronto detenido. La de la cesta se había parado a hablar con otra compañera. Vaciló un momento Augusto, y diciéndose: «¡Bah, hay tantas mujeres hermosas desde que conocí a Eugenia...!», echó a andar, volviéndose camino del Casino.

«Si ella se empeña en preferir al otro, es decir, al uno, soy capaz de una resolución heroica, de algo que ha de espantar por lo magnánimo. Ante todo, quiérame o no me quiera, ¡eso de la hipoteca no puede quedar así!»

Arrancóle del soliloquio un estallido de goce que parecía brotar de la serenidad del cielo. Un par de muchachas reían junto a él y era su risa como el gorjeo de dos pájaros en una enramada con flores. Clavó un momento sus ojos sedientos de hermosura en aquella pareja de mozas, y apareciéronsele como un solo cuerpo geminado. Iban cogidas de bracete. Y a él le entraron furiosas ganas de detenerlas, coger a cada una de un brazo e irse así, en medio de ellas, mirando al cielo, adonde el viento de la vida los llevara.

«Pero ¡cuánta mujer hermosa hay desde que

123

conocí a Eugenia! —se decía, siguiendo en tanto a aquella riente pareja— ¡esto se ha convertido en un paraíso!; ¡qué ojos! ¡qué cabellera! ¡qué risa! La una es rubia y morena la otra; pero ¿cuál es la rubia? ¿cuál la morena? ¡Se me confunden una en otra!...»

560 —Pero, hombre, ¿vas despierto o dormido?

—Hola, Víctor.

—Te esperaba en el Casino y como no venías...

—Allá iba...

—¿Allá? ¿y en esta dirección? ¿Estás loco?

565 —Sí, tienes razón; pero mira, voy a decirte la verdad. Creo que te hablé de Eugenia...

—¿De la pianista? Sí.

—Pues bien; estoy locamente enamorado de ella, como un...

—Sí, como un enamorado. Sigue.

—Loco, chico, loco. Ayer la vi en su casa, con pretexto de visitar a sus tíos; la vi...

570 —Y te miró, ¿no es eso? ¿y creíste en Dios?[3]

—No, no es que me miró, es que me envolvió en su mirada; y no es que creí en Dios, sino que me creí un dios.

—Fuerte te entró, chico...

—¡Y eso que la moza estuvo brava! Pero no sé lo que desde entonces me pasa: casi todas las mujeres que veo me parecen hermosuras, y desde que he salido de casa, no hace aún media hora

---

[3]   Alude a los célebres versos de la rima XVII de Gustavo Adolfo Bécquer:
   Hoy la tierra y los cielos me sonríen;
   hoy llega al fondo de mi alma el sol;
   hoy la he visto... la he visto y me ha mirado...
   ¡Hoy creo en Dios!

seguramente, me he enamorado ya de tres, digo, no, de cuatro: de una primero que era todo ojos, de otra después con una gloria de pelo, y hace poco de una pareja, una rubia y otra morena, que reían como los ángeles. Y las he seguido a las cuatro. ¿Qué es esto?

—Pues eso es, querido Augusto, que tu repuesto de amor dormía inerte en el fondo de tu alma, sin tener dónde meterse; llegó Eugenia, la pianista, te sacudió y remejió con sus ojos esa charca en que tu amor dormía; se despertó éste, brotó de ella, y como es tan grande se extiende a todas partes. Cuando uno como tú se enamora de veras de una mujer, se enamora a la vez de todas las demás.

575 —Pues yo creí que sería todo lo contrario... Pero, entre paréntesis, ¡mira qué morena! ¡es la noche luminosa! ¡Bien dicen que lo negro es lo que más absorbe la luz! ¿No ves qué luz oculta se siente bajo su pelo, bajo el azabache de sus ojos? Vamos a seguirla...

—Como quieras...

—Pues sí, yo creí que sería todo lo contrario; que cuando uno se enamora de veras es que concentra su amor, antes desparramado entre todas, en una sola, y que todas las demás han de parecerle como si nada fuesen ni valiesen... Pero ¡mira! ¡mira ese golpe de sol en la negrura de su pelo!

—No; verás, verás si logro explicártelo. Tú estabas enamorado, sin saberlo por supuesto, de la mujer, del abstracto, no de ésta ni de aquélla; al ver a Eugenia, ese abstracto se concretó y la mujer se hizo una mujer y te enamoraste de ella, y ahora vas de ella, sin dejarla, a casi todas las mujeres, y te enamoras de la colectividad, del género. Has pasado, pues, de lo abstracto a lo concreto y de lo concreto a lo genérico, de la mujer a una mujer y de una mujer a las mujeres.

—¡Vaya una metafísica!

580 —Y ¿qué es el amor sino metafísica?

—¡Hombre!

—Sobre todo en ti. Porque todo tu enamoramiento no es sino cerebral, o como suele decirse, de cabeza.

—Eso lo creerás tú... —exclamó Augusto un poco picado y de mal humor, pues aquello de que su enamoramiento no era sino de cabeza le había llegado, doliéndole, al fondo del alma.

—Y si me apuras mucho, te digo que tú mismo no eres sino una pura idea, un ente de ficción...

585 —¿Es que no me crees capaz de enamorarme de veras, como los demás...?

—De veras estás enamorado, ya lo creo, pero de cabeza sólo. Crees que estás enamorado...

—Y ¿qué es estar uno enamorado sino creer que lo está?

—¡Ay, ay, ay, chico, eso es más complicado de lo que te figuras...!

—¿En qué se conoce, dime, que uno está enamorado y no solamente que cree estarlo?

590 —Mira, más vale que dejemos esto y hablemos de otras cosas.

Cuando luego volvió Augusto a su casa tomó en brazos a Orfeo y le dijo: «Vamos a ver, Orfeo mío, ¿en qué se diferencia estar uno enamorado de creer que lo está? ¿Es que estoy yo o no estoy enamorado de Eugenia? ¿Es que cuando la veo no me late el corazón en el pecho y se me enciende la sangre? ¿Es que yo no soy como los demás hombres? ¡Tengo que demostrarles, Orfeo, que soy tanto como ellos!»

Y a la hora de cenar, encarándose con Liduvina le preguntó:

—Di, Liduvina, ¿en qué se conoce que un hombre está de veras enamorado?

—Pero ¡qué cosas se le ocurren a usted, señorito...!

595 —Vamos, di, ¿en qué se conoce?

—Pues se conoce... se conoce en que hace y dice muchas tonterías. Cuando un hombre se enamora de veras, se *chala*, vamos al decir, por una mujer, ya no es un hombre...

—Pues ¿qué es?

—Es... es... es... una cosa, un animalito... Una hace de él lo que quiere.

—Entonces, cuando una mujer se enamora de veras de un hombre, se *chala*, como dices, ¿hace de ella el hombre lo que quiere?

600 —El caso no es enteramente igual...

—¿Cómo, cómo?

—Eso es muy difícil de explicar, señorito. Pero ¿está usted de veras enamorado?

—Es lo que trato de averiguar. Pero tonterías, de las gordas, no he dicho ni hecho todavía ninguna... me parece...

Liduvina se calló, y Augusto se dijo: «¿Estaré de veras enamorado?»

XI

605 Cuando llamó aquel otro día Augusto a casa de don Fermín y doña Ermelinda, la criada le pasó a la sala diciéndole: «Ahora aviso». Quedóse un momento solo y como si estuviese en el vacío. Sentía una profunda opresión en el pecho. Ceñíale una angustiosa sensación de solemnidad. Sentóse para levantarse al punto y se entretuvo en mirar los cuadros que colgaban de las paredes, un retrato de Eugenia entre ellos. Entráronle ganas de echar a correr, de escaparse. De pronto, al oír unos pasos menudos, sintió un puñal de hielo atravesarle el pecho y como una bruma invadirle la cabeza. Abrióse la puerta de la sala y apareció Eugenia. El pobre se apoyó en el respaldo de una butaca. Ella, al verle lívido, palideció un momento y se quedó suspensa en medio de la sala, y luego, acercándose a él, le dijo con voz seca y baja:

—¿Qué le pasa a usted, don Augusto, se pone malo?

—No, no es nada; qué sé yo...

—¿Quiere algo? ¿necesita algo?

—Un vaso de agua.

610 Eugenia, como quien ve un agarradero, salió de la estancia para ir ella misma a buscar el vaso de agua, que se lo trajo al punto. El agua tembloteaba en el vaso; pero más tembló éste en manos de Augusto, que se lo bebió de un trago, atropelladamente, vertiéndosele agua por la barba, y sin quitar en tanto sus ojos de los ojos de Eugenia.

—Si quiere usted —dijo ella—, mandaré que le hagan una taza de té, o de manzanilla, o de tila... ¿Qué, se ha pasado?

—No, no, no fue nada; gracias, Eugenia, gracias —y se enjugaba el agua de la barba.

—Bueno, pues ahora siéntese usted —y cuando estuvieron sentados prosiguió ella—. Le esperaba cualquier día y di orden a la criada de que aunque no estuviesen mis tíos, como sucede algunas tardes, le hiciese a usted pasar y me avisara. Así como así, deseaba que hablásemos a solas.

—¡Oh, Eugenia, Eugenia!

615 —Bueno, las cosas más fríamente. Nunca me pude imaginar que le daría tan fuerte, porque me dio usted miedo cuando entré aquí; parecía un muerto.

—Y más muerto que vivo estaba, créamelo.

—Va a ser menester que nos expliquemos.

—¡Eugenia! —exclamó el pobre, y extendió una mano que recogió al punto.

—Todavía me parece que no está usted en disposición de que hablemos tranquilamente, como buenos amigos. ¡A ver! —y le cogió la mano para tomarle el pulso.

620 Y éste empezó a latir febril en el pobre Augusto; se puso rojo, ardíale la frente. Los ojos de Eugenia se le borraron de la vista y no vio ya nada sino una niebla, una niebla roja. Un momento creyó perder el sentido.

—¡Ten compasión, Eugenia, ten compasión de mí!

—¡Cálmese usted, don Augusto, cálmese!

—Don Augusto... don Augusto... don... don...

—Sí, mi bueno de don Augusto, cálmese usted y hablemos tranquilamente.

625 —Pero, permítame... —y le cogió entre sus dos manos la diestra aquella blanca y fría como la nieve, de ahusados[1] dedos, hechos para acariciar las

---

[1] *ahusado*: largo y delgado, en forma de huso, que es un instrumento que sirve para hilar y que se va adelgazando desde el centro hasta las puntas.

teclas del piano, para arrancarles dulces arpegios[2].

—Como usted quiera, don Augusto.

Éste se la llevó a los labios y la cubrió de besos que apenas entibiaron la frialdad blanca.

—Cuando usted acabe, don Augusto, empezaremos a hablar.

—Pero mira, Eugenia, ven...

—No, no, no, ¡formalidad! —y desprendiendo su mano de las de él prosiguió: Yo no sé qué género de esperanzas le habrán hecho concebir mis tíos, o más bien mi tía, pero el caso es que me parece que usted está engañado.

—¿Cómo engañado?

—Sí, han debido decirle que tengo novio.

—Lo sé.

—¿Se lo han dicho ellos?

—No, no me lo ha dicho nadie, pero lo sé.

—Entonces...

—Pero es, Eugenia, que yo no pretendo nada, que no busco nada, que nada pido; es, Eugenia, que yo me contento con que se me deje venir de cuando en cuando a bañar mi espíritu en la mirada de esos ojos, a embriagarme en el vaho de su respiración...

—Bueno, don Augusto, ésas son cosas que se lee en los libros; dejemos eso. Yo no me opongo a que usted venga cuantas veces se le antoje, a que me vea y me revea, a que hable conmigo y hasta... ya lo ha visto usted, hasta a que me bese la mano, pero yo tengo un novio, del cual estoy enamorada y con el cual pienso casarme.

—Pero ¿de veras está usted enamorada de él?

---

[2] *arpegio:* sucesión más o menos acelerada de los sonidos de un acorde.

640 —¡Vaya una pregunta!

—Y ¿en qué conoce usted que está de él enamorada?

—Pero ¿es que se ha vuelto usted loco, don Augusto?

—No, no; lo digo porque mi amigo mejor me ha dicho que hay muchos que creen estar enamorados sin estarlo...

—Lo ha dicho por usted, ¿no es eso?

645 —Sí, por mí lo ha dicho; ¿pues?

—Porque en el caso de usted acaso sea verdad eso...

—Pero ¿es que cree usted, es que crees, Eugenia, que no estoy de veras enamorado de ti?

—No alce usted tanto la voz, don Augusto, que puede oírle la criada...

—¡Sí, sí —continuó exaltándose—, hay quien me cree incapaz de enamorarme de veras...!

650 —Dispense un momento —le interrumpió Eugenia, y se salió dejándole solo.

Volvió al poco rato y con la mayor tranquilidad le dijo:

—Y bien, don Augusto, ¿se ha calmado ya?

—¡Eugenia! ¡Eugenia!

En este momento se oyó llamar a la puerta y Eugenia dijo: —¡Mis tíos!— A los pocos momentos entraban éstos en la sala.

655 —¡Vino don Augusto a visitaros, salí yo misma a abrirle, quería irse, pero le dije que pasara, que no tardaríais en venir, ¡y aquí está!

—¡Vendrán tiempos —exclamó don Fermín— en que se disiparán los convencionalismos sociales todos! Estoy convencido de que las cercas y tapias de las propiedades privadas no son más que un incentivo para los que llamamos ladrones, cuando los ladrones son los otros, los propietarios.

No hay propiedad más segura que la que está sin cercas ni tapias, al alcance de todo el mundo. El hombre nace bueno, es naturalmente bueno; la sociedad le malea y pervierte...

—¡Cállate, hombre —exclamó doña Ermelinda—, que no me dejas oír cantar al canario! ¿No le oye usted, don Augusto? ¡Es un encanto oírle! Y cuando ésta se ponía a aprender sus lecciones de piano había que oírle a un canario que entonces tuve: se excitaba, y cuanto más ésta daba a las teclas, más él a cantar y más cantar. Como que se murió de eso, reventado...

—¡Hasta los animales domésticos se contagian de nuestros vicios! —agregó el tío—. ¡Hasta a los animales que con nosotros conviven les hemos arrancado del santo estado de naturaleza! ¡Oh, humanidad, humanidad!

—Y ¿ha tenido usted que esperar mucho, don Augusto? —preguntó la tía.

660 —Oh, no, señora, no, nada, nada, un momentito, un relámpago... por lo menos así me lo pareció...

—¡Ah, vamos!

—Sí, tía, muy poco tiempo, pero lo bastante para que se haya repuesto de una ligera indisposición que trajo de la calle...

—¿Cómo?

—Oh, no fue nada, señora, nada...

665 —Ahora yo les dejo, tengo que hacer —dijo Eugenia, y dando la mano a Augusto se fue.

—Y ¿qué, cómo va eso? —le preguntó a Augusto la tía así que Eugenia hubo salido.

—Y ¿qué es eso?

—¡La conquista, naturalmente!

—¡Mal, muy mal! Me ha dicho que tiene novio y que se ha de casar con él.

670 —¿No te lo decía yo, Ermelinda?, ¿no te lo decía?

—Pues ¡no, no y no!, no puede ser. Eso del novio es una locura, don Augusto, ¡una locura!

—Pero, señora, ¿y si está enamorada de él...?

—Eso digo yo —exclamó el tío—, eso digo yo. ¡La libertad, la santa libertad, la libertad de elección!

—Pues ¡no, no y no! ¿Acaso sabe esa chiquilla lo que se hace...? ¡Despreciarle a usted, don Augusto, a usted! ¡Eso no puede ser!

675 —Pero, señora, reflexione, fíjese... no se puede, no se debe violentar así la voluntad de una joven como Eugenia... Se trata de su felicidad, y no debemos todos preocuparnos sino de ella, y hasta sacrificarnos para que la consiga...

—¿Usted, don Augusto, usted?

—¡Yo, sí, yo, señora! ¡Estoy dispuesto a sacrificarme por la felicidad de Eugenia, de su sobrina, porque mi felicidad consiste en que ella sea feliz!

—¡Bravo! —exclamó el tío— ¡bravo! ¡bravo! ¡He aquí un héroe! ¡he aquí un anarquista... místico!

—¿Anarquista? —dijo Augusto.

680 —Anarquista, sí. Porque mi anarquismo consiste en eso, en eso precisamente, en que cada cual se sacrifique por los demás, en que uno sea feliz haciendo felices a los otros, en que...

—¡Pues bueno te pones, Fermín, cuando un día cualquiera no se te sirve la sopa sino diez minutos después de las doce!

—Bueno, es que ya sabes, Ermelinda, que mi anarquismo es teórico... me esfuerzo por llegar a la perfección, pero...

—¡Y la felicidad también es teórica! —exclamó Augusto, compungido y como quien habla consigo mismo, y luego: He decidido sacrificarme a la

133

felicidad de Eugenia y he pensado en un acto heroico.

—¿Cuál?

685 —¿No me dijo usted una vez, señora, que la casa que a Eugenia dejó su desgraciado padre...

—Sí, mi pobre hermano.

—... está gravada con una hipoteca que se lleva sus rentas todas?

—Sí, señor.

—Pues bien: ¡Yo sé lo que he de hacer! —y se dirigió a la puerta.

690 —Pero, don Augusto...

—Augusto se siente capaz de las más heroicas determinaciones, de los más grandes sacrificios. Y ahora se sabrá si está enamorado nada más que de cabeza o lo está también de corazón, si es que cree estar enamorado sin estarlo. Eugenia, señores, me ha despertado a la vida, a la verdadera vida, y, sea ella de quien fuere, yo le debo gratitud eterna. Y ahora, ¡adiós!

Y se salió solemnemente. Y no bien hubo salido gritó doña Ermelinda: «¡Chiquilla!»

XII

—Señorito —entró un día después a decir a Augusto Liduvina—, ahí está la del planchado.

—¿La del planchado? ¡Ah, sí, que pase!

695 Entró la muchacha llevando el cesto del planchado de Augusto. Quedáronse mirándose, y ella, la pobre, sintió que se le encendía el rostro, pues nunca cosa igual le ocurrió en aquella casa en tantas veces como allí entró. Parecía antes como si el señorito ni la hubiese visto siquiera, lo que a ella, que creía conocerse, habíala tenido inquieta y hasta mohína. ¡No fijarse en ella! ¡No mirarle[1] como le miraban otros hombres! ¡No devorarle con los ojos, o más bien lamerle con ellos los de ella y la boca y la cara toda!

—¿Qué te pasa, Rosario, porque creo que te llama así, no?

—Sí, así me llamo.

—Y ¿qué te pasa?

—¿Por qué, señorito Augusto?

700 —Nunca te he visto ponerte así colorada. Y además me pareces otra.

—El que me parece que es otro es usted...

—Puede ser... puede ser... Pero ven, acércate.

—¡Vamos, déjese de bromas y despachemos!

—¿Bromas? Pero ¿tú crees que es broma? —le dijo con voz más seria—. Acércate, así, que te vea bien.

705 —Pero ¿es que no me ha visto otras veces?

—Sí, pero hasta ahora no me había dado cuenta de que fueses tan guapa como eres...

---

[1] Extraño caso de leísmo, pues lo habitual sería usar el pronombre femenino *la*.

—Vamos, vamos, señorito, no se burle... —y le ardía la cara.

—Y ahora, con esos colores, talmente el sol...

—Vamos...

710 —Ven acá, ven. Tú dirás que el señorito Augusto se ha vuelto loco, ¿no es así? Pues no, no es eso, ¡no! Es que lo ha estado hasta ahora, o mejor dicho, es que he estado hasta ahora tonto, tonto del todo, perdido en una niebla, ciego... No hace sino muy poco tiempo que se me han abierto los ojos. Ya ves, tantas veces como has entrado en esta casa y te he mirado y no te había visto. Es, Rosario, como si no hubiese vivido, lo mismo que si no hubiese vivido... Estaba tonto, tonto... Pero ¿qué te pasa, chiquilla, qué es lo que te pasa?

Rosario, que se había tenido que sentar en una silla, ocultó la cara en las manos y rompió a llorar. Augusto se levantó, cerró la puerta, volvió a la mocita, y poniéndole una mano sobre el hombro le dijo con su voz más húmeda y más caliente, muy bajo: —Pero ¿qué te pasa, chiquilla, qué es eso?

—Que con esas cosas me hace usted llorar, don Augusto...

—¡Ángel de Dios!

—No diga usted esas cosas, don Augusto.

715 —¡Cómo que no las diga! Sí, he vivido ciego, tonto, como si no viviera, hasta que llegó una mujer, ¿sabes?, otra, y me abrió los ojos y he visto el mundo, y sobre todo he aprendido a veros a vosotras, a las mujeres...

—Y esa mujer... sería alguna mala mujer...

—¿Mala? ¿mala dices? ¿Sabes lo que dices, Rosario, sabes lo que dices? ¿Sabes lo que es ser malo? ¿Qué es ser malo? No, no, no, esa mujer es, como tú, un ángel; pero esa mujer no me quiere... no me quiere... no me quiere... —y al decirlo se le quebró la voz y se le empañaron en lágrimas los ojos.

—¡Pobre don Augusto!

—¡Sí, tú lo has dicho, Rosario, tú lo has dicho! ¡pobre don Augusto! Pero mira, Rosario, quita el don y di: ¡pobre Augusto! Vamos, di: ¡pobre Augusto!

720 —Pero, señorito...

—Vamos, dilo: ¡pobre Augusto!

—Si usted se empeña... ¡pobre Augusto!

Augusto se sentó.

—¡Ven acá! —la dijo.

725 Levantóse ella cual movida por un resorte, como una hipnótica sugestionada, con la respiración anhelante. Cogióla él, la sentó sobre sus rodillas, la apretó fuertemente a su pecho, y teniendo su mejilla apretada contra la mejilla de la muchacha, que echaba fuego, estalló diciendo:

—¡Ay, Rosario, Rosario, yo no sé lo que me pasa, yo no sé lo que es de mí! Esa mujer que tú dices que es mala, sin conocerla, me ha vuelto ciego al darme la vista. Yo no vivía, y ahora vivo; pero ahora que vivo es cuando siento lo que es morir. Tengo que defenderme de esa mujer, tengo que defenderme de su mirada. ¿Me ayudarás tú, Rosario, me ayudarás a que de ella me defienda?

Un «¡sí!» tenuísimo, con susurro que parecía venir de otro mundo, rozó el oído de Augusto.

—Yo ya no sé lo que me pasa, Rosario, ni lo que digo, ni lo que hago, ni lo que pienso; yo ya no sé si estoy o no enamorado de esa mujer, de esa mujer a la que llamas mala...

—Es que yo, don Augusto...

730 —Augusto, Augusto...

—Es que yo, Augusto...

—Bueno, cállate, basta —y cerraba él los   137

ojos—, no digas nada, déjame hablar solo, conmigo mismo. Así he vivido desde que se murió mi madre, conmigo mismo, nada más que conmigo; es decir, dormido. Y no he sabido lo que es dormir juntamente, dormir dos un mismo sueño. ¡Dormir juntos! No estar juntos durmiendo cada cual su sueño, ¡no!, sino dormir juntos, ¡dormir juntos el mismo sueño! ¿Y si durmiéramos tú y yo, Rosario, el mismo sueño?

—Y esa mujer... —empezó la pobre chica, temblando entre los brazos de Augusto y con lágrimas en la voz.

—Esa mujer, Rosario, no me quiere... no me quiere... no me quiere... Pero ella me ha enseñado que hay otras mujeres, por ella he sabido que hay otras mujeres... y alguna podrá quererme... ¿Me querrás tú, Rosario, dime, me querrás tú? —y la apretaba como loco contra su pecho.

735   —Creo que sí... que le querré...

—¡Que te querré, Rosario, que te querré!

—Que te querré...

—¡Así, así, Rosario, así! ¡Eh!

En aquel momento se abrió la puerta, apareció Liduvina, y exclamando: «¡ah!», volvió a cerrarla. Augusto se turbó mucho más que Rosario, la cual, poniéndose rápidamente en pie, se atusó el pelo, se sacudió el cuerpo y con voz entrecortada dijo:

740   —Bueno, señorito, ¿hacemos la cuenta?

—Sí, tienes razón. Pero volverás, eh, volverás.

—Sí, volveré.

—¿Y me perdonas todo? ¿me lo perdonas?

—¿Perdonarle... qué?

745   —Esto, esto... Ha sido una locura. ¿Me lo perdonas?

—Yo no tengo nada que perdonarle, señorito.

Y lo que debe hacer es no pensar en esa mujer.

—Y tú, ¿pensarás en mí?

—Vaya, que tengo que irme.

Arreglaron la cuenta y Rosario se fue. Y apenas se había ido entró Liduvina:

750 —¿No me preguntaba usted el otro día, señorito, en qué se conoce si un hombre está o no enamorado?

—En efecto.

—Y le dije en que hace o dice tonterías. Pues bien; ahora puedo asegurarle que usted está enamorado.

—Pero ¿de quién? ¿de Rosario?

—¿De Rosario...? ¡Quia! ¡De la otra!

755 —Y ¿de dónde sacas eso, Liduvina?

—¡Bah! Usted ha estado diciendo y haciendo a ésta lo que no pudo decir ni hacer a la otra.

—Pero ¿tú te crees...?

—No, no, si ya me supongo que no ha pasado a mayores; pero...

—¡Liduvina, Liduvina!

760 —Como usted quiera, señorito.

El pobre fue a acostarse ardiéndole la cabeza. Y al echarse en la cama, a cuyos pies dormía Orfeo, se decía: «¡Ay, Orfeo, Orfeo, esto de dormir solo, solo, solo, de dormir un solo sueño! El sueño de uno solo es la ilusión, la apariencia; el sueño de dos es ya la verdad, la realidad. ¿Qué es el mundo real sino el sueño que soñamos todos, el sueño común?»

Y cayó en el sueño.

XIII

Pocos días después de esto entró una mañana Liduvina en el cuarto de Augusto diciéndole que una señorita preguntaba por él.

—¿Una señorita?

765 —Sí, ella, la pianista.

—¿Eugenia?

—Eugenia, sí. Decididamente no es usted el único que se ha vuelto loco.

El pobre Augusto empezó a temblar. Y es que se sentía reo. Levantóse, lavóse de prisa, se vistió y fue dispuesto a todo.

—Ya sé, señor don Augusto —le dijo solemnemente Eugenia en cuanto le vio—, que ha comprado usted mi deuda a mi acreedor, que está en su poder la hipoteca de mi casa.

770 —No lo niego.

—Y ¿con qué derecho hizo eso?

—Con el derecho, señorita, que tiene todo ciudadano a comprar lo que bien le parezca y su poseedor quiera venderlo.

—No quiero decir eso, sino ¿para qué lo ha comprado usted?

—Pues porque me dolía verla depender así de un hombre a quien acaso usted sea indiferente y que sospecho no es más que un traficante sin entrañas.

775 —Es decir, que usted pretende que dependa yo de usted, ya que no le soy indiferente...

—¡Oh, eso nunca, nunca, nunca! ¡Nunca, Eugenia, nunca! Yo no busco que usted dependa de mí. Me ofende usted sólo con suponerlo. Verá usted —y dejándola sola se salió agitadísimo.

Volvió al poco rato trayendo unos papeles.

—He aquí, Eugenia, los documentos que acreditan su deuda. Tómelos usted y haga de ellos lo que quiera.

—¿Cómo?

780 —Sí, que renuncio a todo. Para eso lo compré.

—Lo sabía, y por eso le dije que usted no pretende sino hacer que dependa de usted. Me quiere usted ligar por la gratitud. ¡Quiere usted comprarme!

—¡Eugenia! ¡Eugenia!

—Sí, quiere usted comprarme, quiere usted comprarme; ¡quiere usted comprar... no mi amor, que ése no se compra, sino mi cuerpo!

—¡Eugenia! ¡Eugenia!

785 —Esto es, aunque usted no lo crea, una infamia, nada más que una infamia.

—¡Eugenia, por Dios, Eugenia!

—¡No se me acerque usted más, que no respondo de mí!

—Pues bien, sí, me acerco. ¡Pégame, Eugenia, pégame; insúltame, escúpeme, haz de mí lo que quieras!

—No merece usted nada —y Eugenia se levantó—; me voy, pero ¡cónstele que no acepto su limosna o su oferta! Trabajaré más que nunca; haré que trabaje mi novio, pronto mi marido, y viviremos. Y en cuanto a eso, quédese usted con mi casa.

790 —Pero ¡si yo no me opongo, Eugenia, a que usted se case con ese novio que dice!

—¿Cómo? ¿Cómo? ¿A ver?

—¡Si yo no he hecho esto para que usted, ligada por gratitud, acceda a tomarme por marido...! ¡Si yo renuncio a mi propia felicidad, mejor dicho, si mi felicidad consiste en que usted sea feliz y

141

nada más, en que sea usted feliz con el marido que libremente escoja!...

—¡Ah, ya, ya caigo; usted se reserva el papel de heroica víctima, de mártir! Quédese usted con la casa, le digo. Se la regalo.

—Pero, Eugenia, Eugenia...

795   —¡Basta!

Y sin más mirarle, aquellos dos ojos de fuego desaparecieron.

Quedóse Augusto un momento fuera de sí, sin darse cuenta de que existía, y cuando sacudió la niebla de confusión que le envolviera, tomó el sombrero y se echó a la calle, a errar a la ventura. Al pasar junto a una iglesia, San Martín, entró en ella, casi sin darse cuenta de lo que hacía. No vio al entrar sino el mortecino resplandor de la lamparilla que frente al altar mayor ardía. Parecíale respirar oscuridad, olor a vejez, a tradición sahumada en incienso, a hogar de siglos, y andando casi a tientas fue a sentarse en un banco. Dejóse en él caer más que se sentó. Sentíase cansado, mortalmente cansado, y como si toda aquella oscuridad, toda aquella vejez que respiraba, le pesasen sobre el corazón. De un susurro que parecía venir de lejos, de muy lejos, emergía una tos contenida de cuando en cuando. Acordóse de su madre.

Cerró los ojos y volvió a soñar aquella casa dulce y tibia, en que la luz entraba por entre las blancas flores bordadas en los visillos. Volvió a ver a su madre, yendo y viniendo sin ruido, siempre de negro, con aquella su sonrisa que era poso de lágrimas. Y repasó su vida toda de hijo, cuando formaba parte de su madre y vivía a su amparo, y aquella muerte lenta, grave, dulce e indolorosa de la pobre señora, cuando se fue como un ave peregrina que emprende sin ruido el vuelo. Luego recordó o resoñó el encuentro de Orfeo, y al poco rato encontróse sumido en un estado de espíritu en que pasaban ante él, en cinematógrafo, las más extrañas visiones.

Junto a él un hombre susurraba rezos. El hombre se levantó para salir y él le siguió. A la salida de la iglesia el hombre aquel mojó los dedos índice y corazón de su diestra en el aguabenditera y ofreció agua bendita a Augusto, santiguándose luego. Encontráronse juntos en la cancela.

800 —¡Don Avito[1]! —exclamó Augusto.

—¡El mismo, Augustito, el mismo!

—Pero ¿usted por aquí?

—Sí, yo por aquí; enseña mucho la vida, y más la muerte; enseñan más, mucho más que la ciencia.

—Pero ¿y el candidato a genio?

805 Don Avito Carrascal le contó la lamentable historia de su hijo (*). Y concluyó diciendo: «Ya ves, Augustito, cómo he venido a esto...»

Augusto callaba mirando al suelo. Iban por la alameda.

—Sí, Augusto, sí —prosiguió don Avito—; la vida es la única maestra de la vida; no hay peda-

---

(*) Historia que he contado en mi novela *Amor y pedagogía*. [Nota de Miguel de Unamuno.]

---

[1] Don Avito Carrascal es el protagonista de *Amor y pedagogía*. En colaboración con don Fulgencio de Entrambosmares, al que ya conocemos (véase nota 46 del Prólogo), hace el experimento de crear un superhombre: su hijo Apolodoro; pero el infeliz es un ser débil y mediocre que acaba ahorcándose. La obra es una burla cruel del cientifismo positivista.

143

gogía que valga. Sólo se aprende a vivir viviendo, y cada hombre tiene que recomenzar el aprendizaje de la vida de nuevo...

—¿Y la labor de las generaciones, don Avito, el legado de los siglos?

—No hay más que dos legados: el de las ilusiones y el de los desengaños, y ambos sólo se encuentran donde nos encontramos hace poco: en el templo. De seguro que te llevó allá o una gran ilusión o un gran desengaño.

810 —Las dos cosas.

—Sí, las dos cosas, sí. Porque la ilusión, la esperanza, engendra el desengaño, el recuerdo, y el desengaño, el recuerdo, engendra a su vez la ilusión, la esperanza. La ciencia es realidad, es presente, querido Augusto, y yo no puedo vivir ya de nada presente. Desde que mi pobre Apolodoro, mi víctima —y al decir esto le lloraba la voz—, murió, es decir, se mató, no hay ya presente posible, no hay ciencia ni realidad que valgan para mí; no puedo vivir sino recordándole o esperándole. Y he ido a parar a ese hogar de todas las ilusiones y todos los desengaños: ¡a la iglesia!

—¿De modo es que ahora cree usted?

—¡Qué sé yo...!

—Pero ¿no cree usted?

815 —No sé si creo o no creo; sé que rezo. Y no sé bien lo que rezo. Somos unos cuantos que al anochecer nos reunimos ahí a rezar el rosario. No sé quiénes son, ni ellos me conocen, pero nos sentimos solidarios, en íntima comunión unos con otros. Y ahora pienso que a la humanidad maldita la falta que le hacen los genios.

—¿Y su mujer, don Avito?

—¡Ah, mi mujer! —exclamó Carrascal, y una lágrima que se le había asomado a un ojo pareció

144

irradiarle luz interna—. ¡Mi mujer!, ¡la he descubierto! Hasta mi tremenda desgracia no he sabido lo que tenía en ella. Sólo he penetrado en el misterio de la vida cuando en las noches terribles que sucedieron al suicidio de mi Apolodoro reclinaba mi cabeza en el regazo de ella, de la madre, y lloraba, lloraba, lloraba. Y ella, pasándome dulcemente la mano por la cabeza, me decía: «¡Pobre hijo mío!, ¡pobre hijo mío!» Nunca, nunca ha sido más madre que ahora. Jamás creí al hacerla madre, ¿y cómo?, nada más que para que me diese la materia prima del genio... jamás creí al hacerla madre que como tal la necesitaría para mí un día. Porque yo no conocí a mi madre, Augusto, no la conocí; yo no he tenido madre, no he sabido lo que es tenerla hasta que al perder mi mujer a mi hijo y suyo se ha sentido madre mía. Tú conociste a tu madre, Augusto, a la excelente doña Soledad, si no, te aconsejaría que te casases.

—La conocí, don Avito, pero la perdí, y ahí, en la iglesia, estaba recordándola...

—Pues si quieres volver a tenerla, ¡cásate, Augusto, cásate!

820 —No, aquélla no, aquélla no la volveré a tener.

—Es verdad, pero ¡cásate!

—¿Y cómo? —añadió Augusto con una forzada sonrisa y recordando lo que había oído de una de las doctrinas de don Avito— ¿cómo? ¿deductiva o inductivamente[2]?

---

[2] Don Avito sustentaba la teoría de que hay dos tipos de matrimonio. En el deductivo, primero uno decide casarse y luego busca la persona adecuada; en el inductivo, se toma esta decisión después de haber conocido a alguien. Nuestro hombre era partidario de la primera fórmula, pero cayó en la segunda.

—¡Déjate ahora de esas cosas; por Dios, Augusto, no me recuerdes tragedias! Pero... en fin, si te he de seguir el humor, ¡cásate intuitivamente!

—¿Y si la mujer a quien quiero no me quiere?

825 —Cásate con la mujer que te quiera, aunque no la quieras tú. Es mejor casarse para que le conquiste a uno el amor que para conquistarlo. Busca una que te quiera.

Por la mente de Augusto pasó en rapidísima visión la imagen de la chica de la planchadora. Porque se había hecho la ilusión de que aquella pobrecita quedó enamorada de él.

Cuando al cabo Augusto se despidió de don Avito, dirigióse al Casino. Quería despejar la niebla de su cabeza y la de su corazón echando una partida de ajedrez con Víctor.

XIV

Notó Augusto que algo insólito le ocurría a su amigo Víctor; no acertaba ninguna jugada, estaba displicente y silencioso.

—Víctor, algo te pasa...

830 —Sí, hombre, sí, me pasa una cosa grave. Y como necesito desahogo, vamos fuera; la noche está muy hermosa; te lo contaré.

Víctor, aunque el más íntimo amigo de Augusto, le llevaba cinco o seis años de edad y hacía más de doce que estaba casado, pues contrajo matrimonio siendo muy joven, por deber de conciencia, según decían. No tenía hijos.

Cuando estuvieron en la calle, Víctor comenzó:

—Ya sabes, Augusto, que me tuve que casar muy joven...

—¿Que te tuviste que casar?

835 —Sí, vamos, no te hagas el de nuevas, que la murmuración llega a todos. Nos casaron nuestros padres, los míos y los de mi Elena, cuando éramos unos chiquillos. Y el matrimonio fue para nosotros un juego. Jugábamos a marido y mujer. Pero aquello fue una falsa alarma...

—¿Qué es lo que fue una falsa alarma?

—Pues aquello por que nos casaron. Pudibundeces de nuestros sendos padres. Se enteraron de un desliz nuestro, que tuvo su cachito de escándalo, y sin esperar a ver qué consecuencias tenía, o si las tenía, nos casaron.

—Hicieron bien.

—No diré yo tanto. Mas el caso fue que ni tuvo consecuencias aquel desliz ni las tuvieron los consiguientes deslices de después de casados.

147

840
—¿Deslices?

—Sí, en nuestro caso no eran sino deslices. Nos deslizábamos. Ya te he dicho que jugábamos a marido y mujer...

—¡Hombre!

—No, no seas demasiado malicioso. Éramos y aún somos jóvenes para pervertirnos. Pero en lo que menos pensábamos era en constituir un hogar. Éramos dos mozuelos que vivían juntos haciendo eso que se llama vida marital. Pero pasó el año y al ver que no venía fruto empezamos a ponernos de morro, a mirarnos un poco de reojo, a incriminarnos mutuamente en silencio. Yo no me avenía a no ser padre. Era un hombre ya, tenía más de veintiún años, y, francamente, eso de que yo fuese menos que otros, menos que cualquier bárbaro que a los nueve meses justos de haberse casado, o antes, tiene su primer hijo... a esto no me resignaba.

—Pero, hombre, ¿qué culpa...?

845
—Y, es claro, yo, aun sin decírselo, le echaba la culpa a ella y me decía: «Esta mujer es estéril y te pone en ridículo.» Y ella, por su parte, no me cabía duda, me culpaba a mí, y hasta suponía, qué sé yo...

—¿Qué?

—Nada, que cuando pasa un año y otro y otro y el matrimonio no tiene hijos, la mujer da en pensar que la culpa es del marido y que lo es porque no fue sano al matrimonio, porque llevó cualquier dolencia... El caso es que nos sentíamos enemigos el uno del otro; que el demonio se nos había metido en casa. Y al fin estalló el tal demonio y llegaron las reconvenciones mutuas y aquello de «tú no sirves» y «quien no sirve eres tú» y todo lo demás.

—¿Sería por eso que hubo una temporada, a

los dos o tres años de haberte casado, que anduviste tan malo, tan preocupado, neurasténico?, ¿cuándo tuviste que ir solo a aquel sanatorio?

—No, no fue eso... fue algo peor.

850   Hubo un silencio. Víctor miraba al suelo.

—Bueno, bueno, guárdatelo; no quiero romper tus secretos.

—¡Pues sea, te lo diré! Fue que exacerbado por aquellas querellas intestinas con mi pobre mujer, llegué a imaginarme que la cuestión dependía no de la intensidad o de lo que sea, sino del número, ¿me entiendes?

—Sí, creo entenderte...

—Y di en dedicarme a comer como un bárbaro lo que creí más sustancioso y nutritivo y bien sazonado con todo género de especias, en especial las que pasan por más afrodisíacas, y a frecuentar lo más posible a mi mujer. Y claro...

855   —Te pusiste enfermo.

—¡Natural! Y si no acudo a tiempo y entramos en razón, me las lío al otro mundo. Pero curé de aquello en ambos sentidos, volví a mi mujer y nos calmamos y resignamos. Y poco a poco volvió a reinar en casa no ya la paz, sino hasta la dicha. Al principio de esta nueva vida, a los cuatro o cinco años de casados, lamentábamos alguna que otra vez nuestra soledad, pero muy pronto no sólo nos consolamos, sino que nos habituamos. Y acabamos no sólo por no echar de menos a los hijos, sino hasta por compadecer a los que los tienen. Nos habituamos uno a otro, nos hicimos el uno costumbre del otro. Tú no puedes entender esto...

—No, no lo entiendo.

—Pues bien; yo me hice una costumbre de mi mujer y Elena se hizo una costumbre mía. Todo estaba moderadamente regularizado en nuestra casa, todo, lo mismo que las comidas. A las doce en punto, ni minuto más ni minuto menos, la sopa en la mesa, y de tal modo, que comemos todos los días casi las mismas cosas, en el mismo orden y en la misma cantidad. Aborrezco el cambio y lo aborrece Elena. En mi casa se vive al reló[1].

—Vamos, sí, esto me recuerda lo que dice nuestro amigo Luis del matrimonio Romera, que suele decir que son marido y mujer solterones.

860 —En efecto, porque no hay solterón más solterón y recalcitrante que el casado sin hijos. Una vez, para suplir la falta de hijos, que al fin y al cabo ni en mí había muerto el sentimiento de la paternidad ni menos el de la maternidad en ella, adoptamos, o si quieres prohijamos, un perro; pero al verle un día morir a nuestra vista, porque se le atravesó un hueso en la garganta, y ver aquellos ojos húmedos que parecían suplicarnos vida, nos entró una pena y un horror tal que no quisimos más perros ni cosa viva. Y nos contentamos con unas muñecas, unas grandes peponas, que son las que has visto en casa, y que mi Elena viste y desnuda.

—Ésas no se os morirán.

—En efecto. Y todo iba muy bien y nosotros contentísimos. Ni me turban el sueño llantos de niño, ni tenía que preocuparme de si será varón o hembra y qué he de hacer de él o de ella... Y, además, he tenido siempre mi mujer a mi disposición, cómodamente, sin estorbos de embarazos ni de lactancias; en fin, ¡un encanto de vida!

—¿Sabes que eso en poco o nada se diferencia...?

---

[1] Ejemplo de ortografía fonética.

—¿De qué? ¿De un arrimo ilegal? Así lo creo. Un matrimonio sin hijos puede llegar a convertirse en una especie de concubinato legal, muy bien ordenado, muy higiénico, relativamente casto, pero, en fin, ¡lo dicho! Marido y mujer solterones, pero solterones arrimados, en efecto. Y así han trascurrido estos más de once años, van para doce... Pero ahora... ¿sabes lo que me pasa?

865 —Hombre, ¿cómo lo he de saber?

—Pero ¿no sabes lo que me pasa?

—Como no sea que has dejado encinta a tu mujer...

—Eso, hombre, eso. ¡Figúrate qué desgracia!

—¿Desgracia? ¿Pues no lo deseasteis tanto...?

870 —Sí, al principio, los dos o tres primeros años, poco más. Pero ahora, ahora... Ha vuelto el demonio a casa, han vuelto las disensiones. Y ahora como antaño cada uno de nosotros culpaba al otro de la esterilidad del lazo, ahora cada uno culpa al otro de esto que se nos viene. Y ya empezamos a llamarle... no, no te lo digo...

—Pues no me lo digas si no quieres.

—Empezamos a llamarle ¡el intruso! Y yo he soñado que se nos moría una mañana con un hueso atravesado en la garganta...

—¡Qué barbaridad!

—Sí, tienes razón, una barbaridad. Y ¡adiós regularidad, adiós comodidad, adiós costumbres! Todavía ayer estaba Elena de vómitos; parece que es una de las molestias anejas al estado que llaman... ¡interesante! ¡Interesante! ¡Interesante! ¡Vaya un interés! ¡De vómito! ¿Has visto nada más indecoroso, nada más sucio?

875 —Pero ¿ella estará gozosísima al sentirse madre?

—¿Ella? ¡Como yo! Esto es una mala jugada   151

de la Providencia, de la Naturaleza o de quien sea, una burla. Si hubiera venido... el nene o nena, lo que fuere..., si hubiera venido cuando, inocentes tórtolos llenos, más que de amor paternal, de vanidad, le esperábamos; si hubiera venido cuando creíamos que el no tener hijos era ser menos que otros; si hubiera venido entonces, ¡santo y muy bueno!, pero ¿ahora, ahora? Te digo que esto es una burla. Si no fuera por...

—¿Qué, hombre, qué?

—Te lo regalaba, para que hiciese compañía a Orfeo.

—Hombre, cálmate y no digas disparates...

880 —Tienes razón, disparato. Perdóname. Pero ¿te parece bien, al cabo de cerca de doce años, cuando nos iba tan ricamente, cuando estábamos curados de la ridícula vanidad de los recién casados, venirnos esto? Es claro, ¡vivíamos tan tranquilos, tan seguros, tan confiados...!

—¡Hombre, hombre!

—Tienes razón, sí, tienes razón. Y lo más terrible es, ¿a qué no te figuras?, que mi pobre Elena no puede defenderse del sentimiento del ridículo que la asalta. ¡Se siente en ridículo!

—Pues no veo...

—No, tampoco yo lo veo, pero así es; se siente en ridículo. Y hace tales cosas que temo por el... intruso... o intrusa.

885 —¡Hombre! —exclamó Augusto alarmado.

—¡No, no, Augusto, no, no! No hemos perdido el sentido moral, y Elena, que es, como sabes, profundamente religiosa, acata, aunque a regañadientes, los designios de la Providencia y se resigna a ser madre. Y será buena madre, no me cabe de ello duda, muy buena madre. Pero es tal el sentimiento del ridículo en ella, que para ocultar su estado, para encubrir su embarazo, la creo capaz de cosas que... En fin, no quiero pensar en ello. Por de pronto, hace ya una semana que no sale de casa; dice que le da vergüenza, que se le figura que van a quedársela todos mirándola en la calle. Y ya habla de que nos vayamos, de que si ella ha de salir a tomar el aire y el sol cuando esté ya en meses mayores, no ha de hacerlo donde haya gentes que la conozcan y que acaso vayan a felicitarle por ello.

Callaron los dos amigos un rato, y después que el breve silencio selló el relato, dijo Víctor.

—Conque ¡anda, Augusto, anda y cásate, para que acaso te suceda algo por el estilo; anda y cásate con la pianista!

—Y ¡quién sabe...! —dijo Augusto como quien habla consigo mismo— ¡quién sabe...! Acaso casándome volveré a tener madre...

—Madre, sí —añadió Víctor—, ¡de tus hijos! Si los tienes...

—¡Y madre mía! Acaso ahora, Víctor, empieces a tener en tu mujer una madre, una madre tuya.

—Lo que voy a empezar ahora es a perder noches...

—O a ganarlas, Víctor, o a ganarlas.

—En fin, que no sé lo que me pasa, ni lo que nos pasa. Y yo por mí creo que llegaría a resignarme; pero mi Elena, mi pobre Elena... ¡Pobrecita!

—¿Ves? Ya empiezas a compadecerla.

—En fin, Augusto, ¡que pienses mucho antes de casarte!

Y se separaron.

Augusto entró en su casa llena la cabeza de cuanto había oído a don Avito y a Víctor. Apenas se acordaba ya ni de Eugenia ni de la hipoteca liberada ni de la mozuela de la planchadora.

Cuando al entrar en casa salió saltando a recibirle Orfeo, le cogió, le tentó bien el gaznate, y apretándole al seno le dijo: «Cuidado con los huesos, Orfeo, mucho cuidadito con ellos, ¿eh? No quiero que te atragantes con uno; no quiero verte morir a mis ojos suplicándome vida. Ya ves, Orfeo, don Avito, el pedagogo, se ha convertido a la religión de sus abuelos... ¡es la herencia! Y Víctor no se resigna a ser padre. Aquél no se consuela de haber perdido a su hijo y éste no se consuela de ir a tenerlo. Y ¡qué ojos, Orfeo, qué ojos! Cómo le fulguraban cuando me dijo: "¡Quiere usted comprarme!, ¡quiere usted comprar no mi amor, que ése no se compra, sino mi cuerpo! ¡Quédese con mi casa!" ¡Comprar yo su cuerpo... su cuerpo! ¡Si me sobra el mío, Orfeo, me sobra el mío! Lo que yo necesito es alma, alma, alma. Y una alma de fuego, como la que irradia de los ojos de ella, de Eugenia. ¡Su cuerpo... su cuerpo... sí, su cuerpo es magnífico, espléndido, divino; pero es que su cuerpo es alma, alma pura, todo él vida, todo él significación, todo él idea! A mí me sobra el cuerpo, Orfeo, me sobra el cuerpo porque me falta alma. O ¿no es más bien que me falta alma porque me sobra cuerpo? Yo me toco el cuerpo, Orfeo, me lo palpo, me lo veo, pero ¿el alma?, ¿dónde está mi alma?, ¿es que la tengo? Sólo la sentí resollar un poco cuando tuve aquí abrazada, sobre mis rodillas, a Rosario, a la pobre Rosarito; cuando ella lloraba y lloraba yo. Aquellas lágrimas no podían salir de mi cuerpo; salían de mi alma. El alma es un manantial que sólo se revela en lágrimas. Hasta que se llora de veras no se sabe si se tiene o no alma. Y ahora vamos a dormir, Orfeo, si es que nos dejan.»

XV

900   —Pero ¿qué has hecho, chiquilla? —preguntaba doña Ermelinda a su sobrina.

—¿Qué he hecho? Lo que usted, si es que tiene vergüenza, habría hecho en mi caso; estoy de ello segura. ¡Querer comprarme! ¡querer comprarme a mí!

—Mira, chiquilla, es siempre mucho mejor que quieran comprarla a una que no es el que quieran venderla, no lo dudes.

—¡Querer comprarme! ¡querer comprarme a mí!

—Pero si no es eso, Eugenia, si no es eso. Lo ha hecho por generosidad, por heroísmo...

905   —No quiero héroes. Es decir, los que procuran serlo. Cuando el heroísmo viene por sí, naturalmente, ¡bueno!; pero ¿por cálculo? ¡Querer comprarme! ¡querer comprarme a mí, a mí! Le digo a usted, tía, que me la ha de pagar. Me la ha de pagar ese...

—¿Ese... qué? ¡Vamos, acaba!

—Ese... panoli desaborido. Y para mí como si no existiera. ¡Como que no existe!

—Pero qué tonterías estás diciendo...

—¿Es que cree usted, tía, que ese tío...?

910   —¿Quién, Fermín?

—No, ese... ese del canario, ¿tiene algo dentro?

—Tendrá por lo menos sus entrañas...

—Pero ¿usted cree que tiene entrañas? ¡Quia! ¡Si es hueco, como si lo viera, hueco!

—Pero ven acá, chiquilla, hablemos fríamente y no digas ni hagas tonterías. Olvida eso. Yo creo que debes aceptarle...

155

915   —Pero si no le quiero, tía...

—Y tú ¿qué sabes lo que es querer? Careces de experiencia. Tú sabrás lo que es una fusa o una corchea, pero lo que es querer...

—Me parece, tía, que está usted hablando por hablar...

—¿Qué sabes tú lo que es querer, chiquilla?

—Pero si quiero a otro...

920   —¿A otro? ¿A ese gandul de Mauricio, a quien se le pasea el alma por el cuerpo? ¿A eso le llamas querer? ¿a eso le llamas otro? Augusto es tu salvación y sólo Augusto. ¡Tan fino, tan rico, tan bueno...!

—Pues por eso no le quiero, porque es tan bueno como usted dice. No me gustan los hombres buenos.

—Ni a mí, ni a mí, pero...

—¿Pero qué?

—Que hay que casarse con ellos. Para eso han nacido y son buenos para maridos.

925   —Pero si no le quiero, ¿cómo he de casarme con él?

—¿Cómo? ¡casándote! ¿No me casé yo con tu tío...?

—Pero, tía...

—Sí, ahora creo que sí, me parece que sí; pero cuando me casé no sé si le quería. Mira, eso del amor es una cosa de libros, algo que se ha inventado no más que para hablar y escribir de ello. Tonterías de poetas. Lo positivo es el matrimonio. El Código civil no habla del amor y sí del matrimonio. Todo eso del amor no es más que música...

—¿Música?

930   —Música, sí. Y ya sabes que la música apenas sirve sino para vivir de enseñarla, y que si no te aprovechas de una ocasión como esta que se te

presenta, vas a tardar en salir de tu purgatorio...

—Y ¿qué? ¿Les pido yo a ustedes algo? ¿No me gano por mí mi vida? ¿Les soy gravosa?

—No te sulfures así, polvorilla, ni digas esas cosas, porque vamos a reñir de veras. Nadie te habla de eso. Y todo lo que te digo y aconsejo es por tu bien.

—Sí, por mi bien... por mi bien... Por mi bien ha hecho el señor don Augusto Pérez esa hombrada, por mi bien... ¡Una hombrada, sí, una hombrada! ¡Quererme comprar...! ¡Quererme comprar a mí... a mí! ¡Una hombrada, lo dicho, una hombrada... una cosa de hombre! Los hombres, tía, ya lo voy viendo, son unos groseros, unos brutos, carecen de delicadeza. No saben hacer ni un favor sin ofender...

—¿Todos?

935   —¡Todos, sí, todos! Los que son de veras hombres, se entiende.

—¡Ah!

—Sí, porque los otros, los que no son groseros y brutos y egoístas, no son hombres.

—Pues ¿qué son?

—¡Qué sé yo... maricas!

940   —¡Vaya unas teorías, chiquilla!

—En esta casa hay que contagiarse.

—Pero eso no se lo has oído nunca a tu tío.

—No, se me ha ocurrido a mí observando a los hombres.

—¿También a tu tío?

945   —Mi tío no es un hombre... de ésos.

—Entonces es un marica, ¿eh?, un marica. ¡Vamos, habla!

—No, no, no, tampoco. Mi tío es... vamos... mi tío... No me acostumbro del todo a que sea algo así... vamos... de carne y hueso.

—Pues ¿qué, qué crees de tu tío?

—Que no es más que... no sé cómo decirlo... que no es más que mi tío. Vamos, así como si no existiese de verdad.

950 —Eso te creerás tú, chiquilla. Pero yo te digo que tu tío existe, ¡vaya si existe!

—Brutos, todos brutos, brutos todos. ¿No sabe usted lo que ese bárbaro de Martín Rubio le dijo al pobre don Emeterio a los pocos días de quedarse éste viudo?

—No lo he oído, creo.

—Pues verá usted; fue cuando la epidemia aquella, ya sabe usted. Todo el mundo estaba alarmadísimo, a mí no me dejaron ustedes salir de casa en una porción de días y hasta tomaba el agua hervida. Todos huían los unos de los otros, y si se veía a alguien de luto reciente, era como si estuviese apestado. Pues bien; a los cinco o seis días de haber enviudado el pobre don Emeterio tuvo que salir de casa, de luto por supuesto, y se encontró de manos a boca con ese bárbaro de Martín. Éste, al verle de luto, se mantuvo a cierta prudente distancia de él, como temiendo el contagio, y le dijo: «Pero, hombre, ¿qué es eso? ¿alguna desgracia en tu casa?» «Sí —le contestó el pobre don Emeterio—, acabo de perder a mi pobre mujer...» «¡Lástima! Y ¿cómo, cómo ha sido eso?» «De sobreparto» —le dijo don Emeterio. «¡Ah, menos mal» —le contestó el bárbaro de Martín, y entonces se le acercó a darle la mano. ¡Habráse visto caballería mayor...! ¡Una hombrada! Le digo a usted que son unos brutos, nada más que unos brutos.

—Y es mejor que sean unos brutos que no unos holgazanes como, por ejemplo, ese zánguango[1] de Mauricio, que te tiene, yo no sé por qué, sorbido el seso... Porque según mis informes, y son de buena tinta, te lo aseguro, maldito si el muy bausán[2] está de veras enamorado de ti...

—¡Pero lo estoy yo de él y basta!

—Y ¿te parece que ése... tu novio quiero decir... es de veras hombre? Si fuese hombre, hace tiempo que habría buscado salida y trabajo.

—Pues si no es hombre, quiero yo hacerle tal. Es verdad, tiene el defecto que usted dice, tía, pero acaso es por eso por lo que le quiero. Y ahora, después de la hombrada de don Augusto... ¡quererme comprar a mí, a mí!... después de eso estoy decidida a jugarme el todo por el todo casándome con Mauricio.

—Y ¿de qué vais a vivir, desgraciada?

—¡De lo que yo gane! Trabajaré, y más que ahora. Aceptaré lecciones que he rechazado. Así como así, he renunciado ya a esa casa, se la he regalado a don Augusto. Era un capricho, nada más que un capricho. Es la casa en que nací. Y ahora, libre ya de esa pesadilla de la casa y de su hipoteca, me pondré a trabajar con más ahínco. Y Mauricio, viéndome trabajar para los dos, no tendrá más remedio que buscar trabajo y trabajar él. Es decir, si tiene vergüenza...

—¿Y si no la tiene?

—Pues si no la tiene... ¡dependerá de mí!

—Sí, ¡el marido de la pianista!

—Y aunque así sea. Será mío, mío, y cuanto más de mí dependa, más mío.

---

[1] *zánguango*: zángano, perezoso. Probablemente el autor utiliza la palabra como esdrújula porque la cruza con *zángano*.
[2] *bausán*: bobo, simple, necio.

—Sí, tuyo... pero como puede serlo un perro. Y eso se llama comprar un hombre.

965 —¿No ha querido un hombre, con su capital, comprarme? Pues ¿qué de extraño tiene que yo, una mujer, quiera, con mi trabajo, comprar un hombre?

—Todo esto que estás diciendo, chiquilla, se parece mucho a eso que tu tío llama feminismo.

—No sé, ni me importa saberlo. Pero le digo a usted, tía, que todavía no ha nacido el hombre que me pueda comprar a mí. ¿A mí? ¿a mí? ¿comprarme a mí?

En este punto de la conversación entró la criada a anunciar que don Augusto esperaba a la señora.

—¿Él? ¡vete! Yo no quiero verle. Dile que le he dicho ya mi última palabra.

970 —Reflexiona un poco, chiquilla, cálmate; no lo tomes así. Tú no has sabido interpretar las intenciones de don Augusto.

Cuando Augusto se encontró ante doña Ermelinda, empezó a darle sus excusas. Estaba, según decía, profundamente afectado; Eugenia no había sabido interpretar sus verdaderas intenciones. Él, por su parte, había cancelado formalmente la hipoteca de la casa y ésta aparecía legalmente libre de semejante carga y en poder de su dueña. Y si ella se obstinaba en no recibir las rentas, él, por su parte, tampoco podía hacerlo; de manera que aquello se perdería sin provecho para nadie, o mejor dicho, iría depositándose a nombre de su dueña. Además, él renunciaba a sus pretensiones a la mano de Eugenia y sólo quería que ésta fuese feliz; hasta se hallaba dispuesto a buscar una buena colocación a Mauricio para que no tuviese que vivir de las rentas de su mujer.

—¡Tiene usted un corazón de oro! —exclamó doña Ermelinda.

—Ahora sólo falta, señora, que convenza a su sobrina de cuáles han sido mis verdaderas intenciones, y que si lo de deshipotecar la casa fue una impertinencia, me la perdone. Pero me parece que no es cosa ya de volver atrás. Si ella quiere, seré yo padrino de la boda. Y luego emprenderé un largo y lejano viaje.

Doña Ermelinda llamó a la criada, a la que dijo que llamase a Eugenia, pues don Augusto deseaba hablar con ella. «La señorita acaba de salir», contestó la criada.

XVI

975 —Eres imposible, Mauricio —le decía Eugenia a su novio, en el cuchitril aquel de la portería—, completamente imposible, y si sigues así, si no sacudes esa pachorra, si no haces algo para buscarte una colocación y que podamos casarnos, soy capaz de cualquier disparate.

—¿De qué disparate? Vamos, di, rica —y le acariciaba el cuello ensortijándose en uno de sus dedos un rizo de la nuca de la muchacha.

—Mira, si quieres, nos casamos así y yo seguiré trabajando... para los dos.

—Pero ¿y qué dirán de mí, mujer, si acepto semejante cosa?

—¿Y a mí qué me importa lo que de ti digan?

980 —¡Hombre, hombre, eso es grave!

—Sí, a mí no me importa eso; lo que yo quiero es que esto se acabe cuanto antes...

—¿Tan mal nos va?

—Sí, nos va mal, muy mal. Y si no te decides, soy capaz de...

—¿De qué, vamos?

985 —De aceptar el sacrificio de don Augusto.

—¿De casarte con él?

—¡No, eso nunca! De recobrar mi finca.

—Pues, ¡hazlo, rica, hazlo! Si ésa es la solución y no otra...

—Y te atreves...

990 —¡Pues no he de atreverme! Ese pobre don Augusto me parece a mí que no anda bien de la cabeza, y pues ha tenido ese capricho, no creo que debamos molestarle...

—De modo que tú...

—Pues ¡claro está, rica, claro está!

—Hombre al fin y al cabo.

—No tanto como tú quisieras, según te explicas. Pero ven acá...

995   —Vamos, déjame, Mauricio: ya te he dicho cien veces que no seas...

—Que no sea cariñoso...

—¡No, que no seas... bruto! Estáte quieto. Y si quieres más confianzas, sacude esa pereza, busca de veras trabajo, y lo demás ya lo sabes. Conque, a ver si tienes juicio, ¿eh? Mira que ya otra vez te di una bofetada.

—¡Y bien que me supo! ¡Anda, rica, dame otra! Mira, aquí tienes mi cara...

—No lo digas mucho...

1000   —¡Anda, vamos!

—No, no quiero darte ese gusto.

—¿Ni otro?

—Te he dicho que no seas bruto. Y te repito que si no te das prisa a buscar trabajo, soy capaz de aceptar eso.

—Pues bien, Eugenia, ¿quieres que te hable con el corazón en la mano, la verdad, toda la verdad?

1005   —¡Habla!

—Yo te quiero mucho, pero mucho, estoy completamente chalado por ti, pero eso del matrimonio me asusta, me da un miedo atroz. Yo nací haragán por temperamento, no te lo niego; lo que más me molesta es tener que trabajar, y preveo que si nos casamos, y como supongo que tú querrás que tengamos hijos...

—¡Pues no faltaba más!

—Voy a tener que trabajar, y de firme, porque la vida es cara. Y eso de aceptar el que seas tú la que trabaje, ¡eso, nunca, nunca, nunca! Mauricio Blanco Clará no puede vivir del trabajo de una mujer. Pero hay acaso una solución que sin tener yo que trabajar ni tú se arregle todo...

—A ver, a ver...

1010 —Pues... ¿me prometes, chiquilla, no incomodarte?

—¡Anda, habla!

—Por todo lo que yo sé y lo que te he oído, ese pobre don Augusto es un panoli, un pobre diablo; vamos, un...

—¡Anda, sigue!

—Pero no te me incomodarás.

1015 —¡Que sigas te he dicho!

—Es, pues, como venía diciéndote, un... predestinado. Y acaso lo mejor sea no sólo que aceptes eso de tu casa, sino que...

—Vamos, ¿qué?

—Que le aceptes a él por marido.

—¿Eh? —y se puso ella en pie.

1020 —Le aceptas, y como es un pobre hombre, pues... todo se arregla...

—¿Cómo que se arregla todo?

—Sí, él paga, y nosotros...

—Nosotros... ¿qué?

—Pues nosotros...

1025 —¡Basta!

Y se salió Eugenia, con los ojos hechos un incendio y diciéndose: «Pero ¡qué brutos, qué brutos! Jamás lo hubiera creído... ¡Qué brutos!» Y al llegar a su casa se encerró en su cuarto y rompió a llorar. Y tuvo que acostarse presa de una fiebre.

Mauricio se quedó un breve rato como suspenso; mas pronto se repuso, encendió un cigarrillo, salió a la calle y le echó un piropo a la primera moza de garbo que pasó a su lado. Y aquella noche hablaba, con un amigo, de Don Juan

Tenorio[1].

—A mí ese tío no acaba de convencerme —decía Mauricio—; eso no es más que teatro.

—¡Y que lo digas tú, Mauricio, que pasas por un Tenorio, por un seductor!

1030 —¿Seductor? ¿seductor yo? ¡Qué cosas se inventan, Rogelio!

—¿Y lo de la pianista?

—¡Bah! ¿Quieres que te diga la verdad, Rogelio?

—¡Venga!

—Pues bien; de cada cien líos, más o menos honrados, y ese a que aludías es honradísimo, ¡eh!, de cada cien líos entre hombre y mujer, en más de noventa la seductora es ella y el seducido es él.

1035 —Pues qué, ¿me negarás que has conquistado a la pianista, a la Eugenia?

—Sí, te lo niego; no soy yo quien la ha conquistado, sino ella quien me ha conquistado a mí.

—¡Seductor!

—Como quieras... Es ella, ella. No supe resistirme.

—Para el caso es igual...

1040 —Pero me parece que eso se va a acabar y voy a encontrarme otra vez libre. Libre de ella, claro, porque no respondo de que me conquiste otra. ¡Soy tan débil! Si yo hubiera nacido mujer...

—Bueno, ¿y cómo se va a acabar?

---

[1] Unamuno nunca sintió simpatía por el mito del burlador. En el prólogo de su obra dramática *El hermano Juan* expone esa misma idea de que don Juan Tenorio es el personaje más eminente teatral, ya que siempre está representándose a sí mismo, queriéndose a sí mismo y no a sus amantes.

—Porque... pues, ¡porque he metido la pata! Quise que siguiéramos, es decir, que empezáramos las relaciones, ¿entiendes?, sin compromiso ni consecuencias... y, ¡claro!, me parece que me va a dar soleta². Esa mujer quería absorberme.

—¡Y te absorberá!

—¡Quién sabe!... ¡Soy tan débil! Yo nací para que una mujer me mantenga, pero con dignidad, ¿sabes?, y si no, ¡nada!

1045   —Y ¿a qué llamas dignidad? ¿puede saberse?

—¡Hombre, eso no se pregunta! Hay cosas que no pueden definirse.

—¡Es verdad! —contestó con profunda convicción Rogelio, añadiendo—: Y si la pianista te deja, ¿qué vas a hacer?

—Pues quedar vacante. Y a ver si alguna otra me conquista. ¡He sido ya conquistado tantas veces...! Pero ésta, con eso de no ceder, de mantenerse siempre a honesta distancia, de ser honrada, en fin, porque como honrada lo es hasta donde la que más, con todo eso me tenía chaladito, pero del todo chaladito. Habría acabado por hacer de mí lo que hubiese querido. Y ahora, si me deja, lo sentiré, y mucho, pero me veré libre.

—¿Libre?

1050   —Libre, sí, para otra.

—Yo creo que haréis las paces...

—¡Quién sabe!... Pero lo dudo, porque tiene un geniecito... Y hoy la ofendí, la verdad, la ofendí.

---

  ² *dar soleta:* echar.

XVII

—¿Te acuerdas, Augusto —le decía Víctor—, de aquel don Eloíno Rodríguez de Alburquerque y Álvarez de Castro?

—¿Aquel empleado de Hacienda tan aficionado a correrla, sobre todo de lo baratito?

—El mismo. Pues bien... ¡se ha casado!

—¡Valiente carcamal se lleva la que haya cargado con él!

—Pero lo estupendo es su manera de casarse. Entérate y ve tomando notas. Ya sabrás que don Eloíno Rodríguez de Alburquerque y Álvarez de Castro, a pesar de sus apellidos, apenas si tiene sobre qué caerse muerto ni más que su sueldo en Hacienda, y que está, además, completamente averiado de salud.

—Tal vida ha llevado.

—Pues el pobre padece una afección cardíaca de la que no puede recobrarse. Sus días están contados. Acaba de salir de un achuchón gravísimo, que le ha puesto a las puertas de la muerte y le ha llevado al matrimonio, pero a otro... revienta. Es el caso que el pobre hombre andaba de casa en casa de huéspedes y de todas partes tenía que salir, porque por cuatro pesetas no pueden pedirse gollerías ni canguingos en mojo de gato[1] y él era muy exigente. Y no del todo limpio. Y así rodando de casa en casa fue a dar a la de una venerable patrona, ya entrada en años, ma-

---

[1] «No pueden pedirse gollerías ni canguingos en mojo de gato» es una expresión castiza de la que gusta Unamuno; equivale a «no pueden pedirse florituras», «no puede pedirse demasiado».

yor que él, que, como sabes, más cerca anda de los sesenta que de los cincuenta, y viuda dos veces: la primera, de un carpintero que se suicidó tirándose de un andamio a la calle, y a quien recuerda a menudo como *su* Rogelio; y la segunda, de un sargento de carabineros que le dejó al morir un capitalito que le da una peseta al día. Y hete aquí que hallándose en casa de esta señora viuda da mi don Eloíno en ponerse malo, muy malo, tan malo que la cosa parecía sin remedio y que se moría. Llamaron primero a que le viera don José, y luego a don Valentín. Y el hombre, ¡a morir! Y su enfermedad pedía tantos y tales cuidados, y a las veces no del todo aseados, que monopolizaba a la patrona, y los otros huéspedes empezaban ya a amenazar con marcharse. Y don Eloíno que no podía pagar mucho más, y la doble viuda diciéndole que no podía tenerle más en su casa, pues le estaba perjudicando el negocio. «Pero ¡por Dios, señora, por caridad! —parece que le decía él—. ¿Adónde voy yo en este estado, en qué otra casa van a recibirme? Si usted me echa, tendré que ir a morirme al hospital... ¡Por Dios, por caridad! ¡para los días que he de vivir...!» Porque él estaba convencido de que se moría y muy pronto. Pero ella, por su parte, lo que es natural, que su casa no era hospital, que vivía de su negocio y que se estaba ya perjudicando. Cuando en esto a uno de los compañeros de oficina de don Eloíno se le ocurre una idea salvadora y fue que le dijo: «Usted no tiene, don Eloíno, sino un medio de que esta buena señora se avenga a tenerle en su casa mientras viva». «¿Cuál?», preguntó él. «Primero —le dijo el amigo— sepamos lo que usted se cree de su enfermedad.» «Ah, pues yo, que he de durar poco, muy poco; acaso no lleguen a verme con vida mis hermanos.» «¿Tan mal se cree usted?» «Me siento morir...» «Pues si así es, le queda un medio de conseguir que esta buena mujer no le ponga de patitas en la calle, obligándole a irse al Hospital.» «Y ¿cuál es?» «Casarse con ella.» «¿Casarme con ella? ¿con la patrona? ¿Quién, yo? ¡Un Rodríguez de Alburquerque y Álvarez de Castro! ¡Hombre, no estoy para bromas!» Y parece que la ocurrencia le hizo un efecto tal que a poco se queda en ella.

1060   —Y no es para menos.

—Pero el amigo, así que él se repuso de la primera sorpresa, le hizo ver que casándose con la patrona le dejaba trece duros mensuales de viudedad, que de otro modo no aprovecharía nadie y se irían al Estado. Ya ves tú...

—Sí, sé de más de uno, amigo Víctor, que se ha casado nada más que para que el Estado no se ahorrase una viudedad. ¡Eso es civismo!

—Pero si don Eloíno rechazó indignado tal proposición, figúrate lo que diría la patrona: «¿Yo? ¿Casarme yo, a mis años, y por tercera vez, con ese carcamal? ¡Qué asco!» Pero se informó del médico, le aseguraron que no le quedaban a don Eloíno sino muy pocos días de vida, y diciendo: «La verdad es que trece duros al mes me arreglan», acabó aceptándolo. Y entonces se le llamó al párroco, al bueno de don Matías, varón apostólico, como sabes, para que acabase de convencer al desahuciado. «Sí, sí, sí —dijo don Matías—; sí, ¡pobrecito! ¡pobrecito!» Y le convenció. Llamó luego don Eloíno a Correíta y dicen que le dijo que quería reconciliarse con él —estaban reñidos—, y que fuese testigo de su boda. «Pero, ¿se casa usted, don Eloíno?» «Sí, Correíta, sí, ¡me caso con la patrona! ¡con doña Sinfo!; ¡yo, un Rodríguez de Alburquerque y Álvarez de Castro, figúrate! Yo, por que me cuide los pocos días de vida que me quedan... no sé si llegarán mis hermanos a tiempo de verme vivo... y ella por los trece duros de viudedad que le dejo.» Y cuentan que cuando Correíta se fue a su casa y se lo contó todo, como es natural, a su mujer, a Emilia, ésta exclamó: «Pero ¡tú eres un majadero, Pepe! ¿Por qué no le dijiste que se casase con Encarna —Encarnación es una criada, ni joven ni guapa, que llevó Emilia como de dote a su matrimonio—, que le habría cuidado por los trece duros de viudedad tan bien como esa tía?» Y es fama que la Encarna añadió: «Tiene usted razón, señorita; también yo me hubiera casado con él y le habría cuidado lo que viviese, que no será mucho, por trece duros.»

—Pero todo eso, Víctor, parece inventado.

1065   —Pues no lo es. Hay cosas que no se inventan. Y aún falta lo mejor. Y me contaba don Valentín, que es después de don José quien ha estado tratando a don Eloíno, que al ir un día a verle y encontrarse con don Matías revestido, creyó que era para darle la Extremaunción al enfermo, y le dicen que estaba casándole. Y al volver más tarde le acompañó hasta la puerta la recién casada patrona, ¡por tercera vez!, y con voz compungida y ansiosa le preguntaba: «Pero, diga usted, don Valentín, ¿vivirá? ¿vivirá todavía?» «No, señora, no; es cuestión de días...» «Se morirá pronto, ¿eh?» «Sí, muy pronto.» «Pero, ¿de veras, se morirá?»

—¡Qué enormidad!

—Y no es todo. Don Valentín ordenó que no se le diese al enfermo más que leche, y de ésta poquita cada vez, pero doña Sinfo decía a otro huésped: «¡Quia! ¡yo le doy de todo lo que me pida! ¡A qué quitarle sus gustos si ha de vivir tan poco...!» Y luego ordenó que le diese unas ayudas, y ella decía: «¿Unas ayudas? ¡Uf, qué asco! ¿A este tío carcamal? ¡Yo no, yo no! ¡Si hubiese sido a alguno de los otros dos, a los que quería, con los que me casé por mi gusto! Pero, ¿a éste? ¿unas ayudas? ¿Yo? ¡Como no...!»

—¡Todo esto es fantástico!

—No, es histórico. Y llegaron unos hermanos de don Eloíno, hermano y hermana, y él decía abrumado por la desgracia: «¡Casarse mi hermano, mi hermano, un Rodríguez de Alburquerque y Álvarez de Castro, con la patrona de la calle de Pellejeros! ¡mi hermano, hijo de un presidente que fue de la Audiencia de Zaragoza, de Za-ra-go-za, con una... doña Sinfo!» Estaba aterrado. Y la viuda del suicida y recién casada con el desahuciado se decía: «Y ahora verá usted, como si lo viera, ¡con esto de que somos cuñados se irán sin pagarme el pupilaje, cuando yo vivo de esto!» Y parece que le pagaron, sí, el pupilaje, y se lo pagó el marido, pero se llevaron un bastón de puño de oro que él tenía.

1070 —¿Y murió?

—Sí, bastante después. Mejoró, mejoró bastante. Y ella, la patrona, decía: «De esto tiene la culpa ese don Valentín, que le ha entendido la enfermedad... Mejor era el otro, don José, que no se la entendía. Si sólo le hubiese tratado él, ya estaría muerto, y no que ahora me va a fastidiar». Ella, doña Sinfo, tiene, además de los hijos del primer marido, una hija del segundo, del carabinero, y a poco de haberse casado le decía don Eloíno: «Ven, ven acá; ven, ven que te dé un beso, que ya soy tu padre, eres hija mía...» «Hija, no

171

—decía la madre—, ¡ahijada!» «¡Hijastra, señora, hijastra! Ven acá... os dejo bien...» Y es fama que la madre refunfuñaba: «¡Y el sinvergüenza no lo hacía más que para sobarla...! ¡Habráse visto...!» Y luego vino, como es natural, la ruptura. «Esto fue un engaño, nada más que un engaño, don Eloíno, porque si me casé con usted fue porque me aseguraron que usted se moría y muy pronto, que si no... ¡pa chasco! Me han engañado, me han engañado.» «También a mí me han engañado, señora. Y ¿qué quería usted que hubiese yo hecho? ¿Morirme por darle gusto?» «Eso era lo convenido.» «Ya me moriré, señora, ya me moriré... y antes que quisiera... ¡Un Rodríguez de Alburquerque y Álvarez de Castro!»

Y riñeron por cuestión de unos cuartos más o menos de pupilaje, y acabó ella por echarle de casa. «¡Adiós, don Eloíno, que le vaya a usted bien!» «Quede usted con Dios, doña Sinfo.» Y al fin se ha muerto el tercer marido de esta señora dejándola 2,15 pesetas diarias, y además le han dado 500 para lutos. Por supuesto, que no las ha empleado en tales lutos. A lo más le ha sacado un par de misas, por remordimiento y por gratitud a los trece duros de viudedad.

—Pero, ¡qué cosas, Dios mío!

—Cosas que no se inventan, que no es posible inventar. Ahora estoy recogiendo más datos de esta tragicomedia, de esta farsa fúnebre. Pensé primero hacer de ello un sainete; pero considerándolo mejor he decidido meterlo de cualquier manera, como Cervantes metió en su *Quijote* aquellas novelas que en él figuran, en una novela que estoy escribiendo para desquitarme de los quebraderos de cabeza que me da el embarazo de mi mujer.

1075 —Pero ¿te has metido a escribir una novela?

—¿Y qué quieres que hiciese?

—¿Y cuál es su argumento, si se puede saber?

—Mi novela no tiene argumento, o mejor dicho, será el que vaya saliendo. El argumento se hace él solo.

—¿Y cómo es eso?

1080 —Pues mira, un día de estos que no sabía bien qué hacer, pero sentía ansia de hacer algo, una comezón muy íntima, un escarabajeo de la fantasía, me dije: voy a escribir una novela, pero voy a escribirla como se vive, sin saber lo que vendrá. Me senté, cogí unas cuartillas y empecé lo primero que se me ocurrió, sin saber lo que seguiría, sin plan alguno. Mis personajes se irán haciendo según obren y hablen, sobre todo según hablen; su carácter se irá formando poco a poco. Y a las veces su carácter será el de no tenerlo.

—Sí, como el mío.

—No sé. Ello irá saliendo. Yo me dejo llevar.

—¿Y hay psicología? ¿descripciones?

—Lo que hay es diálogo; sobre todo diálogo. La cosa es que los personajes hablen, que hablen mucho, aunque no digan nada.

1085 —Eso te lo habrá insinuado Elena, ¿eh?

—¿Por qué?

—Porque una vez que me pidió una novela para matar el tiempo, recuerdo que me dijo que tuviese mucho diálogo y muy cortado.

—Sí, cuando en una que lee se encuentra con largas descripciones, sermones o relatos, los salta diciendo: «¡paja! ¡paja! ¡paja!» Para ella sólo el diálogo no es paja. Y ya ves tú, puede muy bien repartirse un sermón en un diálogo.

—¿Y por qué será eso?...

1090 —Pues porque a la gente le gusta la conversación por la conversación misma, aunque no diga nada. Hay quien no resiste un discurso de media hora y se está tres horas charlando en un café. Es el encanto de la conversación, de hablar por hablar, del hablar roto e interrumpido.

—También a mí el tono de discurso me carga...

—Sí, es la complacencia del hombre en el habla, y en el habla viva... Y sobre todo que parezca que el autor no dice las cosas por sí, no nos molesta con su personalidad, con su yo satánico. Aunque, por supuesto, todo lo que digan mis personajes lo digo yo...

—Eso hasta cierto punto...

—¿Cómo hasta cierto punto?

1095 —Sí, que empezarás creyendo que los llevas tú, de tu mano, y es fácil que acabes convenciéndote de que ellos son los que te llevan. Es muy frecuente que un autor acabe por ser juguete de sus ficciones...

—Tal vez, pero el caso es que en esa novela pienso meter todo lo que se me ocurra, sea como fuere.

—Pues acabará no siendo novela.

—No, será... será... *nivola.*

—Y ¿qué es eso, qué es *nivola?*

1100 Pues le he oído contar a Manuel Machado, el poeta, el hermano de Antonio, que una vez le llevó a don Eduardo Benot[2], para leérselo, un soneto que estaba en alejandrinos[3], o en no sé qué

---

[2] Eduardo Benot (1822-1907) es un político y filólogo español que escribió piezas teatrales, poemas, artículos y ensayos científicos.
[3] *alejandrino*: verso de 14 sílabas formado por dos heptasílabos.

otra forma heterodoxa. Se lo leyó y don Eduardo le dijo: «Pero ¡eso no es soneto!...» «No, señor —le contestó Machado—, no es soneto, es... *sonite*.» Pues así con mi novela, no va a ser novela, sino... ¿cómo dije?, *navilo... nebulo...* no, no, *nivola*, eso es, ¡*nivola*! Así nadie tendrá derecho a decir que deroga las leyes de su género... Invento el género, e inventar un género no es más que darle un nombre nuevo, y le doy las leyes que me place. ¡Y mucho diálogo!

—¿Y cuando un personaje se queda solo?

—Entonces... un monólogo. Y para que parezca algo así como diálogo, invento un perro a quien el personaje se dirige.

—Sabes, Víctor, que se me antoja que me están inventando...

—¡Puede ser!

1105 Al separarse uno de otro, Víctor y Augusto, iba diciéndose éste: «Y esta mi vida, ¿es novela, es *nivola* o qué es? Todo esto que me pasa y que les pasa a los que me rodean, ¿es realidad o es ficción? ¿No es acaso todo esto un sueño de Dios o de quien sea, que se desvanecerá en cuanto Él despierte, y por eso le rezamos y elevamos a Él cánticos e himnos, para adormecerle, para cunar[4] su sueño? ¿No es acaso la liturgia toda de todas las religiones un modo de brezar el sueño de Dios y que no despierte y deje de soñarnos? ¡Ay, mi Eugenia! ¡mi Eugenia! Y mi Rosarito...»

—¡Hola, Orfeo!

Orfeo le había salido al encuentro, brincaba, le quería trepar piernas arriba. Cogióle y el animalito empezó a lamerle la mano.

---

[4] *cunar:* acunar; igual que *brezar.*

—Señorito —le dijo Liduvina—, ahí le aguarda Rosarito con la plancha.

—¿Y cómo no la despachaste tú?

1110 —Qué sé yo... Le dije que el señorito no podía tardar, que si quería aguardarse...

—Pero podías haberle despachado como otras veces...

—Sí, pero... en fin, usted me entiende...

—¡Liduvina! ¡Liduvina!

—Es mejor que la despache usted mismo.

1115 —Voy allá.

XVIII

—¡Hola, Rosarito! —exclamó Augusto apenas la vio.

—Buenas tardes, don Augusto —y la voz de la muchacha era serena y clara y no menos clara y serena su mirada.

—¿Cómo no has despachado con Liduvina como otras veces en que yo no estoy en casa cuando llegas?

—¡No sé! Me dijo que me esperase. Creí que querría usted decirme algo...

«Pero ¿esto es ingenuidad o qué es?», pensó Augusto y se quedó un momento suspenso. Hubo un instante embarazoso, preñado de un inquieto silencio.

—Lo que quiero, Rosario, es que olvides lo del otro día, que no vuelvas a acordarte de ello, ¿entiendes?

—Bueno, como usted quiera...

—Sí, aquello fue una locura... una locura... no sabía bien lo que me hacía ni lo que decía... como no lo sé ahora... —e iba acercándose a la chica.

Ésta le esperaba tranquilamente y como resignada. Augusto se sentó en un sofá, la llamó: «¡ven acá!», la dijo que se sentara, como la otra vez, sobre sus rodillas, y la estuvo un buen rato mirando a los ojos. Ella resistió tranquilamente aquella mirada, pero temblaba toda ella como la hoja de un chopo.

—¿Tiemblas, chiquilla...?

—¿Yo? Yo no. Me parece que es usted...

—No tiembles, cálmate.

—No vuelva a hacerme llorar...

—Vamos, sí, que quieres que te vuelva a hacer llorar. Di, ¿tienes novio?

177

1130 —Pero qué preguntas...

—Dímelo, ¿le tienes?

—¡Novio... así, novio... no!

—Pero ¿es que no se te ha dirigido todavía ningún mozo de tu edad?

—Ya ve usted, don Augusto...

1135 —¿Y qué le has dicho?

—Hay cosas que no se dicen...

—Es verdad. Y vamos, di, ¿os queréis?

—Pero, ¡por Dios, don Augusto...!

—Mira, si es que vas a llorar, te dejo.

1140 La chica apoyó la cabeza en el pecho de Augusto, ocultándolo en él, y rompió a llorar procurando ahogar sus sollozos. «Esta chiquilla se me va a desmayar», pensó él mientras le acariciaba la cabellera.

—¡Cálmate! ¡cálmate!

—¿Y aquella mujer...? —preguntó Rosarito sin levantar la cabeza y tragándose sus sollozos.

—Ah, ¿te acuerdas? Pues aquella mujer ha acabado por rechazarme del todo. Nunca la gané, pero ahora la he perdido del todo, ¡del todo!

La chica levantó la frente y le miró cara a cara, como para ver si decía la verdad.

1145 —Es que me quiere engañar... —susurró.

—¿Cómo que te quiero engañar? Ah, ya, ya. Conque esas tenemos ¿eh? Pues ¿no dices que tenías novio?

—Yo no he dicho nada...

—¡Calma! ¡calma! —y poniéndola junto a sí en el sofá se levantó él y empezó a pasearse por la estancia.

Pero al volver la vista a ella vio que la pobre muchacha estaba demudada y temblorosa. Comprendió que se encontraba sin amparo, que así, sola frente a él, a cierta distancia, sentada en aquel sofá como un reo ante el fiscal, sentíase desfallecer.

1150 —¡Es verdad! —exclamó—; estamos más protegidos cuanto más cerca.

Volvió a sentarse, volvió a sentarla sobre sí, la ciñó con sus brazos y la apretó a su pecho. La pobrecilla le echó un brazo sobre el hombro, como para apoyarse en él, y volvió a ocultar su cara en el seno de Augusto. Y allí, como oyese el martilleo del corazón de éste, se alarmó.

—¿Está usted malo, don Augusto?

—¿Y quién está bueno?

—¿Quiere usted que llame para que le traigan algo?

1155 —No, no, déjalo. Yo sé cuál es mi enfermedad. Y lo que me hace falta es emprender un viaje. —Y después de un silencio: ¿Me acompañarás en él?

—¡Don Augusto!

—¡Deja el don! ¿Me acompañarás?

—Como usted quiera...

Una niebla invadió la mente de Augusto; la sangre empezó a latirle en las sienes, sintió una opresión en el pecho. Y para libertarse de ello empezó a besar a Rosarito en los ojos, que los tenía que cerrar. De pronto se levantó y dijo dejándola:

1160 —¡Déjame! ¡déjame! ¡tengo miedo!

—¿Miedo de qué?

La repentina serenidad de la mozuela le asustó más aún.

—Tengo miedo, no sé de quién, de ti, de mí; ¡de lo que sea! ¡de Liduvina! Mira, vete, vete, pero volverás, ¿no es eso? ¿volverás?

—Cuando usted quiera.

1165 —Y me acompañarás en mi viaje, ¿no es así?

—Como usted mande...

179

—¡Vete, vete ahora!

—Y aquella mujer...

Abalanzóse Augusto a la chica, que se había ya puesto en pie, la cogió, la apretó contra su pecho, juntó sus labios secos a los labios de ella y así, sin besarla, se estuvo un rato apretando boca a boca mientras sacudía su cabeza. Y luego soltándola: «¡anda, vete!»

1170 Rosario se salió. Y apenas se había salido fue Augusto, y cansado como si acabase de recorrer a pie leguas por entre montañas, se echó sobre su cama, apagó la luz, y se quedó monologando:

«La he estado mintiendo y he estado mintiéndome. ¡Siempre es así! Todo es fantasía y no hay más que fantasía. El hombre en cuanto habla miente, y en cuanto se habla a sí mismo, es decir, en cuanto piensa sabiendo que piensa, se miente. No hay más verdad que la vida fisiológica. La palabra, este producto social, se ha hecho para mentir. Le he oído a nuestro filósofo[1] que la verdad es, como la palabra, un producto social, lo que creen todos, y creyéndolo se entienden. Lo que es producto social es la mentira...»

Al sentir unos lametones en la mano exclamó: «Ah, ¿ya estás aquí, Orfeo? Tú como no hablas no mientes, y hasta creo que no te equivocas, que no te mientes. Aunque, como animal doméstico que eres, algo se te habrá pegado del hombre... No hacemos más que mentir y darnos importancia. La palabra se hizo para exagerar nuestras sensaciones e impresiones todas... acaso para creerlas. La palabra y todo género de ex-

---

[1] No sabemos exactamente a qué filósofo se refiere; quizá pudiera tratarse del griego Aristóteles.

presión convencional, como el beso y el abrazo... No hacemos sino representar cada uno su papel. ¡Todos personas, todos caretas, todos cómicos! Nadie sufre ni goza lo que dice y expresa y acaso cree que goza y sufre; si no, no se podría vivir. En el fondo estamos tan tranquilos. Como yo ahora aquí, representando a solas mi comedia, hecho actor y espectador a la vez. No mata más que el dolor físico. La única verdad es el hombre fisiológico, el que no habla, el que no miente...»

Oyó un golpecito a la puerta.

—¿Qué hay?

—¿Es que no va usted a cenar hoy? —preguntó Liduvina.

—Es verdad; espera, que allá voy.

«Y luego dormiré hoy, como los otros días, y dormirá ella. ¿Dormirá Rosarito? ¿No habré turbado la tranquilidad de su espíritu? Y esa naturalidad suya, ¿es inocencia o es malicia? Pero acaso no hay nada más malicioso que la inocencia, o bien, más inocente que la malicia. Sí, sí, ya me suponía yo que en el fondo no hay nada más... más... ¿cómo lo diré?... más cínico que la inocencia. Sí, esa tranquilidad con que se me entregaba, eso que hizo me entrara miedo, miedo no sé bien de qué, eso no era sino inocencia. Y lo de: «¿Y aquella mujer?», celos, ¿eh? ¿celos? Probablemente no nace el amor sino al nacer los celos; son los celos los que nos revelan el amor. Por muy enamorada que esté una mujer de un hombre, o un hombre de una mujer, no se dan cuenta de que lo están, no se dicen a sí mismos que lo están, es decir, no se enamoran de veras sino cuando él ve que ella mira a otro hombre o ella le ve a él mirar a otra mujer. Si no hubiese más que un solo hombre y una sola mujer en el mundo, sin más sociedad, sería imposible que se enamorasen uno de otro. Además de que hace siempre falta la tercera, la Celestina, y la Celestina es la sociedad. ¡El Gran Galeoto[2]! ¡Y qué bien está eso! ¡Sí, el Gran Galeoto! Aunque sólo fuese por el lenguaje. Y por esto es todo eso del amor una mentira más. ¿Y el fisiológico? ¡Bah, eso fisiológico no es amor ni cosa que lo valga! ¡Por eso es verdad! Pero... vamos, Orfeo, vamos a cenar. ¡Esto sí que es verdad!»

---

[2] *El gran Galeoto* es un célebre drama de José Echegaray (1832-1916) cuyo tema es la murmuración, que llega a convertir en amantes a dos personas que no habían pensado en ello antes de verse calumniadas.

XIX

· A los dos días de esto anunciáronle a Augusto que una señora deseaba verle y hablarle. Salió a recibirla y se encontró con doña Ermelinda, que al «¿usted por aquí?» de Augusto, contestó con un «¡como no ha querido volver a vernos...!».

—Usted comprende, señora —contestó Augusto—, que después de lo que me ha pasado en su casa las dos últimas veces que he ido, la una con Eugenia a solas y la otra cuando no quiso verme, no debía volver. Yo me atengo en lo hecho y lo dicho, pero no puedo volver por allí...

—Pues traigo una misión para usted de parte de Eugenia...

—¿De ella?

—Sí, de ella. Yo no sé qué ha podido ocurrirle con el novio, pero no quiere oír hablar de él, está contra él furiosa, y el otro día, al volver a casa, se encerró en su cuarto y se negó a cenar. Tenía los ojos encendidos de haber llorado, pero con esas lágrimas que escaldan, ¿sabe usted?, las de rabia...

—¡Ah!, pero, ¿es que hay diferentes clases de lágrimas?

—Naturalmente; hay lágrimas que refrescan y desahogan y lágrimas que encienden y sofocan más. Había llorado y no quiso cenar. Y me estuvo repitiendo su estribillo de que los hombres son ustedes todos unos brutos y nada más que unos brutos. Y ha estado estos días de morro, con un humor de todos los diablos. Hasta que ayer me llamó, me dijo que estaba arrepentida de cuanto le había dicho a usted, que se excedió y fue con usted injusta, que reconoce la rectitud y nobleza de las intenciones de usted y quiere no ya que usted

1180

le perdone aquello que le dijo de que la quería comprar, sino que no cree semejante cosa. Es en esto en lo que hizo más hincapié. Dice que ante todo quiere que usted la crea y que si dijo aquello fue por excitación, por despecho, pero que no lo cree...

1185 —Y creo que no lo crea.

—Después... después me encargó que averiguase yo de usted con diplomacia...

—Y la mejor diplomacia, señora, es no tenerla, y sobre todo conmigo...

—Después me rogó que averiguase si le molestaría a usted el que ella aceptase, sin compromiso alguno, el regalo que usted le ha hecho de su propia casa...

—¿Cómo sin compromiso?

1190 —Vamos, sí, el que acepte el regalo como tal regalo.

—Si como tal se lo doy, ¿cómo ha de aceptarlo?

—Porque dice que sí, que está dispuesta, para demostrarle su buena voluntad y lo sincero de su arrepentimiento por lo que le dijo, a aceptar su generosa donación, pero sin que eso implique...

—¡Basta, señora, basta! Ahora parece que sin darse cuenta vuelven a ofenderme...

—Será sin intención...

1195 —Hay ocasiones en que las peores ofensas son esas que se infligen sin intención, según se dice.

—Pues no lo entiendo...

—Y es, sin embargo, cosa muy clara. Una vez entré en una reunión y uno que allí había y me conocía ni me saludó siquiera. Al salir me quejé de ello a un amigo y éste me dijo: «No le extrañe a usted, no lo ha hecho a posta; es que no se ha percatado siquiera de la presencia de usted». Y le contesté: «Pues ahí está la grosería mayor; no en que no me haya saludado, sino en que no se haya dado cuenta de mi presencia». «Eso es en él involuntario; es un distraído...», me replicó. Y yo a mi vez: «Las mayores groserías son las llamadas involuntarias, y la grosería de las groserías distraerse delante de personas». Es, señora, como eso que llaman neciamente olvidos involuntarios, como si cupiese olvidarse voluntariamente de algo. El olvido involuntario suele ser una grosería.

—Y a qué viene esto...

—Esto viene, señora doña Ermelinda, a que después de haberme pedido perdón por aquella especie ofensiva de que con mi donativo buscaba comprarla forzando su agradecimiento, no sé bien a qué viene aceptarlo pero haciendo constar que sin compromiso. ¿Qué compromiso, vamos, qué compromiso?

1200 —¡No se exalte usted así, don Augusto...!

—¡Pues no he de exaltarme, señora, pues no he de exaltarme! ¿Es que esa... muchacha se va a burlar de mí y va a querer jugar conmigo? —y al decir esto se acordaba de Rosarito.

—¡Por Dios, don Augusto, por Dios...!

—Ya tengo dicho que la hipoteca se deshizo, que la he cancelado, y que si ella no se hace cargo de su casa, yo nada tengo que ver con ella. ¡Y que me lo agradezca o no, ya no me importa!

—Pero, don Augusto, ¡no se ponga así! ¡Si lo que ella quiere es hacer las paces con usted, que vuelvan a ser amigos...!

1205 —Sí, ahora que ha roto la guerra con el otro, ¿no es eso? Antes era yo el otro; ahora soy el uno, ¿no es eso? Ahora se trata de pescarme, ¿eh?

—Pero ¡si no he dicho tal cosa...!

—No, pero lo adivino.

—Pues se equivoca usted de medio a medio. Porque precisamente después de haberme mi sobrina dicho todo lo que acabo de repetirle a usted, al insinuarle yo y aconsejarle que pues ha reñido con el gandul de su novio procurase ganar a usted como tal, vamos, usted me entiende...

—Sí, que me reconquistase...

1210 —¡Eso! Pues bien, al aconsejarle esto, me dijo una y cien veces que eso no y que no y que no; que le estimaba y apreciaba a usted para amigo y como tal, pero que no le gustaba como marido, que no quería casarse sino con un hombre de quien estuviese enamorada...

—Y que de mí no podrá llegar a estarlo, ¿no es eso?

—No, tanto como eso no dijo...

—Vamos, sí, que esto también es diplomacia...

—¿Cómo?

1215 —Sí, que viene usted no sólo a que yo perdone a esa... muchacha, sino a ver si accedo a pretenderla para mujer, ¿no es eso? Cosa convenida, ¿eh?, y ella se resignará...

—Le juro a usted, don Augusto, le juro por la santa memoria de mi santa madre que esté en gloria, le juro...

—El segundo, no jurar...

—Pues le juro que es usted el que ahora se olvida, involuntariamente por supuesto, de quién soy yo, de quién es Ermelinda Ruiz y Ruiz.

—Si así fuese...

1220 —Sí, así es, así —y pronunció estas palabras con tal acento que no dejaba lugar a duda.

—Pues entonces... entonces... diga a su sobrina que acepto sus explicaciones, que se las agradezco profundamente, que seguiré siendo su amigo, un amigo leal y noble, pero sólo amigo, ¿eh?, nada más que amigo, sólo amigo... Y no le diga que yo no soy un piano en que se puede tocar a todo antojo, que no soy un hombre de hoy te dejo y luego te tomo, que no soy sustituto ni vicenovio, que no soy plato de segunda mesa...

—¡No se exalte usted así!

—¡No, si no me exalto! Pues bien, que sigo siendo su amigo...

—¿E irá usted pronto a vernos?

1225   —Eso...

—Mire que si no, la pobrecilla no me va a creer, va a sentirlo...

—Es que pienso emprender un viaje largo y lejano...

—Antes, de despedida...

—Bueno, veremos...

1230   Separáronse. Cuando doña Ermelinda llegó a casa y contó a su sobrina la conversación con Augusto, Eugenia se dijo: «Aquí hay otra, no me cabe duda; ahora sí que le reconquisto».

Augusto, por su parte, al quedarse solo púsose a pasearse por la estancia diciéndose: «Quiere jugar conmigo, como si yo fuese un piano... me deja, me toma, me volverá a dejar... Yo estaba de reserva... Diga lo que quiera, anda buscando que yo vuelva a solicitarla, acaso para vengarse, tal vez para dar celos al otro y volverle al retortero... Como si yo fuese un muñeco, un ente, un don nadie... ¡Y yo tengo mi carácter, vaya si le tengo, yo soy yo! Sí, ¡yo soy yo! ¡yo soy yo! Le debo a ella, a Eugenia, ¿cómo negarlo?, el que haya despertado mi facultad amorosa; pero, una vez que me la despertó y suscitó, no necesito ya de ella; lo que sobran son mujeres.

Al llegar a esto no pudo por menos que sonreírse, y es que se acordó de aquella frase de Víctor cuando anunciándoles Gervasio, recién casado, que se iba con su mujer a pasar una temporadita a París, le dijo: «¿A París y con mujer? ¡Eso es como ir con un bacalao a Escocia!» Lo que le hizo muchísima gracia a Augusto.

Y siguió diciéndose: «Lo que sobran son mujeres. ¡Y qué encanto la inocencia maliciosa, la malicia inocente de Rosarito, esta nueva edición de la eterna Eva! ¡Qué encanto de chiquilla! Ella, Eugenia, me ha bajado del abstracto al concreto, pero ella me llevó al genérico, y hay tantas mujeres apetitosas, tantas... ¡tantas Eugenias! ¡tantas Rosarios! No, no, conmigo no juega nadie, y menos una mujer. ¡Yo soy yo! ¡Mi alma será pequeña, pero es mía!» Y sintiendo en esta exaltación de su yo como si éste se le fuera hinchando, hinchando y la casa le viniera estrecha, salió a la calle para darle espacio y desahogo.

Apenas pisó la calle y se encontró con el cielo sobre la cabeza y las gentes que iban y venían, cada cual a su negocio o a su gusto y que no se fijaban en él, involuntariamente por supuesto, ni le hacían caso, por no conocerle sin duda, sintió que su yo, aquel yo del «¡yo soy yo!», se le iba achicando, achicando y se le replegaba en el cuerpo y aun dentro de éste buscaba un rinconcito en que acurrucarse y que no se le viera. La calle era un cinematógrafo y él sentíase cinematográfico, una sombra, un fantasma. Y es que siempre un baño en muchedumbre humana, un perderse en la masa de hombres que iban y venían sin conocerle ni percatarse de él, le produjo el efecto mismo de un baño en naturaleza abierta a cielo abierto, y a la rosa de los vientos.

1235 Sólo a solas se sentía él; sólo a solas podía decirse a sí mismo, tal vez para convencerse: «¡yo soy yo!»; ante los demás, mejido[1] en la muchedumbre atareada o distraída, no se sentía a sí mismo.

Así llegó a aquel recatado jardinillo que había en la solitaria plaza del retirado barrio en que vivía. Era la plaza un remanso de quietud donde siempre jugaban algunos niños, pues no circulaban por allí tranvías ni apenas coches, e iban algunos ancianos a tomar el sol en las tardecitas dulces del otoño, cuando las hojas de la docena de castaños de Indias que allí vivían recluidos, después de haber temblado al cierzo[2], rodaban por el enlosado o cubrían los asientos de aquellos bancos de madera siempre pintada de verde, del color de la hoja fresca. Aquellos árboles domésticos, urbanos, en correcta formación, que recibían riego a horas fijas, cuando no llovía, por una reguera y que extendían sus raíces bajo el enlosado de la plaza; aquellos árboles presos que esperaban ver salir y ponerse el sol sobre los tejados de las casas; aquellos árboles enjaulados, que tal vez añoraban la remota selva, atraíanle con un misterioso tiro. En sus copas cantaban algunos pájaros urbanos también, de esos que aprenden a huir de los niños y alguna vez a acercarse a los ancianos que les ofrecen unas migas de pan.

¡Cuántas veces sentado solo y solitario en uno de los bancos verdes de aquella plazuela vio

---

[1] *mejido*: mezclado.
[2] *cierzo*: viento frío del norte.

el incendio del ocaso sobre un tejado y alguna vez destacarse sobre el oro en fuego del espléndido arrebol[3] el contorno de un gato negro sobre la chimenea de una casa! Y en tanto, en otoño, llovían hojas amarillas, anchas hojas como de vid, a modo de manos momificadas, laminadas, sobre los jardincillos del centro con sus arriates[4] y sus macetas de flores. Y jugaban los niños entre las hojas secas, jugaban acaso a recogerlas, sin darse cuenta del encendido ocaso.

Cuando llegó aquel día a la tranquila plaza y se sentó en el banco, no sin antes haber despejado su asiento de las hojas secas que lo cubrían —pues era otoño—, jugaban allí cerca, como de ordinario, unos chiquillos. Y uno de ellos, poniéndole a otro junto al tronco de uno de los castaños de Indias, bien arrimadito a él, le decía: «Tú estabas ahí preso, te tenían unos ladrones...» «Es que yo...» —empezó malhumorado el otro, y el primero le replicó: «No, tú no eras tú...» Augusto no quiso oír más; levantóse y se fue a otro banco. Y se dijo: «Así jugamos también los mayores; ¡tú no eres tú! ¡yo no soy yo! Y estos pobres árboles, ¿son ellos? Se les cae la hoja antes, mucho antes que a sus hermanos del monte, y se quedan en esqueleto, y estos esqueletos proyectan su recortada sombra sobre los empedrados al resplandor de los reverberos[5] de luz eléctrica. ¡Un árbol iluminado por la luz eléctrica! ¡qué extraña, qué fantástica apariencia la de su copa en primavera

---

[3]   *arrebol*: color rojo que se ve a veces en las nubes heridas por los rayos del sol.

[4]   *arriate*: trozo de tierra delimitado donde se crían plantas de jardín.

[5]   *reverbero*: reflejo de la luz sobre un cuerpo brillante.

cuando el arco voltaico ese le da aquella apariencia metálica! ¡y aquí que las brisas no los me-
cen...! ¡Pobres árboles que no pueden gozar de
una de esas negras noches del campo, de esas
noches sin luna, con su manto de estrellas palpi-
tantes! Parece que al plantar a cada uno de estos
árboles en este sitio les ha dicho el hombre: "¡tú
no eres tú!", y para que no lo olviden le[6] han dado
esa iluminación nocturna por luz eléctrica... para
que no se duerman... ¡pobres árboles trasnocha-
dores! ¡No, no, conmigo no se juega como con
vosotros!»

Levantóse y empezó a recorrer calles como
un sonámbulo.

---

[6]   Ligero anacoluto. Sin duda, el autor no se ha dejado llevar por
el plural próximo porque está pensando en «le han dado a cada uno».

XX

1240   Emprendería el viaje, ¿sí o no? Ya lo había anunciado, primero a Rosarito, sin saber bien lo que se decía, por decir algo, o más bien como un pretexto para preguntarle si le acompañaría en él, y luego a doña Ermelinda, para probarle... ¿qué? ¿qué es lo que pretendió probarle con aquello de que iba a emprender un viaje? ¡Lo que fuese! Mas era el caso que había soltado por dos veces prenda, que había dicho que iba a emprender un viaje largo y lejano y él era hombre de carácter, él era él; ¿tenía que ser hombre de palabra?

Los hombres de palabra primero dicen una cosa y después la piensan, y por último la hacen, resulte bien o mal luego de pensada; los hombres de palabra no se rectifican ni se vuelven atrás de lo que una vez han dicho. Y él dijo que iba a emprender un viaje largo y lejano.

¡Un viaje largo y lejano! ¿Por qué? ¿para qué? ¿cómo? ¿adónde?

Anunciáronle que una señorita «deseaba verle». «¿Una señorita?» «Sí —dijo Liduvina—, me parece que es... ¡la pianista!» «¡Eugenia!» «La misma.» Quedóse suspenso. Como un relámpago de mareo pasóle por la mente la idea de despacharla, de que la dijeran que no estaba en casa. «Viene a conquistarme, a jugar conmigo como con un muñeco —se dijo—, a que la haga el juego, a que sustituya al otro...» Luego lo pensó mejor. «¡No, hay que mostrarse fuerte!»

—Dile que ahora voy.

1245   Le tenía absorto la intrepidez de aquella mujer. «Hay que confesar que es toda una mujer, que es todo un carácter, ¡vaya un arrojo! ¡vaya una resolución! ¡vaya unos ojos!; pero ¡no, no, no, no me doblega! ¡no me conquista!»

Cuando entró Augusto en la sala, Eugenia estaba de pie. Hízole una seña de que se sentara, mas ella, antes de hacerlo, exclamó: «¡A usted, don Augusto, le han engañado lo mismo que me han engañado a mí!» Con lo que se sintió el pobre hombre desarmado y sin saber qué decir. Sentáronse los dos, y se siguió un brevísimo silencio.

—Pues sí, lo dicho, don Augusto, a usted le han engañado respecto a mí y a mí me han engañado respecto a usted; esto es todo.

—Pero ¡si hemos hablado uno con otro, Eugenia!

—No haga usted caso de lo que le dije. ¡Lo pasado, pasado!

1250 —Sí, siempre es lo pasado pasado, ni puede ser de otra manera.

—Usted me entiende. Y yo quiero que no dé a mi aceptación de su generoso donativo otro sentido que el que tiene.

—Como yo deseo, señorita, que no dé a mi donativo otra significación que la que tiene.

—Así, lealtad por lealtad. Y ahora, como debemos hablar claro, he de decirle que después de todo lo pasado y de cuanto le dije, no podría yo, aunque quisiera, pretender pagarle esa generosa donación de otra manera que con mi más puro agradecimiento. Así como usted por su parte, creo...

—En efecto, señorita, por mi parte yo, después de lo pasado, de lo que usted me dijo en nuestra última entrevista, de lo que me contó su señora tía y de lo que adivino, no podría, aunque lo deseara, pretender cotizar mi generosidad... 193

1255 —¿Estamos, pues, de acuerdo?

—De perfecto acuerdo, señorita.

—Y así, ¿podremos volver a ser amigos, buenos amigos, verdaderos amigos?

—Podremos.

Le tendió a Augusto su fina mano blanca y fría como la nieve, de ahusados dedos hechos a dominar teclados, y la estrechó en la suya, que en aquel momento temblaba.

1260 —Seremos, pues, amigo don Augusto, buenos amigos, aunque esta amistad a mí...

—¿Qué?

—Acaso ante el público...

—¿Qué? ¡Hable! ¡hable!

—Pero, en fin, después de dolorosas experiencias recientes he renunciado ya a ciertas cosas...

1265 —Explíquese usted más claro, señorita. No vale decir las cosas a medias.

—Pues bien, don Augusto, las cosas claras, muy claras. ¿Cree usted que es fácil que después de lo pasado y sabiendo, como ya se sabe entre nuestros conocimientos, que usted ha deshipotecado mi patrimonio regalándomelo así, es fácil que haya quien se dirija a mí con ciertas pretensiones?

«¡Esta mujer es diabólica!», pensó Augusto y bajó la cabeza mirando al suelo sin saber qué contestar. Cuando, al instante, la levantó, vio que Eugenia se enjugaba una furtiva lágrima.

—¡Eugenia! —exclamó, y le temblaba la voz.

—¡Augusto! —susurró rendidamente ella.

1270 —Pero ¿y qué quieres que hagamos?

—Oh, no, es la fatalidad, no es más que la fatalidad; somos juguete de ella. ¡Es una desgracia!

Augusto fue, dejando su butaca, a sentarse en el sofá, al lado de Eugenia.

—¡Mira, Eugenia, por Dios, que no juegues así conmigo! La fatalidad eres tú; aquí no hay más fatalidad que tú. Eres tú que me traes y me llevas y me haces dar vueltas como un argandillo[1]; eres tú que me vuelves loco; eres tú que me haces quebrantar mis más firmes propósitos; eres tú que haces que yo no sea yo...

Y le echó el brazo al cuello, la atrajo a sí y la apretó contra su seno. Y ella tranquilamente se quitó el sombrero.

1275 —Sí, Augusto, es la fatalidad la que nos ha traído a esto. Ni... ni tú ni yo podemos ser infieles, desleales a nosotros mismos; ni tú puedes aparecer queriéndome comprar como yo en un momento de ofuscación te dije, ni yo puedo aparecer haciendo de ti un sustituto, un vice, un plato de segunda mesa, como a mi tía le dijiste, y queriendo no más que premiar tu generosidad...

—Pero, ¿y qué nos importa, Eugenia mía, el aparecer de un modo o de otro? ¿a qué ojos?

—¡A los mismos nuestros!

—Y qué, Eugenia mía...

Volvió a apretarla a sí y empezó a llenarle de besos la frente y los ojos. Se oía la respiración de ambos.

1280 —¡Déjame! ¡déjame! —dijo ella, mientras se arreglaba y componía el pelo.

—No, tú... tú... tú... Eugenia... tú...

—No, yo no, no puede ser...

—¿Es que no me quieres?

---

[1]   *argandillo*: palabra que no aparece en los diccionarios comunes. Quizá se trate de un cruce con *zarandillo*: que va de una parte a otra.

—Eso de querer... ¿quién sabe lo que es querer? No sé... no sé... no estoy segura de ello...

1285 —¿Y esto entonces?

—¡Esto es una... una fatalidad del momento! producto de arrepentimiento... qué sé yo... estas cosas hay que ponerlas a prueba... Y además, ¿no habíamos quedado, Augusto, en que seríamos amigos, buenos amigos, pero nada más que amigos?

—Sí, pero... ¿Y aquello de tu sacrificio? ¿Aquello de que por haber aceptado mi dádiva, por ser amiga, nada más que amiga mía, no va ya a haber quien te pretenda?

—¡Ah, eso no importa; tengo tomada mi resolución!

—¿Acaso después de aquella ruptura...?

1290 —Acaso...

—¡Eugenia! ¡Eugenia!

En este momento se oyó llamar a la puerta, y Augusto, tembloroso, encendido de rostro, exclamó con voz seca: «¿qué hay?»

—¡La Rosario, que espera! —dijo la voz de Liduvina.

Augusto cambió de color poniéndose lívido.

1295 —¡Ah! —exclamó Eugenia—, aquí estorbo ya. Es la... Rosario, que le espera a usted. ¿Ve usted cómo no podemos ser más que amigos, buenos amigos, muy buenos amigos?

—Pero Eugenia...

—Que espera la Rosario...

—Y si me rechazaste, Eugenia, como me rechazaste, diciéndome que te quería comprar y en rigor porque tenías otro, ¿qué iba a hacer yo luego que al verte aprendí a querer? ¿No sabes acaso lo que es el despecho, lo que es el cariño

desnidado?

—Vaya, Augusto, venga esa mano; volveremos a vernos, pero conste que lo pasado, pasado.

1300   —No, no; lo pasado, pasado ¡no! ¡no! ¡no!

—Bien, bien, que espera la Rosario...

—Por Dios, Eugenia...

—No, si nada de extraño tiene; también a mí me esperaba en un tiempo el... Mauricio. Volveremos a vernos. Y seamos serios y leales a nosotros mismos.

Púsose el sombrero, tendió su mano a Augusto que, cogiéndosela se la llevó a los labios y la cubrió de besos, y salió, acompañándole él hasta la puerta. La miró un rato bajar las escaleras garbosa y con pie firme. Desde un descansillo de abajo alzó ella sus ojos y le saludó con la mirada y con la mano. Volvióse Augusto, entró al gabinete y al ver a Rosario allí de pie, con la cesta de la plancha, le dijo bruscamente: «¿qué hay?»

1305   —Me parece, don Augusto, que esa mujer le está engañando a usted...

—Y a ti ¿qué te importa?

—Me importa todo lo de usted.

—Lo que quieres decir es que te estoy engañando...

—Eso es lo que no me importa.

1310   —¿Me vas a hacer creer que después de las esperanzas que te he hecho concebir no estás celosa?

—Si usted supiera, don Augusto, cómo me he criado y en qué familia, comprendería que aunque soy una chiquilla estoy ya fuera de esas cosas de celos. Nosotras, las de mi posición...

—¡Cállate!

—Como usted quiera. Pero le repito que esa mujer le está a usted engañando. Si no fuera así y si usted la quiere y es ése su gusto, ¿qué más quisiera yo sino que usted se casase con ella?

—Pero ¿dices todo eso de verdad?

1315 —De verdad.

—¿Cuántos años tienes?

—Diez y nueve.

—Ven acá —y cogiéndola con sus dos manos de los sendos hombros la puso cara a cara consigo y se le quedó mirando a los ojos.

Y fue Augusto quien se demudó de color, no ella.

1320 —La verdad es, chiquilla, que no te entiendo.

—Lo creo.

—Yo no sé qué es esto, si inocencia, malicia, burla, precoz perversidad...

—Esto no es más que cariño.

—¿Cariño? ¿y por qué?

1325 —¿Quiere usted saber por qué? ¿no se ofenderá si se lo digo? ¿me promete no ofenderse?

—Anda, dímelo.

—Pues bien, por... por... porque es usted un infeliz, un pobre hombre...

—¿También tú?

—Como usted quiera. Pero fíese de esta chiquilla; fíese de... la Rosario. Más leal a usted... ¡ni Orfeo!

1330 —¿Siempre?

—¡Siempre!

—¿Pase lo que pase?

—Sí, pase lo que pase.

—Tú, tú eres la verdadera... —y fue a cogerla.

1335 —No, ahora no, cuando esté usted más tranquilo. Y cuando no...

—Basta, te entiendo.

Y se despidieron.

Y al quedarse solo se decía Augusto: «entre

una y otra me van a volver loco de atar... yo ya no soy yo...»

—Me parece que el señorito debía dedicarse a la política o a algo así por el estilo —le dijo Liduvina mientras le servía la comida—; eso le distraería.

1340 —¿Y cómo se te ha ocurrido eso, mujer de Dios?

—Porque es mejor que se distraiga uno a no que le distraigan y... ¡ya ve usted!

—Bueno, pues llama ahora a tu marido, a Domingo, en cuanto acabe de comer, y dile que quiero echar con él una partida de tute... que me distraiga.

Y cuando la estaba jugando, dejó de pronto Augusto la baraja sobre la mesa y preguntó:

—Di, Domingo, cuando un hombre está enamorado de dos o más mujeres a la vez, ¿qué debe hacer?

1345 —¡Según y conforme!

—¿Cómo según y conforme?

—¡Sí! Si tiene mucho dinero y muchas agallas, casarse con todas ellas, y si no, no casarse con ninguna.

—Pero ¡hombre, eso primero no es posible!

—¡En teniendo mucho dinero todo es posible!

1350 —¿Y si ellas se enteran?

—Eso a ellas no les importa.

—¿Pues no ha de importarle, hombre, a una mujer el que otra le quite parte del cariño de su marido?

—Se contenta con su parte, señorito, si no se le pone tasa al dinero que gasta. Lo que le molesta a una mujer es que su hombre le ponga a ración de comer, de vestir, de todo lo demás así, de lujo; pero si le deja gastar lo que quiera... Ahora, si tiene hijos de él...

—Si tiene hijos, ¿qué?

1355 —Que los verdaderos celos vienen de ahí, señorito, de los hijos. Es una madre que no tolera otra madre o que puede serlo, es una madre que no tolera que se les merme a sus hijos para otros hijos o para otra mujer. Pero si no tiene hijos y no le tasan el comedero y el vestidero, y la pompa y la fanfarria, ¡bah!, hasta le ahorran así molestias...

Si uno tiene además de una mujer que le cueste otra que no le cueste nada, aquella que le cuesta apenas si siente celos de esta otra que no le cuesta, y si además de no costarle nada le produce encima... si lleva a una mujer dinero que de otra saca, entonces...

—Entonces, ¿qué?

—Que todo marcha a pedir de boca. Créame usted, señorito, no hay Otelas...

—Ni Desdémonos[2].

1360 —¡Puede ser...!

—Pero qué cosas dices...

—Es que antes de haberme casado con Liduvina y venir a servir a casa del señorito había servido yo en muchas casas de señorones... me han salido los dientes en ellas...

—¿Y en vuestra clase?

—¿En nuestra clase? ¡bah!, nosotros no nos permitimos ciertos lujos...

1365 —¿Y a qué llamas lujos?

---

[2] *Otelas y Desdémonos*: alude, invirtiendo los sexos, a dos célebres personajes de Shakespeare: el moro Otelo, que mató a su mujer por celos, y la víctima inocente de esta pasión, Desdémona. El personaje de Unamuno cree que estos papeles no pueden ser intercambiados entre hombres y mujeres.

—A esas cosas que se ve en los teatros y se lee en las novelas...

—¡Pues, hombre, pocos crímenes de esos que llaman pasionales, por celos, se ven en vuestra clase...!

—¡Bah!, eso es porque esos... chulos van al teatro y leen novelas, que si no...

—Si no, ¿qué?

1370 —Que a todos nos gusta, señorito, hacer papel y nadie es el que es, sino el que le hacen los demás.

—Filósofo estás...

—Así me llamaba el último amo que tuve antes. Pero yo creo lo que le ha dicho mi Liduvina, que usted debe dedicarse a la política.

XXI

—Sí, tiene usted razón —le decía don Antonio a Augusto aquella tarde, en el Casino, hablando a solas, en un rinconcito—, tiene usted razón, hay un misterio doloroso, dolorosísimo en mi vida. Usted ha adivinado algo. Pocas veces ha visitado usted mi pobre hogar... ¿hogar?, pero habrá notado...

—Sí, algo extraño, yo no sé qué tristeza flotante que me atraía a él...

—A pesar de mis hijos, de mis pobres hijos, a usted le habrá parecido un hogar sin hijos, acaso sin esposos...

—No sé... no sé...

—Vinimos de lejos, de muy lejos, huyendo, pero hay cosas que van siempre con uno, que le rodean y envuelven como un ámbito misterioso. Mi pobre mujer...

—Sí, en el rostro de su señora se adivina toda una vida de...

—De martirio, dígalo usted. Pues bien, amigo don Augusto, usted ha sido, no sé bien por qué, por una cierta oculta simpatía, quien mayor afecto, más compasión acaso, nos ha mostrado, y yo, para figurarme una vez más que me libro de un peso, voy a confiarle mis desdichas. Esa mujer, la madre de mis hijos, no es mi mujer.

—Me lo suponía; pero si es ella la madre de sus hijos, si con usted vive como su mujer, lo es.

—No, yo tengo otra mujer... legítima, según se la llama. Estoy casado, pero no con la que usted conoce. Y ésta, la madre de mis hijos, está casada también, pero no conmigo.

—Ah, un doble...

—No, un cuádruple, como va usted a verlo.

Yo me casé loco, pero enteramente loco de amor, con una mujercita reservada y callandrona, que hablaba poco y parecía querer decir siempre mucho más de lo que decía, con unos ojos garzos[1] dulces, dulces, dulces, que parecían dormidos y sólo se despertaban de tarde en tarde, pero era entonces para chispear fuego. Y ella era toda así. Su corazón, su alma toda, todo su cuerpo, que parecían de ordinario dormidos, despertaban de pronto como en sobresalto, pero era para volver a dormirse muy pronto, pasado el relámpago de vida, ¡y de qué vida!, y luego como si nada hubiese sido, como si se hubiese olvidado de todo lo que pasó. Era como si estuviésemos siempre recomenzando la vida, como si la estuviese reconquistando de continuo. Me admitió de novio como en un ataque epiléptico y creo que en otro ataque me dio el sí ante el altar. Y nunca pude conseguir que me dijese si me quería o no. Cuantas veces se lo pregunté, antes y después de casarnos, siempre me contestó: «eso no se pregunta; es una tontería». Otras veces decía que el verbo amar ya no se usa sino en el teatro y los libros, y que si yo le hubiese escrito: «¡te amo!», me habría despedido al punto. Vivimos más de dos años de casados de una extraña manera, reanudando yo cada día la conquista de aquella esfinge. No tuvimos hijos. Un día faltó a casa por la noche, me puse como loco, la anduve buscando por todas partes, y al siguiente día supe por una carta muy seca y muy breve que se había ido lejos, muy lejos, con otro hombre...

—Y no sospechó usted nada antes, no lo barruntó...

---

[1] *garzos*: de color azulado; se emplea frecuentemente para los ojos.

1385   —¡Nada! Mi mujer salía sola de casa con bastante frecuencia, a casa de su madre, de unas amigas, y su misma extraña frialdad la defendía ante mí de toda sospecha. ¡Y nada adiviné nunca de aquella esfinge! El hombre con quien huyó era un hombre casado, que no sólo dejó a su mujer y a una pequeña niña para irse con la mía, sino que se llevó la fortuna toda de la suya, que era regular, después de haberla manejado a su antojo. Es decir, que no sólo abandonó a su esposa, sino que la arruinó robándole lo suyo. Y en aquella seca y breve y fría carta que recibí se hacía alusión al estado en que la pobre mujer del raptor de la mía se quedaba. ¡Raptor o raptado... no lo sé! En unos días ni dormí, ni comí, ni descansé; no hacía sino pasear por los más apartados barrios de mi ciudad. Y estuve a punto de dar en los vicios más bajos y más viles. Y cuando empezó a asentárseme el dolor, a convertírseme en pensamiento, me acordé de aquella otra pobre víctima, de aquella mujer que se quedaba sin amparo, robada de su cariño y de su fortuna. Creí un caso de conciencia, pues que mi mujer era la causa de su desgracia, ir a ofrecerla mi ayuda pecuniaria, ya que Dios me dio fortuna.

—Adivino el resto, don Antonio.

—No importa. La fui a ver. Figúrese usted aquella nuestra primera entrevista. Lloramos nuestras sendas desgracias, que eran una desgracia común. Yo me decía: «¿y es por mi mujer por la que ha dejado a ésta ese hombre?» y sentía, ¿por qué no he de confesarle la verdad?, una cierta íntima satisfacción, algo inexplicable, como si yo hubiese sabido escoger mejor que él y él lo reconociese. Y ella, su mujer, se hacía una reflexión análoga, aunque invertida, según después me ha declarado. Le ofrecí mi ayuda pecuniaria, lo que de mi fortuna necesitase, y empezó rechazándomelo. «Trabajaré para vivir y mantener a mi hija», me dijo. Pero insistí y tanto insistí que acabó aceptándomelo. La ofrecí hacerla mi ama de llaves, que se viniese a vivir conmigo, claro que viniéndonos muy lejos de nuestra patria, y después de mucho pensarlo lo aceptó también.

—Y es claro, al irse a vivir juntos...

—No, eso tardó, tardó algo. Fue cosa de la convivencia, de un cierto sentimiento de venganza, de despecho, de qué sé yo... Me prendé no ya de ella, sino de su hija, de la desdichada hija del amante de mi mujer; la cobré un amor de padre, un violento amor de padre, como el que hoy se lo tengo, pues la quiero tanto, tanto, sí, cuando no más, que a mis propios hijos. La cogía en mis brazos, la apretaba a mi pecho, la envolvía en besos y lloraba, lloraba sobre ella. Y la pobre niña me decía: «¿por qué lloras, papá?», pues le hacía que me llamase así y por tal me tuviera. Y su pobre madre al verme llorar así lloraba también y alguna vez mezclamos nuestras lágrimas sobre la rubia cabecita de la hija del amante de mi mujer, del ladrón de mi dicha.

1390   Un día supe —prosiguió— que mi mujer había tenido un hijo de su amante y aquel día todas mis entrañas se sublevaron, sufrí como nunca había sufrido y creí volverme loco y quitarme la vida. Los celos, lo más brutal de los celos, no lo sentí hasta entonces. La herida de mi alma, que parecía cicatrizada, se abrió y sangraba... ¡sangraba fuego! Más de dos años había vivido con mi mujer, con mi propia mujer, y ¡nada! ¡y ahora aquel ladrón....! Me imaginé que mi mujer habría despertado del todo y que vivía en pura brasa. La otra, la que vivía conmigo, conoció algo y me preguntó: «¿qué te pasa?» Habíamos convenido en tutearnos, por la niña. «¡Déjame!», le contesté. Pero acabé confesándoselo todo, y ella al oírmelo temblaba. Y creo que le contagié de mis furiosos celos...

—Y claro, después de eso...

—No, vino algo después y por otro camino. Y fue que un día estando los dos con la niña, la tenía yo sobre mis rodillas y estaba contándola cuentos y besándola y diciéndole bobadas, se acercó su madre y empezó a acariciarla también. Y entonces ella, ¡pobrecilla!, me puso una de sus manitas sobre el hombro y la otra sobre el de su madre, y nos dijo: «papaíto... mamaíta... ¿por qué no me traéis un hermanito para que juegue conmigo, como le tienen otras niñas, y no que estoy sola...?» Nos pusimos lívidos, nos miramos a los ojos con una de esas miradas que desnudan las almas, nos vimos éstas al desnudo, y luego, para no avergonzarnos, nos pusimos a besuquear a la niña, y alguno de estos besos cambió de rumbo. Aquella noche, entre lágrimas y furores de celos, engendramos al primer hermanito de la hija del ladrón de mi dicha.

—¡Extraña historia!

—Y fueron nuestros amores, si es que así quiere usted llamarlos, unos amores secos y mudos, hechos de fuego y rabia, sin ternezas de palabra. Mi mujer, la madre de mis hijos quiero decir, porque ésta y no otra es mi mujer, mi mujer es, como usted habrá visto, una mujer agraciada, tal vez hermosa, pero a mí nunca me inspiró ardor en deseos, y esto a pesar de la convivencia. Y aun después que acabamos en lo que le digo, me figuré no estar en exceso enamorado de ella, hasta que pude convencerme de lo contrario.

1395 Y es que una vez, después de uno de sus partos, después del nacimiento del cuarto de nuestros hijos, se me puso tan mal, tan mal, que creí que se me moría. Perdió la más de la sangre de sus venas, se quedó como la cera de blanca, se le cerraban los párpados... Creí perderla. Y me puse como loco, blanco yo también como la cera, la sangre se me helaba. Y fui a un rincón de la casa, donde nadie me viese, y me arrodillé y pedí a Dios que me matara antes que dejase morir a aquella santa mujer. Y lloré y me pellizqué y me arañé el pecho hasta sacarme sangre. Y comprendí con cuán fuerte atadura estaba mi corazón atado al corazón de la madre de mis hijos. Y cuando ésta se repuso algo y recobró conocimiento y salió de peligro, acerqué mi boca a su oído, según ella sonreía a la vida renaciente tendida en la cama, y le dije lo que nunca le había dicho y nunca la he vuelto, de la misma manera, a decir. Y ella sonreía, sonreía, sonreía mirando al techo. Y puse mi boca sobre su boca, y me enlacé con sus desnudos brazos el cuello, y acabé llorando de mis ojos sobre sus ojos. Y me dijo: «gracias, Antonio, gracias, por mí, por nuestros hijos, por nuestros hijos todos... todos... todos... por ella, por Rita...» Rita es nuestra hija mayor, la hija del ladrón... no, no, nuestra hija, mi hija. La del ladrón es la otra, es la de la que se llamó mi mujer en un tiempo. ¿Lo comprende usted ahora todo?

—Sí, y mucho más, don Antonio.

—¿Mucho más?

—¡Más, sí! De modo que usted tiene dos mujeres, don Antonio.

—No, no, no tengo más que una, una sola, la madre de mis hijos. La otra no es mi mujer, no sé si lo es del padre de su hija.

1400   —Y esa tristeza...

—La ley es siempre triste, don Augusto. Y es más triste un amor que nace y se cría sobre la tumba de otro y como una planta que se alimenta, como de mantillo, de la podredumbre de otra planta. Crímenes, sí, crímenes ajenos nos han juntado, ¿y es nuestra unión acaso crimen? Ellos rompieron lo que no debe romperse, ¿por qué no habíamos nosotros de anudar los cabos sueltos?

—Y no han vuelto a saber...

—No hemos querido volver a saber. Y luego nuestra Rita es una mujercita ya; el mejor día se nos casa... Con mi nombre, por supuesto, con mi nombre, y haga luego la ley lo que quiera. Es mi hija y no del ladrón; yo la he criado.

XXII

—Y bien, ¿qué? —le preguntaba Augusto a Víctor— ¿cómo habéis recibido al intruso?

1405 —¡Ah, nunca lo hubiese creído, nunca! Todavía la víspera de nacer nuestra irritación era grandísima. Y mientras estaba pugnando por venir al mundo no sabes bien los insultos que me lanzaba mi Elena. «¡Tú, tú tienes la culpa, tú!», me decía. Y otras veces: «¡Quítate de delante, quítate de mi vista! ¿no te da vergüenza de estar aquí? Si me muero, tuya será la culpa». Y otras veces: «¡Ésta y no más, ésta y no más!» Pero nació y todo ha cambiado. Parece como si hubiésemos despertado de un sueño y como si acabáramos de casarnos. Yo me he quedado ciego, talmente ciego; ese chiquillo me ha cegado. Tan ciego estoy, que todos dicen que mi Elena ha quedado con la preñez y el parto desfiguradísima, que está hecha un esqueleto y que ha envejecido lo menos diez años, y a mí me parece más fresca, más lozana, más joven y hasta más metida en carnes que nunca.

—Eso me recuerda, Víctor, la leyenda del *fogueteiro* que tengo oída en Portugal.

—Venga.

—Tú sabes que en Portugal eso de los fuegos artificiales, de la pirotecnia, es una verdadera bella arte. El que no ha visto fuegos artificiales en Portugal no sabe todo lo que se puede hacer con eso. ¡Y qué nomenclatura, Dios mío!

—Pero venga la leyenda.

1410 —Allá voy. Pues el caso es que había en un pueblo portugués un pirotécnico o *fogueteiro* que tenía una mujer hermosísima, que era su consuelo, su encanto y su orgullo. Estaba locamente enamorado de ella, pero aún más era orgullo. Complacíase en dar dentera, por así decirlo, a los demás mortales, y la paseaba consigo como diciéndoles: «¿veis esta mujer? ¿os gusta? ¿sí, eh? ¡pues es la mía, mía sola! ¡y fastidiarse!»

No hacía sino ponderar las excelencias de la hermosura de su mujer y hasta pretendía que era inspiradora de sus más bellas producciones pirotécnicas, la musa de sus fuegos artificiales. Y hete que una vez preparando unos de éstos, mientras estaba, como de costumbre, su hermosa mujer a su lado para inspirarle, se le prende fuego la pólvora, hay una explosión y tienen que sacar a marido y mujer desvanecidos y con gravísimas quemaduras. A la mujer se le quemó buena parte de la cara y del busto, de tal manera que se quedó horriblemente desfigurada, pero él, el *fogueteiro*, tuvo la fortuna de quedarse ciego y no ver el desfiguramiento de su mujer. Y después de esto seguía orgulloso de la hermosura de su mujer y ponderándola a todos y caminando al lado de ella, convertida ahora en su lazarilla, con el mismo aire y talle de arrogante desafío que antes. «¿Han visto ustedes mujer más hermosa?», preguntaba, y todos, sabedores de su historia, se compadecían del pobre *fogueteiro* y le ponderaban la hermosura de su mujer.

—Y bien, ¿no seguía siendo hermosa para él?

—Acaso más que antes, como para ti tu mujer después que te ha dado al intruso.

—¡No le llames así!

—Fue cosa tuya.

—Sí, pero no quiero oírsela a otro.

—Eso pasa mucho; el mote mismo que damos a alguien nos suena muy de otro modo cuando se lo oímos a otro.

1415

—Sí, dicen que nadie conoce su voz...

—Ni su cara. Yo por lo menos sé de mí decirte que una de las cosas que me da más pavor es quedarme mirándome al espejo, a solas, cuando nadie me ve. Acabo por dudar de mi propia existencia e imaginarme, viéndome como otro, que soy un sueño, un ente de ficción.

1420 —Pues no te mires así...

—No puedo remediarlo. Tengo la manía de la introspección.

—Pues acabarás como los faquires, que dicen se contemplan el propio ombligo.

—Y creo que si uno no conoce su voz ni su cara, tampoco conoce nada que sea suyo, muy suyo, como si fuera parte de él...

—Su mujer, por ejemplo.

1425 —En efecto; se me antoja que debe de ser imposible conocer a aquella mujer con quien se convive y que acaba por formar parte nuestra. ¿No has oído aquello que decía uno de nuestros más grandes poetas, Campoamor[1]?

—No; ¿qué es ello?

—Pues decía que cuando uno se casa, si lo hace enamorado de veras, al principio no puede tocar al cuerpo de su mujer sin emberrenchinarse y encenderse en deseo carnal, pero que pasa tiempo, se acostumbra, y llega un día en que lo mismo le es tocar con la mano al muslo desnudo de su mujer que al propio muslo suyo, pero también entonces, si tuvieran que cortarle a su mujer el muslo, le dolería como si le cortasen el propio.

—Y así es, en verdad. ¡No sabes cómo sufrí en el parto!

---

[1] Ramón de Campoamor (1817-1901) es un poeta asturiano que gozó de gran popularidad en la época del Realismo.

—Ella más.

1430 —¡Quién sabe...! Y ahora como es ya algo mío, parte de mi ser, me he dado tan poco cuenta de eso que dicen de que se ha desfigurado y afeado, como no se da uno cuenta de que se desfigura, se envejece y se afea.

—Pero ¿crees de veras que uno no se da cuenta de que se envejece y afea?

—No, aunque lo diga. Si la cosa es continua y lenta. Ahora, si de repente le ocurre a uno algo... Pero eso de que se sienta uno envejecer, ¡quia!; lo que siente uno es que envejecen las cosas en derredor de él o que rejuvenecen. Y eso es lo único que siento ahora al tener un hijo. Porque ya sabes lo que suelen decir los padres señalando a sus hijos: «¡Éstos, éstos son los que nos hacen viejos!» Ver crecer al hijo es lo más dulce y lo más terrible creo. No te cases, pues, Augusto, no te cases, si quieres gozar de la ilusión de una juventud eterna.

—Y ¿qué voy a hacer si no me caso? ¿en qué voy a pasar el tiempo?

—Dedícate a filósofo.

1435 —Y ¿no es acaso el matrimonio la mejor, tal vez la única escuela de filosofía?

—¡No, hombre, no! Pues ¿no has visto cuántos y cuán grandes filósofos ha habido solteros? Que ahora recuerde, aparte de los que han sido frailes, tienes a Descartes[2], a Pascal[3], a Spinoza[4],

---

[2] René Descartes (1596-1650) es un filósofo y matemático francés, autor del *Discurso del método*.
[3] Blas Pascal (1623-1662) es otro filósofo y matemático francés cuya obra más famosa son los *Pensamientos*.
[4] Baruch de Spinoza (1632-1677) es un filósofo holandés cuyo pensamiento se revela fundamentalmente en la *Ética*.

a Kant[5]...

—¡No me hables de los filósofos solteros!

—Y de Sócrates[6], ¿no recuerdas cómo despachó de su lado a su mujer, Jantipa, el día en que había de morirse, para que no le perturbase?

—No me hables tampoco de eso. No me resuelvo a creer sino que eso que nos cuenta Platón no es sino una novela...

1440 —O una *nivola...*

—Como quieras.

Y rompiendo bruscamente la voluptuosidad de la conversación se salió.

En la calle acercósele un mendigo diciéndole: «¡Una limosna, por Dios, señorito, que tengo siete hijos...!» «¡No haberlos hecho!» —le contestó malhumorado Augusto—. «Ya quisiera yo haberle visto a usted en mi caso —replicó el mendigo, añadiendo: y ¿qué quiere usted que hagamos los pobres si no hacemos hijos... para los ricos?» «Tienes razón —replicó Augusto—, y por filósofo, ¡ahí va, toma!» y le dio una peseta, que el buen hombre se fue al punto a gastar a la taberna más próxima.

---

[5] Immanuel Kant (1724-1804) es un filósofo racionalista alemán, autor de la *Crítica de la razón pura*.

[6] Véase nota 40 del Prólogo.

XXIII

El pobre Augusto estaba consternado. No era sólo que se encontrase, como el asno de Buridán[1], entre Eugenia y Rosario; era que aquello de enamorarse de casi todas las que veía, en vez de amenguársele, íbale en medro. Y llegó a descubrir cosas fatales.

1445 —¡Vete, vete, Liduvina, por Dios! ¡vete, déjame solo! ¡Anda, vete! —le decía una vez a su criada.

Y apenas ella se fue, apoyó los codos sobre la mesa, la cabeza en las palmas de las manos, y se dijo: «¡Esto es terrible, verdaderamente terrible! ¡Me parece que sin darme cuenta de ello me voy enamorando... hasta de Liduvina! ¡Pobre Domingo! Sin duda. Ella, a pesar de sus cincuenta años, aún está de buen ver, y sobre todo bien metida en carnes; y cuando alguna vez sale de la cocina con los brazos remangados y tan redondos... ¡vamos, que esto es una locura! ¡Y esa doble barbilla y esos pliegues que se le hacen en el cuello...! Esto es terrible, terrible, terrible...»

«Ven acá, Orfeo –prosiguió, cogiendo al perro—, ¿qué crees tú que debo yo hacer? ¿Cómo

---

[1] El filósofo francés Jean de Buridan (1300-1358?) estudia la naturaleza de la libertad, que define como la capacidad de elegir entre dos o más alternativas deseables, lo que se llama *libertas oppositionis*. Parte de un determinismo intelectual, según el cual la voluntad sigue siempre al entendimiento. Cuando entran en conflicto varios elementos, la voluntad debe elegir el mejor; si son igualmente buenos, no habrá elección. Como en el ejemplo del asno que, padeciendo hambre y sed, no se decide a elegir entre el agua y el saco de cebada, y acaba muriéndose. A Augusto le ocurre lo mismo con Eugenia y Rosario.

voy a defenderme de esto hasta que al fin me decida y me case? ¡Ah, ya! ¡una idea, una idea luminosa, Orfeo! Convirtamos a la mujer, que así me persigue, en materia de estudio. ¿Qué te parece de que me dedique a la psicología femenina? Sí, sí, y haré dos monografías, pues ahora se lleva mucho las monografías; una se titulará: *Eugenia*, y la otra: *Rosario*, añadiendo: *estudio de mujer*. ¿Qué te parece de mi idea, Orfeo?»

Y decidió ir a consultarlo con Antolín S. —o sea, Sánchez— Paparrigópulos, que por entonces se dedicaba a estudios de mujeres, aunque más en los libros que no en la vida.

Antolín S. Paparrigópulos era lo que se dice un erudito, un joven que había de dar a la patria días de gloria dilucidando sus más ignoradas glorias. Y si el nombre de S. Paparrigópulos no sonaba aún entre los de aquella juventud bulliciosa que a fuerza de ruido quería atraer sobre sí la atención pública, era porque poseía la verdadera cualidad íntima de la fuerza: la paciencia, y porque era tal su respeto al público y a sí mismo que dilataba la hora de su presentación hasta que, suficientemente preparado, se sintiera seguro en el suelo que pisaba.

1450 Muy lejos de buscar con cualquier novedad arlequinesca un efímero renombre de relumbrón cimentado sobre la ignorancia ajena, aspiraba en cuantos trabajos literarios tenía en proyecto a la perfección que en lo humano cabe y a no salirse, sobre todo, de los linderos de la sensatez y del buen gusto. No quería desafinar para hacerse oír, sino reforzar con su voz, debidamente disciplinada, la hermosa sinfonía genuinamente nacional y castiza.

La inteligencia de S. Paparrigópulos era cla-

ra, sobre todo clara, de una trasparencia maravillosa, sin nebulosidades ni embolismos[2] de ninguna especie. Pensaba en castellano neto, sin aso-
mo alguno de hórridas brumas setentrionales[3] ni
dejos de decadentismos de bulevar parisiense, en
limpio castellano, y así era como pensaba sólido
y hondo, porque lo hacía con el alma del pueblo
que lo sustentaba y a que debía su espíritu. Las
nieblas hiperbóreas le parecían bien entre los be-
bedores de cerveza encabezada[4], pero no en esta
clarísima España de esplendente cielo y de sano
Valdepeñas enyesado[5]. Su filosofía era la del malogrado Becerro de Bengoa[6], que después de llamar tío raro a Schopenhauer[7], aseguraba que no
se le habrían ocurrido a éste las cosas que se le
ocurrieron, ni habría sido tan pesimista, de haber
bebido Valdepeñas en vez de cerveza, y que decía también que la neurastenia proviene de meterse uno en lo que no le importa y que se cura
con ensalada de burro.

Convencido S. Paparrigópulos de que en última instancia todo es forma, forma más o menos
interior, el universo mismo un caleidoscopio de
formas enchufadas las unas en las otras, y de que
por la forma viven cuantas grandes obras salvan

---

[2] *embolismos*: mezcla y confusión de muchas cosas.
[3] *setentrionales*: la forma habitual es *septentrionales*. Unamuno
simplifica por su cuenta el grupo consonántico culto —*pt*—. Se repon-
drá en la edición de 1935.
[4] «Cerveza encabezada» es aquella a la que se le ha añadido
alcohol.
[5] «Valdepeñas enyesado» alude a la operación de echar yeso a
los vinos para aumentar su fuerza o favorecer su conservación.
[6] Ricardo Becerro de Bengoa (1845-1902) fue un escritor polifa-
cético que escribió muchos artículos periodísticos.
[7] Arthur Schopenhauer (1788-1860), filósofo alemán pesimista,
es autor de *El mundo como voluntad y como representación*.

217

los siglos, trabajaba con el esmero de los maravillosos artífices del Renacimiento el lenguaje que había de revestir a sus futuros trabajos.

Había tenido la virtuosa fortaleza de resistir a todas las corrientes de sentimentalismo neorromántico y a esa moda asoladora por las cuestiones llamadas sociales. Convencido de que la cuestión social es insoluble aquí abajo, de que habrá siempre pobres y ricos y de que no puede esperarse más alivio que el que aporten la caridad de éstos y la resignación de aquéllos, apartaba su espíritu de disputas que a nada útil conducen y refugiábase en la purísima región del arte inmaculado, adonde no alcanza la broza de las pasiones y donde halla el hombre consolador refugio para las desilusiones de la vida. Abominaba, además, del estéril cosmopolitismo, que no hace sino sumir a los espíritus en ensueños de impotencia y en utopías enervadoras, y amaba a esta su idolatrada España, tan calumniada cuanto desconocida de no pocos de sus hijos; a esta España que le había de dar la materia prima de los trabajos sobre que fundaría su futura fama.

Dedicaba Paparrigópulos las poderosas energías de su espíritu a investigar la íntima vida pasada de nuestro pueblo, y era su labor tan abnegada como sólida. Aspiraba nada menos que a resucitar a los ojos de sus compatriotras nuestro pasado —es decir, el presente de sus bisabuelos—, y conocedor del engaño de cuantos lo intentaban a pura fantasía, buscaba y rebuscaba en todo género de viejas memorias para levantar sobre inconmovibles sillares el edificio de su erudita ciencia histórica. No había suceso pasado, por insignificante que pareciese, que no tuviera a sus ojos un precio inestimable.

1455 Sabía que hay que aprender a ver el universo en una gota de agua, que con un hueso constituye el paleontólogo el animal entero y con un asa de puchero toda una vieja civilización el arqueólogo, sin desconocer tampoco que no debe mirarse a las estrellas con microscopio y con telescopio a un infusorio, como los humoristas acostumbran hacer para ver turbio. Mas aunque sabía que un asa de puchero bastaba al arqueólogo genial para reconstruir un arte enterrado en los limbos del olvido, como en su modestia no se tenía por genio, prefería dos asas a una asa sola —cuantas más asas mejor— y prefería el puchero todo al asa sola.

«Todo lo que en extensión parece ganarse, piérdese en intensidad»; tal era su lema. Sabía Paparrigópulos que en un trabajo el más especificado, en la más concreta monografía puede verterse una filosofía entera, y creía, sobre todo, en las maravillas de la diferenciación del trabajo y en el enorme progreso aportado a las ciencias por la abnegada legión de los pincha-ranas, caza-vocablos, barrunta-fechas y cuenta-gotas[8] de toda laya.

Tentaban en especial su atención los más arduos y enrevesados problemas de nuestra historia literaria, tales como el de la patria de Prudencio[9], aunque últimamente, a consecuencia decíase de unas calabazas, se dedicaba al estudio de mujeres españolas de los pasados siglos.

---

[8] Se trata de una serie de neologismos con los que Unamuno ridiculiza a los científicos positivistas que pierden la perspectiva de la realidad por estar atentos sólo al detalle.

[9] Prudencio (348-410?) es un poeta hispanolatino que escribió himnos y obras didáctico-teológicas. Sabemos que nació en la Hispania Tarraconense, pero Zaragoza, Calahorra y Tarragona se disputan su cuna.

En trabajos de índole al parecer insignificante era donde había que ver y admirar la agudeza, la sensatez, la perspicacia, la maravillosa intuición histórica y la penetración crítica de S. Paparrigópulos. Había que ver sus cualidades así, aplicadas y en concreto, sobre lo vivo, y no en abstracta y pura teoría; había que verle en la suerte. Cada disertación de aquéllas era todo un curso de lógica inductiva, un monumento tan maravilloso como la obra de Lionnet[10] acerca de la oruga del sauce, y una muestra, sobre todo, de lo que es el austero amor a la santa Verdad. Huía de la ingeniosidad como de la peste y creía que sólo acostumbrándonos a respetar a la divina Verdad, aun en lo más pequeño, podremos rendirla el debido culto en lo grande.

Preparaba una edición popular de los apólogos de Calila y Dimna[11] con una introducción acerca de la influencia de la literatura índica[12] en la Edad Media española, y ojalá hubiese llegado a publicarla, porque su lectura habría apartado, de seguro, al pueblo de la taberna y de perniciosas doctrinas de imposibles redenciones económicas. Pero las dos obras magnas que proyectaba Paparrigópulos eran una historia de los escritores oscuros españoles, es decir, de aquellos que no figuran en las historias literarias corrientes o figuran sólo en rápida mención por la supuesta insignificancia de sus obras, corrigiendo así la injusticia

---

[10] El francés Jean Lionnet es un crítico literario y botánico contemporáneo de Unamuno.

[11] *Calila y Dimna* es la primera colección de fábulas orientales traducidas al castellano en la Edad Media. Es de origen hindú; la mayor parte de los materiales proceden del *Panchatantra*.

[12] *índica*: hindú.

de los tiempos, injusticia que tanto deploraba y aun temía, y era otra su obra acerca de aquellos cuyas obras se han perdido sin que nos quede más que la mención de sus nombres y a lo sumo la de los títulos de las que escribieron. Y estaba a punto de acometer la historia de aquellos otros que habiendo pensado escribir no llegaron a hacerlo.

1460 Para el mejor logro de sus empresas, una vez nutrido del sustancioso meollo de nuestra literatura nacional, se había bañado en las extranjeras, y como esto se le hacía penoso, pues era torpe para lenguas extranjeras y su aprendizaje exige tiempo que para más altos estudios necesitaba, recurrió a un notable expediente, aprendido de su ilustre maestro. Y era que leía las principales obras de crítica e historia literaria que en el extranjero se publicaran, siempre que las hallase en francés, y una vez que había cogido la opinión media de los críticos más reputados, respecto a este o aquel autor, hojeábale en un periquete para cumplir con su conciencia y quedar libre para rehacer juicios ajenos sin mengua de su escrupulosa integridad de crítico.

Vese, pues, que no era S. Paparrigópulos uno de esos jóvenes espíritus vagabundos y erráticos que se pasean sin rumbo fijo por los dominios del pensamiento y de la fantasía, lanzando acaso acá y allá tal cual fugitivo chispazo, ¡no! Sus tendencias eran rigurosa y sólidamente itinerarias; era de los que van a alguna parte. Si en sus estudios no habría de aparecer nada saliente, deberíase a que en ellos todo era cima, siendo a modo de mesetas, trasunto fiel de las vastas y soleadas llanuras castellanas donde ondea la mies dorada y sustanciosa.

¡Así diera la Providencia a España muchos Antolines Sánchez Paparrigópulos! Con ellos, haciéndonos todos dueños de nuestro tradicional peculio, podríamos sacarle pingües rendimientos. Paparrigópulos aspiraba —y aspira, pues aún vive y sigue preparando sus trabajos— a introducir la reja de su arado crítico, aunque sólo sea un centímetro más que los aradores que le habían precedido en su campo, para que la mies crezca, merced a nuevos jugos, más lozana y granen mejor las espigas y la harina sea más rica y comamos los españoles mejor pan espiritual y más barato.

Hemos dicho que Paparrigópulos sigue trabajando y preparando sus trabajos para darlos a luz. Y así es. Augusto había tenido noticia de los estudios de mujeres a que se dedicaba por comunes amigos de uno y de otro, pero no había publicado nada ni lo ha publicado todavía.

No faltan otros eruditos que con la característica caridad de la especie, habiendo vislumbrado a Paparrigópulos y envidiosos de antemano de la fama que preveen le espera, tratan de empequeñecerle. Tal hay que dice de Paparrigópulos que, como el zorro, borra con el jopo[13] sus propias huellas, dando luego vueltas y más vueltas por otros derroteros para despistar al cazador y que no se sepa por dónde fue a atrapar la gallina, cuando si de algo peca, es de dejar en pie los andamios, una vez acabada la torre, impidiendo así que se admire y vea bien ésta. Otro le llama desdeñosamente concinador[14], como si el de conci-

---

[13] *jopo*: cola de mucho pelo.
[14] *concinador*: persona que predica o razona en público.

nar no fuese arte supremo. El de más allá le acu-
sa, ya de traducir, ya de arreglar ideas tomadas
del extranjero, olvidando que al revestirlas Paparrigópulos en tan neto, castizo y trasparente
castellano como es el suyo, las hace castellanas
y por ende[15] propias, no de otro modo que hizo
el P. Isla[16] propio el *Gil Blas* de Lesage[17]. Alguno
le moteja de que su principal apoyo es su honda
fe en la ignorancia ambiente, desconociendo el
que así le juzga que la fe es trasportadora de montañas. Pero la suprema injusticia de estos y otros
rencorosos juicios de gentes a quienes Paparrigópulos ningún mal ha hecho, su injusticia notoria,
se verá bien clara con sólo tener en cuenta que
todavía no ha dado Paparrigópulos nada a luz y
que todos los que le muerden los zancajos hablan
de oídas y por no callar.

1465   No se puede, en fin, escribir de este erudito
singular sino con reposada serenidad y sin efec-
tismos *nivolescos* de ninguna clase.

En este hombre, quiero decir, en este erudito, pues, pensó Augusto, sabedor de que se dedicaba a estudios de mujeres, claro está que en
los libros, que es tratándose de ellas lo menos expuesto, y de mujeres de pasados siglos, que son
también mucho menos expuestas para quien las
estudia que las mujeres de hoy.

---

[15] *por ende:* por tanto; arcaísmo.
[16] Francisco José de Isla (1706-1781) es un jesuita español autor de una novela satírica de gran éxito en su época: *Fray Gerundio
de Campazas, alias Zotes* (1758). Tradujo al castellano la obra que se
cita en la nota 17.
[17] *Gil Blas de Santillana* es una célebre novela picaresca del francés Alain René Lesage (1668-1747), sobre cuya originalidad se entabló una fuerte polémica.

A este Antolín, erudito solitario que por timidez de dirigirse a las mujeres en la vida y para vengarse de esa timidez las estudiaba en los libros, fue a quien acudió a ver Augusto para de él aconsejarse.

No bien le hubo expuesto su propósito, prorrumpió el erudito:

—¡Ay, pobre señor Pérez, cómo le compadezco a usted! ¿Quiere estudiar a la mujer? Tarea le mando...

1470 —Como usted la estudia...

—Hay que sacrificarse. El estudio, y el estudio oscuro, paciente, silencioso, es mi razón de ser en la vida. Pero yo, ya lo sabe usted, soy un modesto, modestísimo obrero del pensamiento, que acopio y ordeno materiales para que otros que vengan detrás de mí sepan aprovecharlos. La obra humana es colectiva; nada que no sea colectivo es ni sólido ni durable...

—¿Y las obras de los grandes genios? La *Divina comedia*[18], la *Eneida*[19], una tragedia de Shakespeare, un cuadro de Velázquez...

—Todo eso es colectivo, mucho más colectivo de lo que se cree. La *Divina comedia,* por ejemplo, fue preparada por toda una serie...

—Sí, ya sé eso.

1475 —Y respecto a Velázquez... A propósito, ¿conoce usted el libro de Justi[20] sobre él?

---

[18] La *Divina comedia* es un poema alegórico del florentino Dante Alighieri (1265-1321), en el que se nos narra un viaje al infierno, al purgatorio y al cielo.

[19] La *Eneida* es la gran epopeya culta latina, obra de Publio Virgilio Marón (70-19 a. C.).

[20] El crítico de arte alemán Karl Justi (1832-1912) es autor de una obra titulada *Diego Velázquez und sein Jahrhundert* (*Diego Velázquez y su siglo*).

Para Antolín, el principal, casi el único valor de las grandes obras maestras del ingenio humano, consiste en haber provocado un libro de crítica o de comentario; los grandes artistas, poetas, pintores, músicos, historiadores, filósofos, han nacido para que un erudito haga su biografía y un crítico comente sus obras, y una frase cualquiera de un gran escritor directo no adquiere valor hasta que un erudito no la repite y cita la obra, la edición y la página en que la expuso. Y todo aquello de la solidaridad del trabajo colectivo no era más que envidia e impotencia. Pertenecía a la clase de esos comentadores de Homero[21] que si Homero mismo redivivo entrase en su oficina cantando, le echarían a empellones porque les estorbaba el trabajar sobre los textos muertos de sus obras y buscar un *apax*[22] cualquiera en ellas.

—Pero, bien, ¿qué opina usted de la psicología femenina? —le preguntó Augusto.

—Una pregunta así, tan vaga, tan genérica, tan en abstracto, no tiene sentido preciso para un modesto investigador como yo, amigo Pérez, para un hombre que no siendo genio, ni deseando serlo...

—¿Ni deseando?

—Sí, ni deseando. Es mal oficio. Pues bien, esa pregunta carece de sentido preciso para mí. El contestarla exigiría...

—Sí, vamos, como aquel otro cofrade de usted que escribió un libro sobre psicología del pueblo español y siendo, al parecer, español él y viviendo entre españoles, no se le ocurrió sino de-

1480

---

[21] Homero es un poeta épico griego del siglo IX a. C. al que se atribuyen la *Ilíada* y la *Odisea*.
[22] *apax*: palabra que aparece una sola vez en la obra de un autor.

cir que éste dice esto y aquél aquello otro y hacer una bibliografía.

—¡Ah, la bibliografía! Sí, ya sé...

—No, no siga usted, amigo Paparrigópulos, y dígame lo más concretamente que sepa y pueda, qué le parece de la psicología femenina.

—Habría que empezar por plantear una primera cuestión y es la de si la mujer tiene alma.

1485 —¡Hombre!

—Ah, no sirve desecharla así, tan en absoluto...

«¿La tendrá él?», pensó Augusto, y luego:

—Bueno, pues de lo que en las mujeres hace las veces de alma... ¿qué cree usted?

—¿Me promete usted, amigo Pérez, guardarme el secreto de lo que le voy a decir?... Aunque, no, no, usted no es erudito.

1490 —¿Qué quiere usted decir con eso?

—Que usted no es uno de esos que están a robarle a uno lo último que le hayan oído y darlo como suyo...

—Pero ¿ésas tenemos...?

—Ay, amigo Pérez, el erudito es por naturaleza un ladronzuelo; se lo digo a usted yo, yo, yo que lo soy. Los eruditos andamos a quitarnos unos a otros las pequeñas cositas que averiguamos y a impedir que otro se nos adelante.

—Se comprende: el que tiene almacén guarda su género con más celo que el que tiene fábrica; hay que guardar el agua del pozo, no la del manantial.

1495 —Puede ser. Pues bien, si usted, que no es erudito, me promete guardarme el secreto hasta que yo lo revele, le diré que he encontrado en un oscuro y casi desconocido escritor holandés del siglo XVII una interesantísima teoría respecto al alma de la mujer...

—Veámosla.

—Dice ese escritor, y lo dice en latín, que así como cada hombre tiene su alma, las mujeres todas no tienen sino una sola y misma alma, un alma colectiva, algo así como el entendimiento agente de Averroes[23], repartida entre todas ellas. Y añade que las diferencias que se observan en el modo de sentir, pensar y querer de cada mujer provienen no más que de las diferencias del cuerpo, debidas a raza, clima, alimentación, etc., y que por eso son tan insignificantes. Las mujeres, dice ese escritor, se parecen entre sí mucho más que los hombres y es porque todas son una sola y misma mujer...

—Ve ahí por qué, amigo Paparrigópulos, así que me enamoré de una, me sentí enseguida enamorado de todas las demás.

—¡Claro está! Y añade ese interesantísimo y casi desconocido ginecólogo que la mujer tiene mucha más individualidad, pero mucha menos personalidad, que el hombre; cada una de ellas se siente más ella, más individual, que cada hombre, pero con menos contenido.

1500 —Sí, sí, creo entrever lo que sea.

—Y por eso, amigo Pérez, lo mismo da que estudie usted a una mujer o a varias. La cuestión es ahondar en aquella a cuyo estudio usted se dedique.

—Y ¿no sería mejor tomar dos o más para po-

---

[23] Averroes (1126-1198) es un filósofo, astrónomo y jurisconsulto hispanoárabe, comentador de Aristóteles. Sostiene la teoría de que el entendimiento es uno solo y existe como sustancia separada de los individuos.

der hacer el estudio comparativo? Porque ya sabe usted que ahora se lleva mucho esto de lo comparativo...

—En efecto, la ciencia es comparación; mas en punto a mujeres no es menester comparar. Quien conozca una, una sola bien, las conoce todas, conoce a la Mujer. Además, ya sabe usted que todo lo que se gana en extensión se pierde en intensidad.

—En efecto, y yo deseo dedicarme al cultivo intensivo y no al extensivo de la mujer. Pero dos por lo menos... por lo menos dos...

1505 —¡No, dos no! ¡de ninguna manera! De no contentarse con una, que yo creo es lo mejor y es bastante tarea, por lo menos tres. La dualidad no cierra.

—¿Cómo que no cierra la dualidad?

—Claro está. Con dos líneas no se cierra espacio. El más sencillo polígono es el triángulo. Por lo menos tres.

—Pero el triángulo carece de profundidad. El más sencillo poliedro es el tetraedro; de modo que por lo menos cuatro.

—Pero dos no, ¡nunca! De pasar de una, por lo menos tres. Pero ahonde usted en una.

1510 —Tal es mi propósito.

XXIV

Cuando salió Augusto de su entrevista con Paparrigópulos íbase diciendo: «De modo que tengo que renunciar a una de las dos o buscar una tercera. Aunque para esto del estudio psicológico bien me puede servir de tercer término, de término puramente ideal de comparación, Liduvina. Tengo, pues, tres: Eugenia, que me habla a la imaginación, a la cabeza; Rosario, que me habla al corazón, y Liduvina, mi cocinera, que me habla al estómago. Y cabeza, corazón y estómago son las tres facultades del alma que otros llaman inteligencia, sentimiento y voluntad. Se piensa con la cabeza, se siente con el corazón y se quiere con el estómago. ¡Esto es evidente! Y ahora...»

«Ahora —prosiguió pensando—, ¡una idea luminosa, luminosísima! Voy a fingir que quiero pretender de nuevo a Eugenia, voy a solicitarla de nuevo, a ver si me admite de novio, de futuro marido, claro que no más que para probarla; como un experimento psicológico y seguro como estoy de que ella me rechazará... ¡pues no faltaba más! Tiene que rechazarme. Después de lo pasado, después de lo que en nuestra última entrevista me dijo, no es posible ya que me admita. Es una mujer de palabra, creo. Mas... ¿es que las mujeres tienen palabra? ¿es que la mujer, la Mujer, así, con letra mayúscula, la única, la que se reparte entre millones de cuerpos femeninos y más o menos hermosos —más bien más que menos—, es que la Mujer está obligada a guardar su palabra? Eso de guardar su palabra ¿no es acaso masculino? Pero ¡no, no! Eugenia no puede admitirme; no me quiere. No me quiere y aceptó ya mi dádiva. Y si aceptó mi dádiva y la disfruta, ¿para qué va a quererme?»

«Pero... ¿y si, volviéndose atrás de lo que me dijo —pensó luego—, me dice que sí y me acepta como novio, como futuro marido? Porque hay que ponerse en todo. ¿Y si me acepta?, digo. ¡Me fastidia! ¡Me pesca con mi propio anzuelo! ¡Eso sí que sería el pescador pescado! Pero ¡no, no! ¡no puede ser! ¿Y si es? ¡Ah! Entonces no queda sino resignarse. ¿Resignarse? Sí, resignarse. Hay que saber resignarse a la buena fortuna. Y acaso la resignación a la dicha es la ciencia más difícil. ¿No nos dice Píndaro[1] que las desgracias todas de Tántalo[2] le provinieron de no haber podido digerir su felicidad? ¡Hay que digerir la felicidad! Y si Eugenia me dice que sí, si me acepta, entonces... ¡venció la psicología! ¡Viva la psicología! Pero ¡no, no, no! No me aceptará, no puede aceptarme, aunque sólo sea por salirse con la suya. Una mujer como Eugenia no da su brazo a torcer; la Mujer, cuando se pone frente al Hombre a ver cuál es de más tesón y constancia en sus propósitos, es capaz de todo... ¡No, no me aceptará!»

—Rosarito le espera.

1515   Con estas tres palabras, preñadas de sentimientos, interrumpió Liduvina el curso de las reflexiones de su amo.

—Di, Liduvina, ¿crees tú que las mujeres sois fieles a lo que una vez hayáis dicho? ¿sabéis guardar vuestra palabra?

---

[1]   Véase nota 3 del capítulo II.
[2]   Tántalo, según la mitología griega, fue condenado por los dioses a sufrir eternamente hambre y sed. Estando atado y sumergido en el agua hasta el cuello, el líquido se retiraba de él cuando iba a beberlo, y lo mismo ocurría con los frutos que colgaban de las ramas rozándole la cabeza.

—Según y conforme.

—Sí, el estribillo de tu marido. Pero contesta derechamente y no como acostumbráis hacer las mujeres, que rara vez contestáis a lo que se os pregunta, sino a lo que se os figuraba que se os iba a preguntar.

—Y ¿qué es lo que usted quiso preguntarme?

1520 —Que si vosotras las mujeres guardáis una palabra que hubieseis dado.

—Según la palabra.

—¿Cómo según la palabra?

—Pues claro está. Unas palabras se dan para guardarlas y otras para no guardarlas. Ya nadie se engaña, porque es valor entendido...

—Bueno, bueno, di a Rosario que entre.

1525 Y cuando Rosario entró, preguntóle Augusto:

—Di, Rosario, ¿qué crees tú, que una mujer debe guardar la palabra que dio o que no debe guardarla?

—No recuerdo haberle dado a usted palabra alguna...

—No se trata de eso, sino de si debe o no una mujer guardar la palabra que dio...

—Ah, sí, lo dice usted por la otra... por esa mujer...

1530 —Por lo que lo diga; ¿qué crees tú?

—Pues yo no entiendo de esas cosas...

—¡No importa!

—Bueno, ya que usted se empeña, le diré que lo mejor es no dar palabra alguna.

—¿Y si se ha dado?

1535 —No haberlo hecho.

«Está visto —se dijo Augusto— que a esta mozuela no la saco de ahí. Pero ya que está aquí, voy a poner en juego la psicología, a llevar a cabo un experimento.»

—¡Ven acá, siéntate aquí! —y le ofreció sus rodillas.

La muchacha obedeció tranquilamente y sin inmutarse, como a cosa acordada y prevista. Augusto en cambio quedóse confuso y sin saber por dónde empezar su experiencia psicológica. Y como no sabía qué decir, pues... hacía. Apretaba a Rosario contra su pecho anhelante y le cubría la cara de besos, diciéndose entretanto: «Me parece que voy a perder la sangre fría necesaria para la investigación psicológica.» Hasta que de pronto se detuvo, pareció calmarse, apartó a Rosario algo de sí y la dijo de repente.

— Pero ¿no sabes que quiero a otra mujer?

1540 Rosario se calló, mirándole fijamente y encogiéndose de hombros.

—Pero ¿no lo sabes? —repitió él.

—¿Y a mí qué me importa eso ahora...?

—¿Cómo que no te importa?

—¡Ahora, no! Ahora me quiere usted a mí, me parece.

1545 —Y a mí también me parece, pero...

Y entonces ocurrió algo insólito, algo que no entraba en las previsiones de Augusto, en su programa de experiencias psicológicas sobre la Mujer, y es que Rosario, bruscamente, le enlazó los brazos al cuello y empezó a besarle. Apenas si el pobre hombre tuvo tiempo para pensar: «Ahora soy yo el experimentado; esta mozuela está haciendo estudios de psicología masculina.» Y sin darse cuenta de lo que hacía sorprendióse acariciando con las temblorosas manos las pantorrillas de Rosario.

Levantóse de pronto Augusto, levantó luego en vilo a Rosario y la echó en el sofá. Ella se dejaba hacer, con el rostro encendido. Y él, teniéndola sujeta de los brazos con sus dos manos, se le quedó mirando a los ojos.

—¡No los cierres, Rosario, no los cierres, por Dios! Ábrelos. Así, así, cada vez más. Déjame que me vea en ellos, tan chiquitito...

Y al verse a sí mismo en aquellos ojos como en un espejo vivo, sintió que la primera exaltación se le iba templando.

1550 —Déjame que me vea en ellos como en un espejo, que me vea tan chiquitito... Sólo así llegaré a conocerme... viéndome en ojos de mujer...

Y el espejo le miraba de un modo extraño. Rosario pensaba: «Este hombre no me parece como los demás; debe de estar loco.»

Apartóse de pronto de ella Augusto, se miró a sí mismo, y luego se palpó, exclamando al cabo:

—Y ahora, Rosario, perdóname.

—¿Perdonarle? ¿por qué?

1555 Y había en la voz de la pobre Rosario más miedo que otro sentimiento alguno. Sentía deseos de huir, porque ella se decía: «Cuando uno empieza a decir o hacer incongruencias, no sé adónde va a parar. Este hombre sería capaz de matarme en un arrebato de locura.» Y le brotaron unas lágrimas.

—¿Lo ves? —le dijo Augusto— ¿lo ves? Sí, perdóname, Rosarito, perdóname; no sabía lo que me hacía.

Y ella pensó: «Lo que no sabe es lo que no se hace».

—Y ahora, ¡vete, vete!

—¿Me echa usted?

1560 —No, me defiendo. ¡No te echo, no! ¡Dios me libre! Si quieres me iré yo y te quedas aquí tú, para que veas que no te echo.

«Decididamente, no está bueno», pensó ella y sintió lástima de él.

—Vete, vete, y no me olvides, ¿eh? —le cogió de la barbilla, acariciándosela—. No me olvides; no olvides al pobre Augusto.

La abrazó y la dio un largo y apretado beso en la boca. Al salir la muchacha le dirigió una mirada llena de un misterioso miedo. Y apenas salió, pensó para sí Augusto: «Me desprecia, indudablemente me desprecia; he estado ridículo, ridículo, ridículo... Pero ¿qué sabe ella, pobrecita, de estas cosas? ¿Qué sabe ella de psicología?»

Si el pobre Augusto hubiese podido entonces leer en el espíritu de Rosario, habríase desesperado más. Porque la ingenua mozuela iba pensando: «Cualquier día vuelvo a darme yo un rato así a beneficio de la otra prójima...»

1565 Íbale volviendo la exaltación a Augusto. Sentía que el tiempo perdido no vuelve trayendo las ocasiones que se desperdiciaron. Entróle una rabia contra sí mismo. Sin saber qué hacía y por ocupar el tiempo llamó a Liduvina. Y al verla ante sí, tan serena, tan rolliza, sonriéndose maliciosamente, fue tal y tan insólito el sentimiento que le invadió, que diciéndole: «¡vete, vete, vete!», se salió a la calle. Es que temió un momento no poder contenerse y asaltar a Liduvina.

Al salir a la calle se encalmó. La muchedumbre es como un bosque; le pone a uno en su lugar, le reencaja.

«¿Estaré bien de la cabeza?», iba pensando Augusto. «¿No será acaso que mientras yo creo ir formalmente por la calle, como las personas normales —¿y qué es una persona normal?—, vaya haciendo gestos, contorsiones y pantomimas, y que la gente que yo creo pasa sin mirarme o que me mira indiferentemente no sea así, sino que están todos fijos en mí y riéndose o compadeciéndome...? Y esta ocurrencia ¿no es acaso locura? ¿Estaré de veras loco? Y en último caso, aunque lo esté, ¿qué? Un hombre de corazón, sensible, bueno, si no se vuelve loco es por ser un perfecto majadero. El que no está loco es o tonto o pillo. Lo que no quiere decir, claro está, que los pillos y los tontos no enloquezcan.»

«Lo que he hecho con Rosarito —prosiguió pensando— ha sido ridículo, sencillamente ridículo. ¿Qué habrá pensado de mí? Y ¿qué me importa lo que de mí piense una mozuela así?... ¡pobrecilla! Pero... ¡con qué ingenuidad se dejaba hacer! Es un ser fisiológico, perfectamente fisiológico, nada más que fisiológico, sin psicología alguna. Es inútil, pues, tomarla de conejilla de Indias o de ranita para experimentos psicológicos. A lo sumo, fisiológicos... Pero ¿es que la psicología, y sobre todo la femenina, es algo más que fisiología, o si se quiere psicología fisiológica? ¿Tiene la mujer alma? Y a mí para meterme en experimentos psicofisiológicos me falta preparación técnica. Nunca asistí a ningún laboratorio...; carezco, además, de aparatos. Y la psicofisiología exige aparatos. ¿Estaré, pues, loco?»

Después de haberse desahogado con estas meditaciones callejeras, por en medio de la atareada muchedumbre indiferente a sus cuitas, sintióse ya tranquilo y se volvió a casa.

XXV

1570   Fue Augusto a ver a Víctor, a acariciar al tardío hijo de éste, a recrearse en la contemplación de la nueva felicidad de aquel hogar, y de paso a consultar con él sobre el estado de su espíritu. Y al encontrarse con su amigo a solas, le dijo:

—¿Y de aquella novela o... ¿cómo era?... ¡ah, sí, *nivola...!* que estabas escribiendo? ¿supongo que ahora, con lo del hijo, la habrás abandonado?

—Pues supones mal. Precisamente por eso, por ser ya padre, he vuelto a ella. Y en ella desahogo el buen humor que me llena.

—¿Querrías leerme algo de ella?

Sacó Víctor las cuartillas y empezó a leer por aquí y por allá a su amigo.

1575   —Pero, hombre, ¡te me han cambiado! —exclamó Augusto.

—¿Por qué?

—Porque ahí hay cosas que rayan en lo pornográfico y hasta a las veces pasan de ello...

—¿Pornográfico? ¡De ninguna manera! Lo que hay aquí son crudezas, pero no pornografía. Alguna vez algún desnudo, pero nunca un desvestido. Lo que hay es realismo...

—Realismo, sí, y además...

1580   —Cinismo, ¿no es eso?

—¡Cinismo, sí!

—Pero el cinismo no es pornografía. Estas crudezas son un modo de excitar la imaginación para conducirla a un examen más penetrante de la realidad de las cosas; estas crudezas son crudezas... pedagógicas. ¡Lo dicho, pedagógicas!

—Y algo grotescas...

—En efecto, no te lo niego. Gusto de la bufonería.

1585 —Que es siempre en el fondo tétrica.

—Por lo mismo. No me agradan sino los chistes lúgubres, las gracias funerarias. La risa por la risa misma me da grima, y hasta miedo. La risa no es sino la preparación para la tragedia.

—Pues a mí esas bufonadas crudas me producen un detestable efecto.

—Porque eres un solitario, Augusto, un solitario, entiéndemelo bien, un solitario... Y yo las escribo para curar... No, no, no las escribo para nada, sino porque me divierte escribirlas y si divierten a los que las lean, me doy por pagado. Pero si a la vez logro con ellas poner en camino de curación a algún solitario como tú, de doble soledad...

—¿Doble?

1590 —Sí, soledad de cuerpo y soledad de alma.

—A propósito, Víctor.

—Sí, ya sé lo que vas a decirme. Venías a consultarme sobre tu estado, que desde hace algún tiempo es alarmante, verdaderamente alarmante, ¿no es eso?

—Sí, eso es.

—Lo adiviné. Pues bien, Augusto, cásate y cásate cuanto antes.

1595 —Pero ¿con cuál?

—¡Ah!, pero ¿hay más de una?

—Y ¿cómo has adivinado también esto?

—Muy sencillo. Si hubieses preguntado: «pero ¿con quién?», no habría supuesto que hay más de una ni que esa una haya; mas al preguntar: «pero ¿con cuál?», se entiende con cuál de las dos, o tres, o diez, o ene.

—Es verdad.

1600 —Cásate, pues, cásate, con una cualquiera de las ene de que estás enamorado, con la que tengas más a mano. Y sin pensarlo demasiado. Ya ves,

237

yo me casé sin pensarlo; nos tuvieron que casar.

—Es que ahora me ha dado por dedicarme a las experiencias de psicología femenina.

—La única experiencia psicológica sobre la Mujer es el matrimonio. El que no se casa jamás podrá experimentar psicológicamente el alma de la Mujer. El único laboratorio de psicología femenina o de ginepsicología[1] es el matrimonio.

—Pero ¡eso no tiene remedio!

—Ninguna experimentación de verdad le tiene. Todo el que se mete a querer experimentar algo, pero guardando la retirada, no quemando las naves, nunca sabe nada de cierto. Jamás te fíes de otro cirujano que de aquel que se haya amputado a sí mismo algún propio miembro, ni te entregues a alienista[2] que no esté loco. Cásate, pues, si quieres saber psicología.

1605   —De modo que los solteros...

—La de los solteros no es psicología; no es más que metafísica, es decir, más allá de la física, más allá de lo natural.

—Y ¿qué es eso?

—Poco menos que en lo que estás tú.

—¿Yo estoy en la metafísica? Pero ¡si yo, querido Víctor, no estoy más allá de lo natural, sino más acá de ello!

1610   —Es igual.

—¿Cómo que es igual?

—Sí, más acá de lo natural es lo mismo que más allá, como más allá del espacio es lo mismo que más acá de él. ¿Ves esta línea? —y trazó una

---

[1]   *Ginepsicología* es uno de los muchos neologismos creados por Unamuno; *gyné,* en griego, significa «mujer».
[2]   *alienista*: médico dedicado al estudio y curación de las enfermedades mentales.

línea en un papel—. Prolóngala por uno y otro extremo al infinito y los extremos se encontrarán, cerrarán en el infinito, donde se encuentra todo y todo se lía. Toda recta es curva de una circunferencia de radio infinito y en el infinito se cierra[3]. Luego lo mismo da lo de más acá de lo natural que lo de más allá. ¿No está claro?

—No, está oscurísimo, muy oscuro.

—Pues porque está tan oscuro, cásate.

1615 —Sí, pero... ¡me asaltan tantas dudas!

—Mejor, pequeño Hamlet, mejor. ¿Dudas?, luego piensas; ¿piensas?, luego eres.

—Sí, dudar es pensar.

—Y pensar es dudar y nada más que dudar. Se cree, se sabe, se imagina sin dudar; ni la fe, ni el conocimiento, ni la imaginación suponen duda y hasta la duda las destruye, pero no se piensa sin dudar. Y es la duda lo que de la fe y del conocimiento, que son algo estático, quieto, muerto, hace pensamiento, que es dinámico, inquieto, vivo.

—¿Y la imaginación?

1620 Sí, ahí cabe alguna duda. Suelo dudar lo que les he de hacer decir o hacer a los personajes de mi *nivola*, y aun después de que les he hecho decir o hacer algo, dudo de si estuvo bien y si es lo que en verdad les corresponde. Pero... ¡paso por todo! Sí, sí, cabe duda en el imaginar, que es un pensar[4]...

....

Mientras Augusto y Víctor sostenían esta conversación nivolesca, *yo, el autor de esta* nivola, *que*

---

[3]   Es un principio elemental de la teoría de la relatividad.

[4]   Esta exaltación de la duda es una constante del pensamiento unamuniano.

tienes, lector, en la mano y estás leyendo, me sonreía enigmáticamente al ver que mis nivolescos
personajes estaban abogando por mí y justifican-
do mis procedimientos, y me decía a mí mismo:
«¡cuán lejos estarán estos infelices de pensar que
no están haciendo otra cosa que tratar de justificar
lo que yo estoy haciendo con ellos! Así, cuando
uno busca razones para justificarse, no hace en rigor otra cosa que justificar a Dios. Y yo soy el Dios
de estos dos pobres diablos nivolescos.»

....

XXVI

Augusto se dirigió a casa de Eugenia dispuesto a tentar la última experiencia psicológica, la definitiva, aunque temiendo que ella le rechazase. Y encontróse con ella en la escalera, que bajaba para salir cuando él subía para entrar.

—¿Usted por aquí, don Augusto?

—Sí, yo; mas puesto que tiene usted que salir, lo dejaré para otro día; me vuelvo.

1625 —No, está arriba mi tío.

—No es con su tío, es con usted, Eugenia, con quien tenía que hablar. Dejémoslo para otro día.

—No, no, volvamos. Las cosas en caliente.

—Es que si está su tío...

—¡Bah! ¡es anarquista! No le llamaremos.

1630 Y obligó a Augusto a que subiese con ella. El pobre hombre, que había ido con aires de experimentador, sentíase ahora rana.

Cuando estuvieron solos en la sala, Eugenia, sin quitarse el sombrero, con el traje de calle con que había entrado, le dijo: «Bien, sepamos qué es lo que tenía que decirme.»

—Pues... pues... —y el pobre Augusto balbuceaba— pues... pues...

—Bien; pues ¿qué?

—Que no puedo descansar, Eugenia; que les he dado mil vueltas en el magín a las cosas que nos dijimos la última vez que hablamos, y que a pesar de todo no puedo resignarme, ¡no, no puedo resignarme, no lo puedo!

1635 —Y ¿a qué es a lo que no puede usted resignarse?

—Pues ¡a esto, Eugenia, a esto!

—Y ¿qué es esto?

—A esto, a que no seamos más que amigos...

—¡Más que amigos...! ¿Le parece a usted poco, señor don Augusto? ¿o es que quiere usted que seamos menos que amigos?

1640 —No, Eugenia, no, no es eso.

—Pues ¿qué es?

—Por Dios, no me haga sufrir...

—El que se hace sufrir es usted mismo.

—¡No puedo resignarme, no!

1645 —Pues ¿qué quiere usted?

—¡Que seamos... marido y mujer!

—¡Acabáramos!

—Para acabar hay que empezar.

—¿Y aquella palabra que me dio usted?

1650 —No sabía lo que me decía...

—Y la Rosario aquella...

—¡Oh, por Dios, Eugenia, no me recuerdes eso! ¡no pienses en la Rosario!

Eugenia entonces se quitó el sombrero, lo dejó sobre una mesilla, volvió a sentarse y luego pausadamente y con solemnidad dijo:

—Pues bien, Augusto, ya que tú, que eres al fin y al cabo un hombre, no te crees obligado a guardar la palabra, yo que no soy nada más que una mujer tampoco debo guardarla. Además, quiero librarte de la Rosario y de las demás Rosarios o Petras que puedan envolverte. Lo que no hizo la gratitud por tu desprendimiento ni hizo el despecho de lo que con Mauricio me pasó —ya ves si te soy franca— hace la compasión. ¡Sí, Augusto, me das pena, mucha pena! —y al decir esto le dio dos leves palmaditas con la diestra en una rodilla.

1655 —¡Eugenia! —y le tendió los brazos como para cogerla.

242 —¡Eh, cuidadito! —exclamó ella apartándose-

los y hurtándose de ellos— ¡cuidadito!

—Pues la otra vez... la última vez...

—¡Sí, pero entonces era diferente!

«Estoy haciendo de rana» —pensó el psicólogo experimental.

1660 —¡Sí —prosiguió Eugenia—, a un amigo, nada más que amigo, pueden permitírsele ciertas pequeñas libertades que no se debe otorgar al... vamos, al... novio!

—Pues no lo comprendo...

—Cuando nos hayamos casado, Augusto, te lo explicaré. Y ahora, quietecito, ¿eh?

«Esto es hecho» —pensó Augusto, que se sintió ya completa y perfectamente rana.

—Y ahora —agregó Eugenia levantándose— voy a llamar a mi tío.

1665 —¿Para qué?

—¡Toma, para darle parte!

—¡Es verdad! —exclamó Augusto consternado.

Al momento llegó don Fermín.

—Mire usted, tío —le dijo Eugenia—, aquí tiene usted a don Augusto Pérez que ha venido a pedirme la mano. Y yo se la he concedido.

1670 —¡Admirable! ¡admirable! —exclamó don Fermín— ¡admirable! ¡Ven acá, hija mía, ven acá que te abrace! ¡admirable!

—¿Tanto le admira a usted que vayamos a casarnos, tío?

—No, lo que me admira, lo que me arrebata, lo que me subyuga es la manera de haber resuelto este asunto, los dos solos, sin medianeros... ¡viva la anarquía! Y es lástima, es lástima que para llevar a cabo vuestro propósito tengáis que acudir a la autoridad... Por supuesto sin acatarla en el fuero interno de vuestra conciencia, ¿eh?, *pro formu-*

la[1], nada más que *pro formula*. Porque yo sé que os consideráis ya marido y mujer. ¡Y en todo caso yo, yo solo, en nombre del Dios anárquico, os caso! Y esto basta. ¡Admirable! ¡admirable! Don Augusto, desde hoy esta casa es su casa.

—¿Desde hoy?

—Tiene usted razón, sí, lo fue siempre. Mi casa... ¿mía? Esta casa que habito fue siempre de usted, fue siempre de todos mis hermanos. Pero desde hoy... usted me entiende.

1675   —Sí, le entiende a usted, tío.

En aquel momento llamaron a la puerta y Eugenia dijo: «¡La tía!» Y al entrar ésta en la sala y ver aquello, exclamó: —Ya, ¡enterada! ¿Conque es cosa hecha? Esto ya me lo sabía yo.

Augusto pensaba: «¡rana, rana completa! Y me han pescado entre todos».

—Se quedará usted hoy a comer con nosotros, por supuesto, para celebrarlo... —dijo doña Ermelinda.

—¡Y qué remedio! —se le escapó al pobre rana.

---

[1] *pro formula*: como fórmula.

XXVII

1680 Empezó entonces para Augusto una nueva vida. Casi todo el día se lo pasaba en casa de su novia y estudiando no psicología, sino estética.

¿Y Rosario? Rosario no volvió por su casa. La siguiente vez que le llevaron la ropa planchada fue otra la que se la llevó, una mujer cualquiera. Y apenas se atrevió a preguntar por qué no venía ya Rosario. ¿Para qué, si lo adivinaba? Y este desprecio, porque no era sino desprecio, bien lo conocía y, lejos de dolerle, casi le hizo gracia. Bien. Bien se desquitaría él en Eugenia. Que, por supuesto, seguía con lo de: «Eh, cuidadito y manos quedas[1]!» ¡Buena era ella para otra cosa!

Eugenia le tenía a ración de vista y no más que de vista, encendiéndole el apetito. Una vez le dijo él: —«¡Me entran unas ganas de hacer unos versos a tus ojos!», y ella le contestó: —«¡Hazlos!»

—Mas para ello —agregó él— sería conveniente que tocases un poco el piano. Oyéndote en él, en tu instrumento profesional, me inspiraría.

—Pero ya sabes, Augusto, que desde que, gracias a tu generosidad, he podido ir dejando mis lecciones no he vuelto a tocar el piano y que lo aborrezco. ¡Me ha costado tantas molestias!

1685 —No importa, tócalo, Eugenia, tócalo para que yo escriba mis versos.

—¡Sea, pero por única vez!

Sentóse Eugenia a tocar el piano y mientras lo tocaba escribió Augusto esto:

---

[1] *quedas*: quietas; es un arcaísmo.

Mi alma vagaba lejos de mi cuerpo
en las brumas perdida de la idea,
perdida allá en las notas de la música
que, según dicen, cantan las esferas;
y yacía mi cuerpo solitario
sin alma y triste errando por la tierra.
Nacidos para arar juntos la vida,
no vivían; porque él era materia
tan sólo y ella nada más que espíritu
buscando completarse, ¡dulce Eugenia!
Mas brotaron tus ojos como fuentes
de viva luz encima de mi senda
y prendieron a mi alma y la trajeron
del vago cielo a la dudosa tierra,
metiéronla en mi cuerpo, y desde entonces
¡y sólo desde entonces vivo, Eugenia!
Son tus ojos cual clavos encendidos
que mi cuerpo a mi espíritu sujetan,
que hacen que sueñe en mí febril la sangre
y que en carne convierten mis ideas.
¡Si esa luz de mi vida se apagara,
desuncidos espíritu y materia,
perderíame en brumas celestiales
y del profundo en la voraz tiniebla!

—¿Qué te parecen? —le preguntó Augusto luego que se los hubo leído.

1690 —Como mi piano, poco o nada musicales. Y eso de «según dicen...»

—Sí, es para darle familiaridad...

—Y lo de «dulce Eugenia» me parece un ripio.

—¿Qué? ¿que eres un ripio tú?

—¡Ahí, en esos versos, sí! Y luego todo eso me parece muy.... muy...

1695 —Vamos, sí, muy *nivolesco*.

—¿Qué es eso?

—Nada, un timo[2] que nos traemos entre Víctor y yo.

—Pues mira, Augusto, yo no quiero timos en mi casa luego que nos casemos, ¿sabes? Ni timos ni perros. Conque ya puedes ir pensando lo que has de hacer con Orfeo...

—Pero ¡Eugenia, por Dios! ¡si ya sabes cómo le encontré, pobrecillo! ¡si es además mi confidente...! ¡si es a quien dirijo mis monólogos todos...!

1700 —Es que cuando nos casemos no ha de haber monólogos en mi casa. ¡Está de más el perro!

—Por Dios, Eugenia, siquiera hasta que tengamos un hijo...

—Si lo tenemos...

—Claro, si lo tenemos. Y si no, ¿por qué no el perro? ¿por qué no el perro, del que se ha dicho con tanta justicia que sería el mejor amigo del hombre si tuviese dinero...?

—No; si tuviese dinero el perro no sería amigo del hombre, estoy segura de ello. Porque no lo tiene es su amigo.

1705 Otro día le dijo Eugenia a Augusto:

—Mira, Augusto, tengo que hablarte de una cosa grave, muy grave, y te ruego que me perdones de antemano si lo que voy a decirte...

—¡Por Dios, Eugenia, habla!

—Tú sabes aquel novio que tuve...

—Sí, Mauricio.

1710 —Pero no sabes por qué le tuve que despachar al muy sinvergüenza...

—Ni quiero saberlo.

—Eso te honra. Pues bien; le tuve que despachar al haragán y sinvergüenza aquel, pero...

—¿Qué, te persigue todavía?

—¡Todavía!

1715 —¡Ah, como yo le coja...!

—No, no es eso. Me persigue, pero no ya con las intenciones que tú crees, sino con otras.

—¡A ver! ¡a ver!

—No te alarmes, Augusto, no te alarmes. El pobre Mauricio no muerde, ladra.

—Ah, pues haz lo que dice el refrán árabe: «Si vas a detenerte con cada perro que te salga a ladrar al camino, nunca llegarás al fin de él.» No sirve tirarles piedras. No le hagas caso.

1720 —Creo que hay otro medio mejor.

—¿Cuál?

—Llevar a prevención mendrugos de pan en el bolsillo e irlos tirando a los perros que salen a ladrarnos, porque ladran por hambre.

—¿Qué quieres decir?

—Que ahora Mauricio no pretende sino que le busque una colocación cualquiera o un modo de vivir y dice que me dejará en paz, y si no...

1725 —Si no...

—Amenaza con perseguirme para comprometerme...

—¡Desvergonzado! ¡bandido!

—No te exaltes. Y creo que lo mejor es quitárnosle de enmedio buscándole una colocación cualquiera que le dé para vivir y que sea lo más lejos posible. Es, además, de mi parte algo de compasión porque el pobrecillo es como es, y...

—Acaso tengas razón, Eugenia. Y mira, creo que podré arreglarlo todo. Mañana mismo hablaré a un amigo mío y me parece que le buscaremos ese empleo.

1730 Y, en efecto, pudo encontrarle el empleo y conseguir que le destinasen bastante lejos.

XXVIII

Torció el gesto Augusto cuando una mañana le anunció Liduvina que un joven le esperaba y se encontró luego con que era Mauricio. Estuvo por despedirlo sin oírle, pero le atraía aquel hombre que fue en un tiempo novio de Eugenia, al que ésta quiso y acaso seguía queriendo en algún modo; aquel hombre que tal vez sabía de la que iba a ser mujer de él, de Augusto, intimidades que éste ignoraba; de aquel hombre que... Había algo que les unía.

—Vengo, señor —empezó sumisamente Mauricio—, a darle las gracias por el favor insigne que merced a la mediación de Eugenia usted se ha dignado otorgarme...

—No tiene usted de qué darme las gracias, señor mío, y espero que en adelante dejará usted en paz a la que va a ser mi mujer.

—Pero ¡si yo no la he molestado lo más mínimo!

—Sé a qué atenerme.

—Desde que me despidió, e hizo bien en despedirme porque no soy yo el que a ella corresponde, he procurado consolarme como mejor he podido de esa desgracia y respetar, por supuesto, sus determinaciones. Y si ella le ha dicho a usted otra cosa...

—Le ruego que no vuelva a mentar a la que va a ser mi mujer, y mucho menos que insinúe siquiera el que haya faltado lo más mínimo a la verdad. Consuélese como pueda y déjenos en paz.

—Es verdad. Y vuelvo a darles a ustedes dos las gracias por el favor que me han hecho proporcionándome ese empleíto. Iré a servirlo y me consolaré como pueda. Por cierto, que pienso llevarme conmigo a una muchachita...

—Y ¿a mí qué me importa eso, caballero?

1740 —Es que me parece que usted debe de conocerla...

—¿Cómo? ¿cómo? ¿quiere usted burlarse...?

—No... no... Es una tal Rosario, que está en un taller de planchado y que me parece le solía llevar a usted la plancha...

Augusto palideció. «¿Sabrá éste todo?», se dijo, y esto le azaró aún más que su anterior sospecha de que aquel hombre supiese de Eugenia lo que él no sabía. Pero repúsose al pronto y exclamó:

—Y ¿a qué me viene usted ahora con eso?

1745 —Me parece —prosiguió Mauricio, como si no hubiese oído nada— que a los despreciados se nos debe dejar el que nos consolemos los unos con los otros.

—Pero ¿qué quiere usted decir, hombre, qué quiere usted decir? —y pensó Augusto si allí, en aquel que fue escenario de su última aventura con Rosario, estrangularía o no a aquel hombre.

—¡No se exalte así, don Augusto, no se exalte así! No quiero decir sino lo que he dicho. Ella... la que usted no quiere que yo miente[1], me despreció, me despachó, y yo me he encontrado con esa pobre chicuela, a la que otro despreció, y...

Augusto no pudo ya contenerse; palideció primero, se encendió después, levantóse, cogió a Mauricio por los dos brazos, lo levantó en vilo y le arrojó en el sofá sin darse clara cuenta de lo que hacía, como para estrangularlo. Y entonces,

---

[1] *Miente* es el presente de subjuntivo del verbo *mentar*: nombrar.

al verse Mauricio en el sofá, dijo con la mayor
frialdad:

—Mírese usted ahora, don Augusto, en mis
pupilas y verá qué chiquitito se ve...

1750 El pobre Augusto creyó derretirse. Por lo menos se le derritió la fuerza toda de los brazos, empezó la estancia a convertirse en niebla a sus ojos,
pensó: «¿estaré soñando?», y se encontró con
que Mauricio, de pie ya y frente a él, le miraba
con una socarrona sonrisa:

—¡Oh, no ha sido nada, don Augusto, no ha
sido nada! Perdóneme usted, un arrebato... ni sé
siquiera lo que me hice... ni me di cuenta... Y ¡gracias, gracias, otra vez gracias! ¡gracias a usted y
a... ella! ¡Adiós!

Apenas había salido Mauricio, llamó Augusto
a Liduvina.

—Di, Liduvina, ¿quién ha estado aquí conmigo?

—Un joven.

1755 —¿De qué señas?

—Pero ¿necesita usted que se lo diga?

—¿De veras, ha estado aquí alguien conmigo?

—¡Señorito!

—No... no... júrame que ha estado aquí conmigo un joven y de las señas que me digas... alto,
rubio, ¿no es eso?, de bigote, más bien grueso
que flaco, de nariz aguileña... ¿ha estado?

1760 —Pero ¿está usted bueno, don Augusto?

—¿No ha sido un sueño...?

—Como no lo hayamos soñado los dos...

—No, no pueden soñar dos al mismo tiempo
la misma cosa. Y precisamente se conoce que
algo no es sueño en que no es de uno solo...

—Pues isí, estése tranquilo, sí! Estuvo ese joven que dice.

1765 —Y ¿qué dijo al salir?

—Al salir no habló conmigo... ni le vi...

—Y tú ¿sabes quién es, Liduvina?

—Sí, sé quién es. El que fue novio de...

—Sí, basta. Y ahora, ¿de quién lo es?

1770 —Eso ya sería saber demasiado.

—Como las mujeres sabéis tantas cosas que no os enseñan...

—Sí, y en cambio no logramos aprender las que quieren enseñarnos.

—Pues bueno, di la verdad, Liduvina: ¿no sabes con quién anda ahora ese... prójimo?

—No, pero me lo figuro.

1775 —¿Por qué?

—Por lo que está usted diciendo.

—Bueno, llama ahora a Domingo.

—¿Para qué?

—Para saber si estoy también todavía soñando o no, y si tú eres de verdad Liduvina, su mujer, o si...

1780 —¿O si Domingo está soñando también? Pero creo que hay otra cosa mejor.

—¿Cuál?

—Que venga Orfeo.

—Tienes razón: iése no sueña!

Al poco rato, habiendo ya salido Liduvina, entraba el perro.

1785 «iVen acá, Orfeo —le dijo su amo—, ven acá! ¡Pobrecito! iqué pocos días te quedan ya de vivir conmigo! No te quiere ella en casa. Y ¿adónde voy a echarte? ¿qué voy a hacer de ti? ¿qué será de ti sin mí? Eres capaz de morirte, ilo sé! Sólo un perro es capaz de morirse al verse sin amo. Y yo he sido más que tu amo, itu padre, tu dios!

¡No te quiere en casa; te echa de mi lado! ¿Es que tú, el símbolo de la fidelidad, le estorbas en casa? ¡Quién lo sabe...! Acaso un perro sorprende los más secretos pensamientos de las personas con quienes vive, y aunque se calle... ¡Y tengo que casarme, no tengo más remedio que casarme... si no, jamás voy a salir del sueño! Tengo que despertar.»

«Pero ¿por qué me miras así, Orfeo? ¡Si parece que lloras sin lágrimas...! ¿Es que me quieres decir algo? Te veo sufrir por no tener palabra. ¡Qué pronto aseguré que tú no sueñas! ¡Tú sí que me estás soñando, Orfeo! ¿Por qué somos hombres los hombres sino porque hay perros y gatos y caballos y bueyes y ovejas y animales de toda clase, sobre todo domésticos? ¿Es que a falta de animales domésticos en que descargar el peso de la animalidad de la vida, habría el hombre llegado a su humanidad? ¿Es que a no haber domesticado el hombre al caballo, no andaría la mitad de nuestro linaje llevando a cuestas a la otra mitad? Sí, a vosotros se os debe la civilización. Y a las mujeres. Pero ¿no es acaso la mujer otro animal doméstico? Y de no haber mujeres, ¿serían hombres los hombres? ¡Ay, Orfeo, viene de fuera quien de casa te echa!»

Y le apretó contra su seno, y el perro, que parecía en efecto llorar, le lamía la barba.

XXIX

Todo estaba dispuesto ya para la boda. Augusto la quería recogida y modesta, pero ella, su mujer futura, parecía preferir que se le diese más boato y resonancia.

A medida que se acercaba aquel plazo, el novio ardía por tomarse ciertas pequeñas libertades y confianzas, y ella, Eugenia, se mantenía más en reserva.

1790 —Pero ¡si dentro de unos días vamos a ser el uno del otro, Eugenia!

—Pues por lo mismo. Es menester que empecemos ya a respetarnos.

—Respeto... respeto... El respeto excluye el cariño.

—Eso creerás tú... ¡Hombre al fin!

Y Augusto notaba en ella algo extraño, algo forzado. Alguna vez parecióle que trataba de esquivar sus miradas. Y se acordó de su madre, de su pobre madre, y del anhelo que sintió siempre por que su hijo se casara bien. Y ahora, próximo a casarse con Eugenia, le atormentaba más lo que Mauricio le dijera de llevarse a Rosario. Sentía celos, unos celos furiosos, y rabia por haber dejado pasar una ocasión, por el ridículo en que quedó ante la mozuela. «Ahora estarán riéndose los dos de mí —se decía—, y él doblemente, porque ha dejado a Eugenia encajándomela y porque se me lleva a Rosario.» Y alguna vez le entraron furiosas ganas de romper su compromiso y de ir a la conquista de Rosario, a arrebatársela a Mauricio.

1795 —Y de aquella mocita, de aquella Rosario, ¿qué se ha hecho? —le preguntó Eugenia unos días antes del día de la boda.

—Y ¿a qué viene recordarme ahora eso?

—¡Ah, si no te gusta el recuerdo, lo dejaré!

—No... no... pero...

—¡Sí, como una vez interrumpió ella una entrevista nuestra...! ¿No has vuelto a saber de ella? —y le miró con mirada de las que atraviesan.

—No, no he vuelto a saber de ella.

—¿Quién la estará conquistando o quién la habrá conquistado a estas horas...? —y apartando su mirada de Augusto la fijó en el vacío, más allá de lo que miraba.

Por la mente del novio pasaron, en tropel, extraños agüeros. «Ésta parece saber algo», se dijo, y luego en voz alta:

—¿Es que sabes algo?

—¿Yo? —contestó ella fingiendo indiferencia y volvió a mirarle.

Entre los dos flotaba sombra de misterio.

—Supongo que la habrás olvidado...

—Pero ¿a qué esta insistencia en hablarme de esa... chiquilla?

—¡Qué sé yo!... Porque, hablando de otra cosa, ¿qué le pasará a un hombre cuando otro le quita la mujer a que pretendía y se la lleva?

A Augusto le subió una oleada de sangre a la cabeza al oír esto. Entráronle ganas de salir, correr en busca de Rosario, ganarla y volver con ella a Eugenia para decir a ésta: «¡Aquí la tienes, es mía, y no de... *tu* Mauricio!»

Faltaban tres días para el de la boda. Augusto salió de casa de su novia pensativo. Apenas pudo dormir aquella noche.

A la mañana siguiente, apenas despertó, entró Liduvina en su cuarto.

—Aquí hay una carta para el señorito; acaban de traerla. Me parece que es de la señorita Eugenia...

—¿Carta? ¿de ella? ¿de ella carta? ¡Déjala ahí y vete!

Salió Liduvina. Augusto empezó a temblar. Un extraño desasosiego le agitaba el corazón. Se acordó de Rosario, luego de Mauricio. Pero no quiso tocar la carta. Miró con terror al sobre. Se levantó, se lavó, se vistió, pidió el desayuno, devorándolo luego. «No, no quiero leerla aquí», se dijo. Salió de casa, fuese a la iglesia más próxima, y allí, entre unos cuantos devotos que oían misa, abrió la carta. «Aquí tendré que contenerme —se dijo—, porque yo no sé qué cosas me dice el corazón.» Y decía la carta:

1815 «Apreciable Augusto: Cuando leas estas líneas yo estaré con Mauricio camino del pueblo adonde éste va destinado gracias a tu bondad, a la que debo también poder disfrutar de mis rentas, que con el sueldo de él nos permitirá vivir juntos con algún desahogo. No te pido que me perdones, porque después de esto creo que te convencerás de que ni yo te hubiera hecho feliz ni tú mucho menos a mí. Cuando se te pase la primera impresión, volveré a escribirte para explicarte por qué doy este paso ahora y de esta manera. Mauricio quería que nos hubiéramos escapado el día mismo de la boda, después de salir de la iglesia; pero su plan era muy complicado y me pareció, además, una crueldad inútil. Y como te dije en otra ocasión, creo quedaremos amigos. Tu amiga

Eugenia Domingo del Arco

P. S.[1] No viene con nosotros Rosario. Te queda ahí y puedes con ella consolarte.»

---

[1] *P.S.* = *Post signa;* fórmula que se utiliza cuando en una carta se añade algo después de la firma.

Augusto se dejó caer en un banco, anonadado. Al poco rato se arrodilló y rezaba.

Al salir de la iglesia parecíale que iba tranquilo, mas era una terrible tranquilidad de bochorno. Se dirigió a casa de Eugenia, donde encontró a los pobres tíos consternados. La sobrina les había comunicado por carta su determinación y no remaneció[2] en toda la noche. Había tomado la pareja un tren que salió al anochecer, muy poco después de la última entrevista de Augusto con su novia.

—Y ¿qué hacemos ahora? —dijo doña Ermelinda.

1820 —¡Qué hemos de hacer, señora —contestó Augusto—, sino aguantarnos!

—¡Esto es una indignidad —exclamó don Fermín—; estas cosas no debían quedar sin un ejemplar castigo!

—Y ¿es usted, don Fermín, usted, el anarquista...?

—Y ¿qué tiene que ver? Estas cosas no se hacen así. ¡No se engaña así a un hombre!

—¡Al otro no le ha engañado! —dijo fríamente Augusto, y después de haberlo dicho se aterró de la frialdad con que lo dijera.

1825 —Pero le engañará... le engañará... ¡no lo dude usted!

Augusto sintió un placer diabólico al pensar que Eugenia engañaría al cabo a Mauricio. «Pero no ya conmigo», se dijo muy bajito, de modo que apenas si se oyese a sí mismo.

—Bueno, señores, lamento lo sucedido, y

---

[2] *remanecer*: aparecer.

más que nada por su sobrina, pero debo retirarme.

—Usted comprenderá, don Augusto, que nosotros... —empezó doña Ermelinda.

—¡Claro! ¡claro! Pero...

1830   Aquello no podía prolongarse. Augusto, después de breves palabras más, se salió.

Iba aterrado de sí mismo y de lo que le pasaba, o mejor aún, de lo que no le pasaba. Aquella frialdad, al menos aparente, con que recibió el golpe de la burla suprema, aquella calma le hacía que hasta dudase de su propia existencia. «Si yo fuese un hombre como los demás —se decía—, con corazón; si fuese siquiera un hombre; si existiese de verdad, ¿cómo podía haber recibido esto con la relativa tranquilidad con que lo recibo?» Y empezó, sin darse de ello cuenta, a palparse, y hasta se pellizcó para ver si lo sentía.

De pronto sintió que alguien le tiraba de una pierna. Era Orfeo, que le había salido al encuentro, para consolarlo. Al ver a Orfeo sintió, ¡cosa extraña!, una gran alegría, lo tomó en brazos y le dijo: «¡Alégrate, Orfeo mío, alégrate! ¡alegrémonos los dos! ¡Ya no te echan de casa ; ya no te separan de mí; ya no nos separan al uno del otro! Viviremos juntos en la vida y en la muerte. No hay mal que por bien no venga, por grande que el mal sea y por pequeño que sea el bien, o al revés. ¡Tú, tú eres fiel, Orfeo mío, tú eres fiel! Yo ya supongo que algunas veces buscarás tu perra, pero no por eso huyes de casa, no por eso me abandonas; tú eres fiel, tú. Y mira, para que no tengas nunca que marcharte, traeré una perra a casa, sí, te la traeré. Porque ahora, ¿es que has salido a mi encuentro para consolar la pena que debía tener o es que me encuentras al volver de una visita a

tu perra? De todos modos, tú eres fiel, tú, y ya nadie te echará de mi casa, nadie nos separará.»

Entró en su casa, y no bien se volvió a ver en
ella, solo, se le desencadenó en el alma la tempestad que parecía calma. Le invadió un sentimiento en que se daban confundidos tristeza,
amarga tristeza, celos, rabia, miedo, odio, amor,
compasión, desprecio, y sobre todo vergüenza,
una enorme vergüenza, y la terrible conciencia del
ridículo en que quedaba.

—¡Me ha matado! —le dijo a Liduvina.

1835   —¿Quién?

—Ella.

Y se encerró en su cuarto. Y a la vez que las
imágenes de Eugenia y de Mauricio presentába-
se a su espíritu la de Rosario, que también se bur-
laba de él. Y recordaba a su madre. Se echó sobre la cama, mordió la almohada, no acertaba a
decirse nada concreto, se le enmudeció el monólogo, sintió como si se le acorchase el alma y rompió a llorar. Y lloró, lloró, lloró. Y en el llanto silencioso se le derretía el pensamiento.

XXX

Víctor encontró a Augusto hundido en un rincón de un sofá, mirando más abajo del suelo.

—¿Qué es eso? —le preguntó poniéndole una mano sobre el hombro.

1840 —Y ¿me preguntas qué es esto? ¿No sabes lo que me ha pasado?

—Sí, sé lo que te ha pasado por fuera, es decir, lo que ha hecho ella; lo que no sé es lo que te pasa por dentro, es decir, no sé por qué estás así...

—¡Parece imposible!

—Se te ha ido un amor, el de a; ¿no te queda el de b, o el de c, o el de x, o el de otra cualquiera de las n?

—No es la ocasión para bromas, creo.

1845 —Al contrario, ésta es la ocasión de bromas.

—Es que no me duele en el amor; ¡es la burla, la burla, la burla! Se han burlado de mí, me han escarnecido, me han puesto en ridículo; han querido demostrarme... ¿qué sé yo?... que no existo.

—¡Qué felicidad!

—No te burles, Víctor.

—Y ¿por qué no me he de burlar? Tú, querido Augusto, fuiste de experimentador y has sido experimentado; la quisiste tomar de rana y es ella la que te ha tomado de rana a ti. ¡Chapúzate, pues, en la charca y a croar y a vivir!

1850 —Te ruego otra vez...

—Que no bromee, ¿eh? Pues bromearé. Para estas ocasiones se ha hecho la burla.

—Es que eso es corrosivo.

—Y hay que corroer. Y hay que confundir. Confundir sobre todo, confundirlo todo. Confundir el sueño con la vela, la ficción con la realidad, lo verdadero con lo falso; confundirlo todo en una sola niebla. La broma que no es corrosiva y confundente no sirve para nada. El niño se ríe en la tragedia; el viejo llora en la comedia. Quisiste hacerla rana, te ha hecho rana; acéptalo, pues, y sé para ti mismo rana.

—¿Qué quieres decir con eso?

1855 —Experimenta en ti mismo.

—Sí, que me suicide.

—No digo ni que sí ni que no. Sería una solución como otra, pero no la mejor.

—Entonces, que les busque y les mate.

—Matar por matar es un desatino. A lo sumo para librarse del odio, que no hace sino corromper el alma. Porque más de un rencoroso se curó del rencor y sintió piedad, y hasta amor a su víctima, una vez que satisfizo su odio en ella. El acto malo libera del mal sentimiento. Y es porque la ley hace el pecado.

1860 —Y ¿qué voy a hacer?

—Habrás oído que en este mundo no hay sino devorar o ser devorado...

—Sí, burlarse de otros o ser burlado.

—No; cabe otro término tercero y es devorarse uno a sí mismo, burlarse de sí mismo uno. ¡Devórate! El que devora goza, pero no se harta de recordar el acabamiento de sus goces y se hace pesimista; el que es devorado sufre, y no se harta de esperar la liberación de sus penas y se hace optimista. Devórate a ti mismo, y como el placer de devorarte se confundirá y neutralizará con el dolor de ser devorado, llegarás a la perfecta ecuanimidad de espíritu, a la ataraxia[1]; no serás sino un mero espectáculo para ti mismo.

—Y ¿eres tú, tú, Víctor, tú el que me vienes con esas cosas?

1865 —¡Sí, yo, Augusto, yo, soy yo!

—Pues en un tiempo no pensabas de esa manera tan... corrosiva.

—Es que entonces no era padre.

—Y ¿el ser padre...?

—El ser padre, al que no está loco o es un mentecato, le despierta lo más terrible que hay en el hombre: ¡el sentido de la responsabilidad! Yo entrego a mi hijo el legado perenne de la humanidad. Con meditar en el misterio de la paternidad hay para volverse loco. Y si los más de los padres no se vuelven locos, es porque son tontos... o no son padres. Regocíjate, pues, Augusto, que con eso de habérsete escapado te evitó acaso el que fueses padre. Y yo te dije que te casaras, pero no que te hicieses padre. El matrimonio es un experimento... psicológico; la paternidad lo es... patológico.

1870 —¡Es que me ha hecho padre, Víctor!

—¿Cómo? ¿que te ha hecho padre?

—¡Sí, de mí mismo! Con esto creo haber nacido de veras. Y para sufrir, para morir.

—¡Sí, el segundo nacimiento, el verdadero, es nacer por el dolor a la conciencia de la muerte incesante, de que estamos siempre muriendo. Pero si te has hecho padre de ti mismo, es que te has hecho hijo de ti mismo también.

---

[1] *ataraxia*: estado de absoluta imperturbabilidad que la filosofía epicúrea presenta como ideal.

—Parece imposible, Víctor, parece imposible que pasándome lo que me pasa, después de lo que ha hecho conmigo... ¡ella!, pueda todavía oír con calma estas sutilezas, estos juegos de concepto, estas humoradas macabras, y hasta algo peor...

1875 —¿Qué?

—Que me distraigan. ¡Me irrito contra mí mismo!

—Es la comedia, Augusto, es la comedia que representamos ante nosotros mismos, en lo que se llama foro interno, en el tablado de la conciencia, haciendo a la vez de cómicos y de espectadores. Y en la escena del dolor representamos el dolor y nos parece un desentono el que de repente nos entre ganas de reír entonces. Y es cuando más ganas nos da de ello. ¡Comedia, comedia el dolor!

—¿Y si la comedia del dolor le lleva a uno a suicidarse?

—¡Comedia de suicidio!

1880 —¡Es que se muere de veras!

—¡Comedia también!

—Pues ¿qué es lo real, lo verdadero, lo sentido?

—Y ¿quién te ha dicho que la comedia no es real y verdadera y sentida?

—¿Entonces?

1885 —Que todo es uno y lo mismo; que hay que confundir, Augusto, hay que confundir. Y el que no confunde se confunde.

—Y el que confunde también.

—Acaso.

—¿Entonces?

—Pues esto, charlar, sutilizar, jugar con las palabras y los vocablos... ¡pasar el rato!

263

1890   —¡Ellos sí que lo estarán pasando!

—¡Y tú también! ¿Te has encontrado nunca a tus propios ojos más interesante que ahora? ¿Cómo sabe uno que tiene un miembro si no le duele?

—Bueno, y ¿qué voy a hacer yo ahora?

—¡Hacer... hacer... hacer! ¡Bah, ya te estás sintiendo personaje de drama o de novela! ¡Contentémonos con serlo de... *nivola*! ¡Hacer... hacer... hacer! ¿Te parece que hacemos poco con estar así hablando? Es la manía de la acción, es decir, de la pantomima. Dicen que pasan muchas cosas en un drama cuando los actores pueden hacer muchos gestos y dar grandes pasos y fingir duelos y saltar y... ¡pantomima! ¡pantomima! ¡Hablan demasiado!, dicen otras veces. Como si el hablar no fuese hacer. En el principio fue la Palabra y por la Palabra se hizo todo. Si ahora, por ejemplo, algún... *nivolista* oculto ahí, tras ese armario, tomase nota taquigráfica de cuanto estamos aquí diciendo y lo reprodujese, es fácil que dijeran los lectores que no pasa nada, y sin embargo...

—¡Oh, si pudiesen verme por dentro, Víctor, te aseguro que no dirían tal cosa!

1895   —¿Por dentro? ¿por dentro de quién? ¿de ti? ¿de mí? Nosotros no tenemos dentro. Cuando no dirían que aquí no pasa nada, es cuando pudiesen verse por dentro de sí mismos, de ellos, de los que leen. El alma de un personaje de drama, de novela o de *nivola* no tiene más interior que el que le da...

—Sí, su autor.

—No, el lector.

—Pues yo te aseguro, Víctor...

—No asegures nada y devórate. Es lo seguro.

1900 —Y me devoro, me devoro. Empecé, Víctor, como una sombra, como una ficción; durante años he vagado como un fantasma, como un muñeco de niebla, sin creer en mi propia existencia, imaginándome ser un personaje fantástico que un oculto ingenio inventó para solazarse o desahogarse; pero ahora, después de lo que me han hecho, después de esta burla, de esta ferocidad de burla, ¡ahora sí!, ¡ahora me siento, ahora me palpo, ahora no dudo de mi existencia real!

—¡Comedia! ¡comedia! ¡comedia!

—¿Cómo?

—Sí, en la comedia entra el que se crea rey el que lo representa.

—Pero ¿qué te propones con todo esto?

1905 —Distraerte. Y además que si, como te decía, un *nivolista* oculto que nos esté oyendo toma nota de nuestras palabras para reproducirlas un día, el lector de la *nivola* llegue a dudar, siquiera fuese un fugitivo momento, de su propia realidad de bulto y se crea a su vez no más que un personaje *nivolesco*, como nosotros.

—Y eso ¿para qué?

—Para redimirle.

—Sí, ya he oído decir que lo más liberador del arte es que le hace a uno olvidar que exista. Hay quien se hunde en la lectura de novelas para distraerse de sí mismo, para olvidar sus penas...

—No, lo más liberador del arte es que le hace a uno dudar de que exista.

1910 —Y ¿qué es existir?

—¿Ves? Ya te vas curando; ya empiezas a devorarte. Lo prueba esa pregunta. ¡*Ser o no ser...!*, que dijo Hamlet, uno de los que inventaron a Shakespeare[2].

—Pues a mí, Víctor, eso de *ser o no ser* me ha parecido siempre una solemne vaciedad.

—Las frases, cuanto más profundas, son más vacías. No hay profundidad mayor que la de un pozo sin fondo. ¿Qué te parece lo más verdadero de todo?

—Pues... pues... lo de Descartes[3]: «Pienso, luego soy».

1915 —No, sino esto: A = A.

—Pero ¡eso no es nada!

—Y por lo mismo es lo más verdadero, porque no es nada. Pero esa otra vaciedad de Descartes, ¿la crees tan incontrovertible?

—¡Y tanto...!

—Pues bien; ¿lo dijo eso Descartes?

1920 —¡Sí!

—Y no era verdad. Porque como Descartes no ha sido más que un ente ficticio, una invención de la historia, pues... ¡ni existió... ni pensó!

—Y ¿quién dijo eso?

—Eso no lo dijo nadie; eso se dijo ello mismo.

—Entonces, ¿el que era y pensaba era el pensamiento ese?

1925 —¡Claro! Y, figúrate, eso equivale a decir que ser es pensar y lo que no piensa no es.

—¡Claro está!

—Pues no pienses, Augusto, no pienses. Y si te empeñas en pensar...

---

[2] Unamuno sustentó a veces la teoría de que los personajes tienen existencia más real y duradera que la del autor. En *Vida de don Quijote y Sancho* desarrolla este tema.

[3] Véase la nota 2 del capítulo XXII.

—¿Qué?

—¡Devórate!

1930 —Es decir, ¿que me suicide...?

—En eso ya no me quiero meter. ¡Adiós!

Y se salió Víctor, dejando a Augusto perdido y confundido en sus cavilaciones.

XXXI

Aquella tempestad del alma de Augusto terminó, como en terrible calma, en decisión de suicidarse. Quería acabar consigo mismo, que era la fuente de sus desdichas propias. Mas antes de llevar a cabo su propósito, como el náufrago que se agarra a una débil tabla, ocurriósele consultarlo conmigo, con el autor de todo este relato. Por entonces había leído Augusto un ensayo mío en que, aunque de pasada, hablaba del suicidio, y tal impresión pareció hacerle, así como otras cosas que de mí había leído, que no quiso dejar este mundo sin haberme conocido y platicado un rato conmigo. Emprendió, pues, un viaje acá, a Salamanca, donde hace más de veinte años vivo, para visitarme.

Cuando me anunciaron su visita sonreí enigmáticamente y le mandé pasar a mi despacho-librería. Entró en él como un fantasma, miró a un retrato mío al óleo que allí preside a los libros de mi librería, y a una seña mía se sentó, frente a mí.

1935 Empezó hablándome de mis trabajos literarios y más o menos filosóficos, demostrando conocerlos bastante bien, lo que no dejó, ¡claro está!, de halagarme, y enseguida empezó a contarme su vida y sus desdichas. Le atajé diciéndole que se ahorrase aquel trabajo, pues de las vicisitudes de su vida sabía yo tanto como él, y se lo demostré citándole los más íntimos pormenores y los que él creía más secretos. Me miró con ojos de verdadero terror y como quien mira a un ser increíble; creí notar que se le alteraba el color y traza del semblante y que hasta temblaba. Le tenía yo fascinado.

—¡Parece mentira! —repetía— ¡parece mentira! A no verlo no lo creería... No sé si estoy despierto o soñando...

—Ni despierto ni soñando —le contesté.

—No me lo explico... no me lo explico —añadió—; mas puesto que usted parece saber sobre mí tanto como sé yo mismo, acaso adivine mi propósito...

—¡Sí —le dije—, tú —y recalqué este *tú* con un tono autoritario—, tú, abrumado por tus desgracias, has concebido la diabólica idea de suicidarte, y antes de hacerlo, movido por algo que has leído en uno de mis últimos ensayos, vienes a consultármelo.

1940 El pobre hombre temblaba como un azogado[1], mirándome como un poseído miraría. Intentó levantarse, acaso para huir de mí; no podía. No disponía de sus fuerzas.

—¡No, no te muevas! —le ordené.

—Es que... es que... —balbuceó.

—Es que tú no puedes suicidarte, aunque lo quieras.

—¿Cómo? —exclamó al verse de tal modo negado y contradicho.

1945 —Sí. Para que uno se pueda matar a sí mismo, ¿qué es menester? —le pregunté.

—Que tenga valor para hacerlo —me contestó.

—No —le dije—, ¡que esté vivo!

—¡Desde luego!

—¡Y tú no estás vivo!

1950 —¿Cómo que no estoy vivo? ¿es que me he muerto? —y empezó, sin darse clara cuenta de lo

---

[1] *azogado*: persona que ha enfermado por absorber vapores de azogue o mercurio; el síntoma más visible es un constante temblor.

que hacía, a palparse a sí mismo.

—¡No, hombre, no! —le repliqué—. Te dije antes que no estabas ni despierto ni dormido, y ahora te digo que no estás ni muerto ni vivo.

—¡Acabe usted de explicarse de una vez, ¡por Dios, acabe de explicarse! —me suplicó consternado—, porque son tales las cosas que estoy viendo y oyendo esta tarde, que temo volverme loco.

—Pues bien: la verdad es, querido Augusto —le dije con la más dulce de mis voces—, que no puedes matarte porque no estás vivo, y que no estás vivo, ni tampoco muerto, porque no existes...

—¿Cómo que no existo? —exclamó.

1955   —No, no existes más que como ente de ficción; no eres, pobre Augusto, más que un producto de mi fantasía y de las de aquellos de mis lectores que lean el relato que de tus fingidas venturas y malandanzas he escrito yo; tú no eres más que un personaje de novela, o de *nivola*, o como quieras llamarle. Ya sabes, pues, tu secreto.

Al oír esto quedóse el pobre hombre mirándome un rato con una de esas miradas perforadoras que parecen atravesar la mira e ir más allá, miró luego un momento a mi retrato al óleo que preside a mis libros, le volvió el color y el aliento, fue recobrándose, se hizo dueño de sí, apoyó los codos en mi camilla, a que estaba arrimado frente a mí, y la cara en las palmas de las manos, y mirándome con una sonrisa en los ojos, me dijo lentamente:

—Mire usted bien, don Miguel...; no sea que esté usted equivocado y que ocurra precisamente todo lo contrario de lo que usted se cree y me dice.

—Y ¿qué es lo contrario? —le pregunté alarmado de verle recobrar vida propia.

—No sea, mi querido don Miguel —añadió—, que sea usted y no yo el ente de ficción, el que no existe en realidad, ni vivo, ni muerto... No sea que usted no pase de ser un pretexto para que mi historia llegue al mundo...

—¡Eso más faltaba! —exclamé algo molesto.

—No se exalte usted así, señor de Unamuno —me replicó—, tenga calma. Usted ha manifestado dudas sobre mi existencia...

—Dudas no —le interrumpí—; certeza absoluta de que tú no existes fuera de mi producción novelesca.

—Bueno, pues no se incomode tanto si yo a mi vez dudo de la existencia de usted y no de la mía propia. Vamos a cuentas: ¿no ha sido usted el que no una sino varias veces ha dicho que Don Quijote y Sancho son no ya tan reales, sino más reales que Cervantes?

—No puedo negarlo, pero mi sentido al decir eso era...

—Bueno, dejémonos de esos sentires y vamos a otra cosa. Cuando un hombre dormido e inerte en la cama sueña algo, ¿qué es lo que más existe, él como conciencia que sueña o su sueño?

—¿Y si sueña que existe él mismo, el soñador? —le repliqué a mi vez.

—En ese caso, amigo don Miguel, le pregunté yo a mi vez, ¿de qué manera existe él, como soñador que se sueña, o como soñado por sí mismo? Y fíjese, además, en que al admitir esta discusión conmigo me reconoce ya existencia independiente de sí.

—¡No, eso no! ¡eso no! —le dije vivamente—. Yo necesito discutir, sin discusión no vivo y sin contradicción, y cuando no hay fuera de mí quien me discuta y contradiga, invento dentro de mí quien lo haga. Mis monólogos son diálogos.

—Y acaso los diálogos que usted forje no sean más que monólogos...

1970   —Puede ser. Pero te digo y repito que tú no existes fuera de mí...

—Y yo vuelvo a insinuarle a usted la idea de que es usted el que no existe fuera de mí y de los demás personajes a quienes usted cree haber inventado. Seguro estoy de que serían de mi opinión don Avito Carrascal y el gran don Fulgencio[2]...

—No mientes a ese...

—Bueno, basta, no le moteje usted. Y vamos a ver, ¿qué opina usted de mi suicidio?

—Pues opino que como tú no existes más que en mi fantasía, te lo repito, y como no debes ni puedes hacer sino lo que a mí me dé la gana, y como no me da la real gana de que te suicides, no te suicidarás. ¡Lo dicho!

1975   —Eso de no me da la real gana, señor de Unamuno, es muy español, pero es muy feo. Y además, aun suponiendo su peregrina teoría de que yo no existo de veras y usted sí, de que yo no soy más que un ente de ficción, producto de la fantasía novelesca o *nivolesca* de usted, aun en ese caso, yo no debo estar sometido a lo que llama usted su real gana, a su capricho. Hasta los llamados entes de ficción tienen su lógica interna...

—Sí, conozco esa cantata.

—En efecto; un novelista, un dramaturgo, no pueden hacer en absoluto lo que se les antoje de

[2] Son los personajes de *Amor y pedagogía* de que ya se ha hablado (véanse notas 46 del Prólogo y 1 del capítulo XIII).

un personaje que creen; un ente de ficción novelesca no puede hacer, en buena ley de arte, lo
que ningún lector esperaría que hiciese...

—Un ser novelesco tal vez...

—¿Entonces?

1980 —Pero un *ser nivolesco*...

—Dejemos esas bufonadas que me ofenden
y me hieren en lo más vivo. Yo, sea por mí mismo, según creo, sea porque usted me lo ha dado,
según supone usted, tengo mi carácter, mi modo
de ser, mi lógica interior, y esta lógica me pide
que me suicide...

—¡Eso te creerás tú, pero te equivocas!

—A ver, ¿por qué me equivoco? ¿en qué me
equivoco? Muéstreme usted en qué está mi equi-
vocación. Como la ciencia más difícil que hay es
la de conocerse uno a sí mismo, fácil es que esté
yo equivocado y que no sea el suicidio la solución más lógica de mis desventuras, pero de-
muéstremelo usted. Porque si es difícil, amigo
don Miguel, ese conocimiento propio o de sí mismo, hay otro conocimiento que me parece no menos difícil que él...

—¿Cuál es? —le pregunté.

1985 Me miró con una enigmática y socarrona sonrisa y lentamente me dijo:

—Pues más difícil aún que el que uno se conozca a sí mismo es el que un novelista o un autor dramático conozca bien a los personajes que
finge o cree fingir...

Empezaba yo a estar inquieto con estas sali-
das de Augusto, y a perder mi paciencia.

—E insisto —añadió— en que, aun concedido que usted me haya dado el ser y un ser ficticio, no puede usted, así como así y porque sí, por-

que le dé la real gana, como dice, impedirme que me suicide.

—¡Bueno, basta! ¡basta! —exclamé dando un puñetazo en la camilla— ¡cállate! ¡no quiero oír más impertinencias...! ¡Y de una criatura mía! Y como ya me tienes harto y además no sé ya qué hacer de ti, decido ahora mismo no ya que no te suicides, sino matarte yo. ¡Vas a morir, pues, pero pronto! ¡muy pronto!

1990 —¿Cómo? —exclamó Augusto sobresaltado— ¿que me va usted a dejar morir, a hacerme morir, a matarme?

—¡Sí, voy a hacer que mueras!

—¡Ah, eso nunca! ¡nunca! ¡nunca! —gritó.

—¡Ah! —le dije mirándole con lástima y rabia— ¿conque estabas dispuesto a matarte y no quieres que yo te mate? ¿Conque ibas a quitarte la vida y te resistes a que te la quite yo?

—Sí, no es lo mismo...

1995 —En efecto, he oído contar casos análogos. He oído de uno que salió una noche armado de un revólver y dispuesto a quitarse la vida, salieron unos ladrones a robarle, le atacaron, se defendió, mató a uno de ellos, huyeron los demás, y al ver que había comprado su vida por la de otro renunció a su propósito.

—Se comprende —observó Augusto—; la cosa era quitar a alguien la vida, matar un hombre, y ya que mató a otro, ¿a qué había de matarse? Los más de los suicidas son homicidas frustrados; se matan a sí mismos por falta de valor para matar a otros...

—Ah, ya, te entiendo, Augusto, te entiendo. Tú quieres decir que si tuvieses valor para matar a Eugenia o a Mauricio o a los dos, no pensarías en matarte a ti mismo, ¿eh?

—¡Mire usted, precisamente a esos... no!

—¿A quién, pues?

2000   —¡A usted! —y me miró a los ojos.

—¿Cómo? —exclamé poniéndome en pie— ¿cómo? Pero ¿se te ha pasado por la imaginación matarme? ¿tú? ¿y a mí?

—Siéntese y tenga calma. ¿O es que cree usted, amigo don Miguel, que sería el primer caso en que un ente de ficción, como usted me llama, matara a aquel a quien[3] creyó darle el ser... ficticio?

—¡Esto ya es demasiado —decía yo paseándome por mi despacho—, esto pasa de la raya! Esto no sucede más que...

—Más que en las *nivolas* —concluyó él con sorna.

2005   —¡Bueno, basta! ¡basta! ¡basta! ¡Esto no se puede tolerar! ¡Vienes a consultarme, a mí, y tú! Empiezas por discutirme mi propia existencia, después el derecho que tengo a hacer de ti lo que me dé la real gana, sí, así como suena, lo que me dé la real gana, lo que me salga de...

—No sea usted tan español, don Miguel...

—¡Y eso más, mentecato! ¡Pues sí, soy español, español de nacimiento, de educación, de cuerpo, de espíritu, de lengua y hasta de profesión y oficio; español sobre todo y ante todo y el españolismo es mi religión, y el cielo en que quiero creer es una España celestial y eterna y mi Dios un Dios español, el de Nuestro Señor Don Quijote, un Dios que piensa en español y en español dijo: «¡sea la luz!», y su verbo fue verbo español...

—Bien, ¿y qué? —me interrumpió, volviéndome a la realidad.

---

[3]   *a aquel a quien*: a quien.

—Y luego has insinuado la idea de matarme. ¿Matarme? ¿a mí? ¿tú? ¡Morir yo a manos de una de mis criaturas! No tolero más. Y para castigar tu osadía y esas doctrinas disolventes, extravagantes, anárquicas, con que te me has venido, resuelvo y fallo que te mueras. En cuanto llegues a tu casa te morirás. ¡Te morirás, te lo digo, te morirás!

2010 —Pero ¡por Dios...! —exclamó Augusto, ya suplicante y de miedo tembloroso y pálido.

—No hay Dios que valga. ¡Te morirás!

—Es que yo quiero vivir, don Miguel, quiero vivir, quiero vivir...

—¿No pensabas matarte?

—Oh, si es por eso, yo le juro, señor de Unamuno, que no me mataré, que no me quitaré esta vida que Dios o usted me han dado; se lo juro... Ahora que usted quiere matarme quiero yo vivir, vivir, vivir...

2045 —¡Vaya una vida! —exclamé.

—Sí, la que sea. Quiero vivir, aunque vuelva a ser burlado, aunque otra Eugenia y otro Mauricio me desgarren el corazón. Quiero vivir, vivir, vivir...

—No puede ser ya... no puede ser...

—Quiero vivir, vivir... y ser yo, yo, yo...

—Pero si tú no eres sino lo que yo quiera...

2020 —¡Quiero ser yo, ser yo! ¡quiero vivir! —y le lloraba la voz.

—No puede ser... no puede ser...

—Mire usted, don Miguel, por sus hijos, por su mujer, por lo que más quiera... Mire que usted no será usted... que se morirá...

Cayó a mis pies de hinojos, suplicante y exclamando: «¡Don Miguel, por Dios, quiero vivir, quiero ser yo!»

—¡No puede ser, pobre Augusto —le dije cogiéndole de una mano y levantándole–, no puede ser! Lo tengo ya escrito y es irrevocable; no puedes vivir más. No sé qué hacer ya de ti. Dios, cuando no sabe qué hacer de nosotros, nos mata. Y no se me olvida que pasó por tu mente la idea de matarme...

2025 —Pero si yo, don Miguel...

—No importa; sé lo que me digo. Y me temo que, en efecto, si no te mato pronto, acabes por matarme tú.

—Pero ¿no quedamos en que...?

—No puede ser, Augusto, no puede ser. Ha llegado tu hora. Está ya escrito y no puedo volverme atrás. Te morirás. Para lo que ha de valerte ya la vida...

—Pero... por Dios...

2030 —No hay pero ni Dios que valgan. ¡Vete!

—¿Conque no, eh? —me dijo—¿conque no? No quiere usted dejarme ser yo, salir de la niebla, vivir, vivir, vivir, verme, oírme, tocarme, sentirme, dolerme, serme; ¿conque no lo quiere? ¿conque he de morir ente de ficción? Pues bien, mi señor creador don Miguel, ¡también usted se morirá, también usted, y se volverá a la nada de que salió...! ¡Dios dejará de soñarle! ¡Se morirá usted, sí, se morirá, aunque no lo quiera; se morirá usted y se morirán todos los que lean mi historia, todos, todos, todos, sin quedar uno! ¡Entes de ficción como yo; lo mismo que yo! Se morirán todos, todos, todos. Os lo digo yo, Augusto Pérez, ente ficticio como vosotros, *nivolesco* lo mismo que vosotros. Porque usted, mi creador, mi don Miguel, no es usted más que otro ente *nivolesco*, y entes *nivolescos* sus lectores, lo mismo que yo, que Augusto Pérez, que su víctima...

—¿Víctima? —exclamé.

—¡Víctima, sí! ¡Crearme para dejarme morir! ¡Usted también se morirá! El que crea se crea y el que se crea se muere. ¡Morirá usted, don Miguel, morirá usted y morirán todos los que me piensen! ¡A morir, pues!

Este supremo esfuerzo de pasión de vida, de ansia de inmortalidad, le dejó extenuado al pobre Augusto.

2035 Y le empujé a la puerta, por la que salió cabizbajo. Luego se tanteó como si dudase ya de su propia existencia. Yo me enjugué una lágrima furtiva.

XXXII

Aquella misma noche se partió Augusto de esta ciudad de Salamanca adonde vino a verme. Fuese con la sentencia de muerte sobre el corazón y convencido de que no le sería ya hacedero, aunque lo intentara, suicidarse. El pobrecillo, recordando mi sentencia, procuraba alargar lo más posible su vuelta a su casa, pero una misteriosa atracción, un impulso íntimo le arrastraba a ella. Su viaje fue lamentable. Iba en el tren contando los minutos, pero contándolos al pie de la letra: uno, dos, tres, cuatro... Todas sus desventuras, todo el triste ensueño de sus amores con Eugenia y con Rosario, toda la historia tragicómica de su frustrado casamiento habíanse borrado de su memoria o habíanse más bien fundido en una niebla. Apenas si sentía el contacto del asiento sobre que descansaba ni el peso de su propio cuerpo. «¿Será verdad que no existo realmente? —se decía— ¿tendrá razón este hombre al decir que no soy más que un producto de su fantasía, un puro ente de ficción?»

Tristísima, dolorosísima había sido últimamente su vida, pero le era mucho más triste, le era más doloroso pensar que todo ello no hubiese sido sino sueño, y no sueño de él, sino sueño mío. La nada le parecía más pavorosa que el dolor. ¡Soñar uno que vive... pase, pero que le sueñe otro...!

«Y ¿por qué no he de existir yo? —se decía— ¿por qué? Supongamos que es verdad que ese hombre me ha fingido, me ha soñado, me ha producido en su imaginación; pero ¿no vivo ya en las de otros, en las de aquellos que lean el relato de mi vida? Y si vivo así en las fantasías de varios, ¿no es acaso real lo que es de varios y no de uno solo? Y ¿por qué surgiendo de las páginas del libro en que se deposite el relato de mi ficticia vida, o más bien de las mentes de aquellos que la lean —de vosotros, los que ahora la leéis—, por qué no he de existir como un alma eterna y eternamente dolorosa? ¿por qué?»

El pobre no podía descansar. Pasaban a su vista los páramos castellanos, ya los encinares, ya los pinares; contemplaba las cimas nevadas de las sierras, y viendo hacia atrás, detrás de su cabeza, envueltas en bruma las figuras de los compañeros y compañeras de su vida, sentíase arrastrado a la muerte.

2040   Llegó a su casa, llamó, y Liduvina, que salió a abrirle, palideció al verle.

—¿Qué es eso, Liduvina, de qué te asustas?

—¡Jesús! ¡Jesús! El señorito parece más muerto que vivo... Trae cara de ser del otro mundo...

—Del otro mundo vengo, Liduvina, y al otro mundo voy. Y no estoy ni muerto ni vivo.

—Pero ¿es que se ha vuelto loco? ¡Domingo! ¡Domingo!

2045   —No llames a tu marido, Liduvina. Y no estoy loco, ¡no! Ni estoy, te repito, muerto, aunque me moriré muy pronto, ni tampoco vivo.

—Pero ¿qué dice usted?

—Que no existo, Liduvina, que no existo; que soy un ente de ficción, como un personaje de novela...

—¡Bah, cosas de libros! Tome algo fortificante, acuéstese, arrópese y no haga caso de esas fantasías...

—Pero ¿tú crees, Liduvina, que yo existo?

280   2050   —¡Vamos, vamos, déjese de esas andrómi-

nas[1], señorito; a cenar y a la cama! ¡Y mañana será otro día!

«Pienso, luego soy —se decía Augusto, añadiéndose: Todo lo que piensa es y todo lo que es piensa. Sí, todo lo que es piensa. Soy, luego pienso.»

Al pronto no sentía ganas ningunas de cenar y no más que por hábito y por acceder a los ruegos de sus fieles sirvientes pidió le sirviesen un par de huevos pasados por agua, y nada más, una cosa ligerita. Mas a medida que iba comiéndoselos, abríasele un extraño apetito, una rabia de comer más y más. Y pidió otros dos huevos, y después un bisteque.

—Así, así —le decía Liduvina—; coma usted; eso debe de ser debilidad y no más. El que no come se muere.

—Y el que come también, Liduvina —observó tristemente Augusto.

—Sí, pero no de hambre.

—¿Y qué más da morirse de hambre que de otra enfermedad cualquiera?

Y luego pensó: «Pero ¡no, no! ¡yo no puedo morirme; sólo se muere el que está vivo, el que existe, y yo, como no existo, no puedo morirme... soy inmortal! No hay inmortalidad como la de aquello que, cual yo, no ha nacido y no existe. Un ente de ficción es una idea, y una idea es siempre inmortal...»

—¡Soy inmortal! ¡soy inmortal! —exclamó Augusto.

—¿Qué dice usted? —acudió Liduvina.

---

[1] *andróminas*: enredos.

2060 —Que me traigas ahora... ¡qué sé yo!... jamón en dulce, fiambres, *foiegras,* lo que haya... ¡Siento un apetito voraz!

—Así me gusta verle, señorito, así. ¡Coma, coma, que el que tiene apetito es que está sano y el que está sano vive!

—Pero, Liduvina, ¡yo no vivo!

—Pero ¿qué dice?

—Claro, yo no vivo. Los inmortales no vivimos, y yo no vivo, sobrevivo; ¡yo soy idea! ¡soy idea!

2065 Empezó a devorar el jamón en dulce. «Pero si como —se decía —, ¿cómo es que no vivo? ¡Como, luego existo! No cabe duda alguna. *¡Edo, ergo sum!* ¿A qué se deberá este voraz apetito?» Y entonces recordó haber leído varias veces que los condenados a muerte en las horas que pasan en capilla se dedican a comer. «¡Es cosa —pensaba— de que nunca he podido darme cuenta...! Aquello otro que nos cuenta Renán[2] en su *Abadesa de Jouarre* se comprende... Se comprende que una pareja de condenados a muerte, antes de morir, sientan el instinto de sobrevivirse reproduciéndose, pero ¡comer...! Aunque sí, sí, es el cuerpo que se defiende. El alma, al enterarse de que va a morir, se entristece o se exalta, pero el cuerpo, si es un cuerpo sano, entra en apetito furioso. Porque también el cuerpo se entera. Sí, es mi cuerpo, mi cuerpo el que se defiende. ¡Como vorazmente, luego voy a morir!»

—Liduvina, tráeme queso y pastas... y fruta...

---

[2] Ernest Renan (1823-1892), historiador y orientalista francés, es autor de obras de tema religioso que resultaron polémicas, como la *Vida de Jesús.*

—Esto ya me parece excesivo, señorito; es demasiado. ¡Le va a hacer daño!

—¿Pues no decías que el que come vive?

—Sí, pero no así, como está usted comiendo ahora... Y ya sabe, mi señorito, aquello de «más mató la cena, que sanó Avicena[3]».

2070 —A mí no puede matarme la cena.

—¿Por qué?

—Porque no vivo, no existo; ya te lo he dicho.

Liduvina fue a llamar a su marido, a quien dijo: «Domingo, me parece que el señorito se ha vuelto loco... Dice unas cosas muy raras... cosas de libros... qué sé yo...»

—¿Qué es eso, señorito —le dijo Domingo entrando—, qué le pasa?

2075 —Ay, Domingo —contestó Augusto con voz de fantasma—, no lo puedo remediar; siento un terror loco a acostarme...

—Pues no se acueste.

—No, no, es preciso; no puedo tenerme en pie.

—Yo creo que el señorito debe pasear la cena. Ha cenado en demasía.

Intentó ponerse en pie Augusto.

2080 —¿Lo ves, Domingo, lo ves? No puedo tenerme en pie.

—Claro, con tanto embutir en el estómago...

—Al contrario, con lastre se tiene uno mejor en pie. Es que no existo. Mira, ahora poco, al cenar me parecía como si todo eso me fuese cayendo desde la boca en un tonel sin fondo. El que

---

[3] Avicena (980-1037) es un médico y filósofo árabe célebre por su sabiduría.

come vive, tiene razón Liduvina, pero el que come como he comido yo esta noche, por desesperación, es que no existe. Yo no existo...

—Vaya, vaya, déjese de bobadas; tome su café y su copa, para empujar todo eso y asentarlo, y vamos a dar un paseo. Le acompañaré yo.

2085 —No, no puedo tenerme en pie, ¿lo ves?

—Es verdad.

—Ven que me apoye en ti. Quiero que esta noche duermas en mi cuarto, en un colchón que pondremos para ti, que me veles...

—Mejor será, señorito, que yo no me acueste, sino que me quede allí, en una butaca...

—No, no, quiero que te acuestes y que te duermas; quiero sentirte dormir, oírte roncar mejor...

—Como usted quiera...

2090 —Y ahora, mira, tráeme un pliego de papel. Voy a poner un telegrama que enviarás a su destino así que yo me muera...

—Pero ¡señorito...!

—¡Haz lo que te digo!

Domingo obedeció, llevóle el papel y el tintero y Augusto escribió:

«Salamanca.

Unamuno.

Se salió usted con la suya. He muerto.

Augusto Pérez.»

2095 —En cuanto me muera lo envías, ¿eh?

—Como usted quiera —contestó el criado por no discutir más con el amo.

Fueron los dos al cuarto. El pobre Augusto temblaba de tal modo al ir a desnudarse que no podía ni aun cogerse las ropas para quitárselas.

—¡Desnúdame tú! —le dijo a Domingo.

—Pero ¿qué le pasa a usted, señorito? ¡Si parece que le[4] ha visto al diablo! Está usted blanco y frío como la nieve. ¿Quiere que se le llame al médico?

2100   —No, no, es inútil.

—Le calentaremos la cama...

—¿Para qué? ¡Déjalo! Y desnúdame del todo, del todo; déjame como mi madre me parió, como nací... ¡si es que nací!

—¡No diga usted esas cosas, señorito!

—Ahora échame, échame tú mismo a la cama, que no me puedo mover.

2105   El pobre Domingo, aterrado a su vez, acostó a su pobre amo.

—Y ahora, Domingo, ve diciéndome al oído, despacito, el padre nuestro, el ave maría y la salve. Así... así... poco a poco... poco a poco —y después que los hubo repetido mentalmente: ahora, mira, cógeme la mano derecha, sácamela, me parece que no es mía, como si la hubiese perdido... y ayúdame a que me persigne... así... así... Este brazo debe de estar muerto... Mira a ver si tengo pulso... Ahora déjame, déjame a ver si duermo un poco... pero tápame, tápame bien...

—Sí, mejor es que duerma —le dijo Domingo mientras le subía el embozo de las mantas—; esto se le pasará durmiendo...

—Sí, durmiendo se me pasará... Pero, di, ¿es que no he hecho nunca más que dormir? ¿más que soñar? ¿Todo eso ha sido más que una niebla?

---

[4]   Se trata de un pleonasmo, puesto que el complemento *al diablo* hace innecesario el *le*.

—Bueno, bueno, déjese de esas cosas. Todo eso no son sino cosas de libros, como dice mi Liduvina.

2110 —Cosas de libros... cosas de libros... ¿Y qué no es cosa de libros, Domingo? ¿Es que antes de haber libros, en una u otra forma, antes de haber relatos, de haber palabra, de haber pensamiento, había algo? ¿Y es que después de acabarse el pensamiento quedará algo? ¡Cosas de libros! ¿Y quién no es cosa de libros? ¿Conoces a don Miguel de Unamuno, Domingo?

—Sí, algo he leído de él en los papeles. Dicen que es un señor un poco raro que se dedica a decir verdades que no hacen al caso...

—Pero ¿le conoces?

—¿Yo? ¿para qué?

—Pues también Unamuno es cosa de libros... Todos lo somos... ¡Y él se morirá, sí, se morirá, se morirá también, aunque no lo quiera... se morirá! Y ésa será mi venganza. ¿No quiere dejarme vivir? ¡Pues se morirá, se morirá, se morirá!

2115 —¡Bueno, déjele en paz a ese señor, que se muera cuando Dios lo haga, y usted a dormirse!

—A dormir... a dormir... a soñar...

¡Morir... dormir... dormir... soñar acaso...!

Pienso, luego soy; soy, luego pienso... ¡No existo, no! ¡no existo..., madre mía! Eugenia... Rosario... Unamuno... —y se quedó dormido.

Al poco rato se incorporó en la cama lívido, anhelante, con los ojos todo[5] negros y despavoridos, mirando más allá de las tinieblas, y gritando: «¡Eugenia, Eugenia!» Domingo acudió a él.

---

[5] El autor emplea el singular *todo* porque está pensando que las cualidades de *negros* y *despavoridos* afectan a los ojos como totalidad.

Dejó caer la cabeza sobre el pecho y se quedó muerto.

2120 Cuando llegó el médico se imaginó al pronto que aún vivía, habló de sangrarle, de ponerle sinapismos[6], pero pronto pudo convencerse de la triste verdad.

—Ha sido cosa del corazón... un ataque de asistolia[7] —dijo el médico.

—No, señor —contestó Domingo—, ha sido un asiento[8]. Cenó horriblemente, como no acostumbra, de una manera desusada en él, como si quisiera...

—Sí, desquitarse de lo que no habría de comer en adelante, ¿no es eso? Acaso el corazón presintió su muerte.

—Pues yo —dijo Liduvina— creo que ha sido de la cabeza. Es verdad que cenó de un modo disparatado, pero como sin darse cuenta de lo que hacía y diciendo disparates...

2125 —¿Qué disparates? —preguntó el médico.

—Que él no existía y otras cosas así...

—¿Disparates? —añadió el médico entre dientes y cual hablando consigo mismo— ¿quién sabe si existía o no y menos él mismo...? Uno mismo es quien menos sabe de su existencia... No se existe sino para los demás...

Y luego en voz alta agregó:

—El corazón, el estómago y la cabeza son los tres una sola y misma cosa.

2130 —Sí, forman parte del cuerpo —dijo Domingo.

---

[6] *sinapismo*: emplasto hecho con polvo de mostaza.

[7] *asistolia*: síntoma de extrema gravedad producido por una gran debilidad de la sístole (movimiento de contracción) cardíaca.

[8] *asiento*: estancamiento de alguna sustancia indigesta o sin digerir en el estómago o en los intestinos.

—Y el cuerpo es una sola y misma cosa.

—¡Sin duda!

—Pero más que usted lo cree...

—¿Y usted sabe, señor mío, cuánto lo creo yo?

2135 —También es cierto y veo que no es usted torpe.

—No me tengo por tal, señor médico, y no comprendo a esas gentes que a cualquier persona con quien tropiezan parecen estimarla tonta mientras no pruebe lo contrario.

—Bueno, pues, como iba diciendo —siguió el médico—, el estómago elabora los jugos que hacen la sangre, el corazón riega con ellos a la cabeza y al estómago para que funcione, y la cabeza rige los movimientos del estómago y del corazón. Y por lo tanto este señor don Augusto ha muerto de las tres cosas, de todo el cuerpo, por síntesis.

—Pues yo creo —intervino Liduvina— que a mi señorito se le había metido en la cabeza morirse y, ¡claro!, el que se empeña en morir, al fin se muere.

—¡Es claro! —dijo el médico—. Si uno no creyese morirse, ni aun hallándose en la agonía, acaso no moriría. Pero así que le entre la menor duda de que no puede menos de morir, está perdido.

2140 —Lo de mi señorito ha sido un suicidio y nada más que un suicidio. Ponerse a cenar como cenó viniendo como venía es un suicidio y nada más que un suicidio. ¡Se salió con la suya!

—Disgustos acaso...

—Y grandes, ¡muy grandes! ¡mujeres!

—¡Ya, ya! Pero, en fin, la cosa no tiene ya otro remedio que preparar el entierro.

Domingo lloraba.

XXXIII

2145   Cuando recibí el telegrama comunicándome la muerte del pobre Augusto, y supe luego las circunstancias todas de ella, me quedé pensando en si hice o no bien en decirle lo que le dije la tarde aquella en que vino a visitarme y consultar conmigo su propósito de suicidarse. Y hasta me arrepentí de haberle matado. Llegué a pensar que tenía él razón y que debí haberle dejado salirse con la suya suicidándose. Y se me ocurrió si le resucitaría.

Sí —me dije—, voy a resucitarle y que haga luego lo que se le antoje, que se suicide si es así su capricho. Y con esta idea de resucitarle me quedé dormido.

A poco de haberme dormido se me apareció Augusto en sueños. Estaba blanco, con la blancura de una nube, y sus contornos iluminados como por un sol poniente. Me miró fijamente y me dijo: «¡Aquí estoy otra vez!»

—¿A qué vienes? —le dije.

—A despedirme de usted, don Miguel, a despedirme de usted hasta la eternidad y a mandarle, así, a mandarle, no a rogarle, a mandarle que escriba usted la *nivola* de mis aventuras...

2150   —¡Está ya escrita!

—Lo sé, todo está escrito. Y vengo también a decirle que eso que usted ha pensado de resucitarme para que luego me quite yo a mí mismo mi vida es un disparate, más aún, es una imposibilidad...

—¿Imposibilidad? —le dije yo; por supuesto, todo esto en sueños.

—¡Sí, una imposibilidad! Aquella tarde en que nos vimos y hablamos en el despacho de usted,

¿recuerda?, estando usted despierto y no como ahora dormido y soñando, le dije a usted que nosotros, los entes de ficción según usted, tenemos nuestra lógica y que no sirve que quien nos finge pretenda hacer de nosotros lo que le dé la gana, ¿recuerda?

—Sí, que lo recuerdo.

2155 —Y ahora de seguro que, aunque tan español, no tendrá usted real gana de nada, ¿verdad, don Miguel?

—No, no siento gana de nada.

—No, el que duerme y sueña no tiene reales ganas de nada. Y usted y sus compatriotas duermen y sueñan, y sueñan que tienen ganas, pero no las tienen de veras.

—Da gracias a que estoy durmiendo —le dije—, que si no...

—Es igual. Y respecto a eso de resucitarme he de decirle que no le es hacedero, que no lo puede aunque lo quiera o aunque sueñe que lo quiere...

2160 —Pero ¡hombre!

—Sí, a un ente de ficción como a uno de carne y hueso, a lo que llama usted hombre de carne y hueso y no de ficción de carne ni de ficción de hueso, puede uno engendrarlo y lo puede matar, pero una vez que lo mató no puede, ¡no!, no puede resucitarlo. Hacer un hombre mortal y carnal, de carne y hueso, que respire aire, es cosa fácil, muy fácil, demasido fácil por desgracia... matar a un hombre mortal y carnal, de carne y hueso, que respire aire, es cosa fácil, muy fácil, demasiado fácil por desgracia... pero ¿resucitarlo? ¡resucitarlo es imposible!

—¡En efecto —le dije—, es imposible!

290 —Pues lo mismo —me contestó—, exacta-

mente lo mismo sucede con eso que usted llama entes de ficción; es fácil darnos ser, acaso demasiado fácil, y es fácil, facilísimo, matarnos, acaso demasiadamente demasiado fácil, pero ¿resucitarnos?, no hay quien haya resucitado de veras a un ente de ficción que de veras se hubiese muerto. ¿Cree usted posible resucitar a Don Quijote? —me preguntó.

—¡Imposible! —contesté.

2165 —Pues en el mismo caso estamos todos los demás entes de ficción.

—¿Y si te vuelvo a soñar?

—No se sueña dos veces el mismo sueño. Ese que usted vuelva a soñar y crea soy yo, será otro. Y ahora, que está usted dormido y soñando y que reconoce usted estarlo y que yo soy un sueño y reconozco serlo, ahora vuelvo a decirle a usted lo que tanto le excitó cuando la otra vez se lo dije: mire usted, mi querido don Miguel, no vaya a ser que sea usted el ente de ficción, el que no existe en realidad, ni vivo ni muerto... no vaya a ser que no pase usted de un pretexto para que mi historia, y otras historias como la mía, corran por el mundo. Y luego, cuando usted se muera del todo, llevemos su alma nosotros. No, no, no se altere usted, que aunque dormido y soñando aún vive. ¡Y ahora, adiós!

Y se disipó en la niebla negra.

Yo soñé luego que me moría, y en el momento mismo en que soñaba dar el último respiro me desperté con cierta opresión en el pecho.

2170 Y aquí está la historia de Augusto Pérez.

Oración fúnebre
por modo de epílogo

Suele ser costumbre al final de las novelas y luego que muere o se casa el héroe o protagonista, dar noticia de la suerte que corrieron los demás personajes. No la vamos a seguir aquí ni a dar, por consiguiente, noticia alguna de cómo les fue a Eugenia y Mauricio, a Rosario, a Liduvina y Domingo, a don Fermín y doña Edelmira[1], a Víctor y su mujer y a todos los demás que en torno a Augusto se nos han presentado, ni vamos siquiera a decir lo que de la singular muerte de éste sintieron y pensaron. Sólo haremos una excepción y es en favor del que más honda y más sinceramente sintió la muerte de Augusto, que fue su perro, Orfeo.

Orfeo, en efecto, encontróse huérfano. Cuando saltando en la cama olió a su amo muerto, olió la muerte de su amo, envolvió a su espíritu perruno una densa nube negra. Tenía experiencia de otras muertes, había olido y visto perros y gatos muertos, había matado algún ratón, había olido muertes de hombres, pero a su amo le creía inmortal. Porque su amo era para él como un dios. Y al sentirle ahora muerto sintió que se desmoronaban en su espíritu los fundamentos todos de su fe en la vida y en el mundo, y una inmensa desolación llenó su pecho.

Y acurrucado a los pies de su amo muerto pensó así:

---

[1]   Hasta ahora a la tía de Eugenia se le había dado el nombre de doña Ermelinda (§ 399).

«¡Pobre amo mío! ¡pobre amo mío! ¡Se ha muerto; se me ha muerto! ¡Se muere todo, todo, todo; todo se me muere! Y es peor que se me muera todo a que me muera para todo yo. ¡Pobre amo mío! ¡pobre amo mío! Esto que aquí yace, blanco, frío, con olor a próxima podredumbre, a carne de ser comida, esto ya no es mi amo. No, no lo es. ¿Dónde se fue mi amo? ¿dónde el que me acariciaba, el que me hablaba?

2175 »¡Qué extraño animal es el hombre! Nunca está en lo que tiene delante. Nos acaricia sin que sepamos por qué y no cuando le acariciamos más, y cuando más a él nos rendimos, nos rechaza o nos castiga. No hay modo de saber lo que quiere, si es que lo sabe él mismo. Siempre parece estar en otra cosa que en lo que está y ni mira a lo que mira. Es como si hubiese otro mundo para él. Y es claro, si hay otro mundo, no hay éste.

»¡Y luego habla, o ladra de un modo complicado. Nosotros aullábamos y por imitarle aprendimos a ladrar, y ni aun así nos entendemos con él. Sólo le entendemos de veras cuando él también aúlla. Cuando el hombre aúlla o grita o amenaza le entendemos muy bien los demás animales. ¡Como que entonces no está distraído en otro mundo...! Pero ladra a su manera, habla, y eso le ha servido para inventar lo que no hay y no fijarse en lo que hay. En cuanto le ha puesto un nombre a algo, ya no ve este algo; no hace sino oír el nombre que le puso o verlo escrito[2]. La lengua le

---

[2] El perro Orfeo se hace eco de la filosofía nominalista, que niega la existencia objetiva de los universales, considerándolos como meras convenciones o nombres.

sirve para mentir, inventar lo que no hay y confundirse. Y todo es en él pretextos para hablar con los demás o consigo mismo. ¡Y hasta nos ha contagiado a los perros!

»Es un animal enfermo, no cabe duda. ¡Siempre está enfermo! ¡Sólo parece gozar de alguna salud cuando duerme, y no siempre, porque a las veces hasta durmiendo habla! Y esto también nos ha contagiado. ¡Nos ha contagiado tantas cosas!

»¡Y luego nos insulta! Llama cinismo, esto es perrismo o perrería, a la impudencia[3] o sinvergüencería[4], él, el animal hipócrita por excelencia. El lenguaje le ha hecho hipócrita. Como que la hipocresía debería llamarse antropismo si es que a la impudencia se le llama cinismo[5]. ¡Y ha querido hacernos hipócritas, es decir, cómicos, farsantes, a nosotros, a los perros! A los perros, que no fuimos sometidos y domesticados por el hombre como el toro o el caballo, a la fuerza, sino que nos unimos a él libremente, en pacto sinalagmático[6], para explotar la caza. Nosotros le descubríamos la pieza, él la cazaba y nos daba nuestra parte. Y así, en contrato social, nació nuestro consorcio.

»Y nos lo ha pagado prostituyéndonos e insultándonos. ¡Y queriendo hacernos farsantes, monos y perros sabios! ¡Perros sabios llaman a unos perros a los que les enseñan a representar

---

[3] *impudencia*: descaro, desvergüenza.

[4] *Sinvergüencería* es palabra anómala, formada por analogía con *vergüenza*, cuando lo normal es la monoptongación: *sinvergoncería*.

[5] La palabra *cinismo* viene del griego *kynós* (perro). Orfeo se siente insultado porque los hombres llaman a la desvergüenza *cinismo* (propio del perro). Como la hipocresía es algo inherente al hombre, debería llamarse, en justa correspondencia, *antropismo*.

[6] *sinalagmático*: bilateral.

farsas, para lo cual les visten y les adiestran a andar indecorosamente sobre las patas traseras, en pie! ¡Perros sabios! ¡A eso le llaman los hombres sabiduría, a representar farsas y a andar sobre dos pies!

2180 »Y es claro, el perro que se pone en dos pies va enseñando impúdica, cínicamente, sus vergüenzas, de cara! Así hizo el hombre al ponerse de pie, al convertirse en un mamífero vertical, y sintió al punto vergüenza y la necesidad moral de taparse las vergüenzas que enseñaba. Y por eso dice su Biblia, según les he oído, que el primer hombre, es decir, el primero de ellos que se puso a andar en dos pies, sintió vergüenza de presentarse desnudo ante su Dios. Y para eso inventaron el vestido, para cubrirse el sexo. Pero como empezaron vistiéndose lo mismo ellos y ellas, no se distinguían entre sí, no se conocían siempre y bien el sexo, y de aquí mil atrocidades... humanas, que ellos se empeñan en llamar perrunas o cínicas. Ellos, los hombres, que son quienes nos han pervertido a los perros, quienes nos han hecho perrunos, cínicos, que es nuestra hipocresía. Porque el cinismo es en el perro hipocresía, así como en el hombre la hipocresía es cinismo. Nos hemos contagiado unos a otros.

»Se vistió el hombre, primero con el mismo traje ellos y ellas, mas como se confundían, tuvieron que inventar diferencia de trajes y llevar el sexo al vestido. Esos pantalones no son sino una consecuencia de haberse el hombre puesto en dos pies.

»¡Qué extraño animal es el hombre! ¡No está nunca en donde debe estar, que es a lo que está, y habla para mentir y se viste!

»¡Pobre amo! Dentro de poco le enterrarán

en un sitio que para eso tienen destinado. ¡Los hombres guardan o almacenan sus muertos, sin dejar que perros o cuervos los devoren! Y que quede lo único que todo animal, empezando por el hombre, deja en el mundo: unos huesos. ¡Almacenan sus muertos! ¡Un animal que habla, que se viste y que almacena sus muertos! ¡Pobre hombre!

»¡Pobre amo mío! ¡pobre amo mío! ¡Fue un hombre, sí, no fue más que un hombre, fue sólo un hombre! ¡Pero fue mi amo! ¡Y cuánto, sin él creerlo ni pensarlo, me decía...! ¡cuánto! Cuánto le enseñé con mis silencios, con mis lametones, mientras él me hablaba, me hablaba, me hablaba. «¿Me entenderás?» —me decía. Y sí, yo le entendía, le entendía mientras él me hablaba hablándose y hablaba, hablaba hablaba. Él al hablarme así hablándose, hablaba al perro que había en él. Yo mantuve despierto su cinismo.

2185   »¡Perra vida la que ha llevado, muy perra! ¡Y grandísima perrería, o mejor, grandísima hombrada la que le han hecho esos dos! ¡Hombrada la que Mauricio le ha hecho: mujerada la que le ha hecho Eugenia! ¡Pobre amo mío!

»Y ahora aquí, frío y blanco, inmóvil, vestido, sí, pero sin habla ni por fuera ni por dentro. Ya nada tienes que decir a tu Orfeo. Tampoco tiene ya nada que decirte Orfeo con su silencio.

»¡Pobre amo mío! ¡Qué será ahora de él? ¿Dónde estará aquello que en él hablaba y soñaba? Tal vez allá arriba, en el mundo puro, en la alta meseta de la tierra, en la tierra pura toda ella de colores puros, como la vio Platón[7], al que los

---

[7]   Platón (428-347 a. C.) es un filósofo ateniense discípulo de Sócrates, cuyas doctrinas nos transmite en sus *Diálogos*.

hombres llaman divino; en aquella sobrehaz[8] terrestre de que caen las piedras preciosas, donde están los hombres puros y los purificados bebiendo aire y respirando éter. Allí están también los perros puros, los de San Huberto el cazador, el de Santo Domingo de Guzmán con su antorcha en la boca, el de San Roque[9], de quien decía un predicador señalando a su imagen: «¡Ahí le tenéis a San Roque, con su perrito y todo!» Allí, en el mundo puro platónico, en el de las ideas encarnadas, está el perro puro, el perro de veras cínico. ¡Y allí está mi amo!

»Siento que mi espíritu se purifica al contacto de esta muerte, de esta purificación de mi amo, y que aspira hacia la niebla en que él al fin se deshizo, a la niebla de que brotó y a que revertió. Orfeo siente venir la niebla tenebrosa... Y va hacia su amo saltando y agitando el rabo. ¡Amo mío! ¡Amo mío! ¡Pobre hombre!»

Domingo y Liduvina recogieron luego al pobre perro muerto a los pies de su amo, depurado como éste y como él envuelto en la nube tenebrosa. Y el pobre Domingo al ver aquello se enterneció y lloró, no se sabe bien si por la muerte de su amo o por la del perro, aunque lo más creíble es que lloró al ver aquel maravilloso ejemplo de lealtad y fidelidad. Y dijo:

2190   —¡Y luego dirán que no matan las penas!

---

[8]   *sobrehaz*: superficie exterior.
[9]   San Huberto (655-727), obispo y confesor belga, es el patrón de los cazadores. El burgalés Santo Domingo de Guzmán (1170-1221) es el fundador de la orden de los dominicos. Al francés San Roque (1295-1327) se le atribuyen muchos milagros. Los tres aparecen siempre en las imágenes acompañados de un perro.

Actividades

▪ Control de lectura

1. ¿En qué rasgos concretos se advierte ya desde la primera aparición de Augusto Pérez que se trata de un «tipo raro»?

2. ¿Cómo van evolucionando los sentimientos de Augusto respecto a Eugenia? ¿Puede decirse que es amor exactamente?

3. ¿Cómo son las relaciones del protagonista con las mujeres en general? ¿Experimentan algún cambio?

4. ¿Qué función reserva el autor al personaje de Víctor Goti? ¿Cuáles son los temas fundamentales de sus conversaciones con Augusto?

5. ¿En qué momentos y por qué sufre el protagonista las más fuertes crisis de identidad? ¿Qué le angustia entonces?

6. ¿Qué circunstancias personales y familiares pueden haber influido en la situación en que se encuentra el personaje?

7. ¿Qué rasgos caracterizan la personalidad de la pianista? ¿Por qué se habla a veces de dos Eugenias?

8. El título de la novela, *Niebla,* ¿a qué alude?

9. ¿En algún momento de la obra se borran las fronteras entre realidad y ficción?

10. ¿Qué técnicas utiliza el novelista para darnos a conocer de forma directa los pensamientos de Augusto? Búsquense ejemplos.

11. ¿Cómo podría resumirse la idea central que nos trasmite esta novela?

12. ¿Hay rasgos de humor e ironía en la caracterización de los personajes? Coméntense algunos casos.

13. Analícese la voz narradora del relato. ¿Presenta alguna peculiaridad en determinadas ocasiones?

14. ¿El autor concreta las circunstancias temporales y espaciales en que se desarrolla la acción?

15. ¿Qué función tienen el prólogo y el epílogo?

Propuesta de actividades

1. Cada alumno describirá minuciosamente cómo se imagina a Augusto Pérez en cuanto a su aspecto físico. Uno de ellos hará un dibujo que refleje la opinión colectiva. Puede intentarse lo mismo con algún otro personaje.

2. El alumno inventará un desenlace distinto para la novela, a partir del diálogo entre Augusto y Unamuno. Se leerán varios en clase y se determinará entre todos cuál es el mejor.

3. Cada uno elegirá un animal y sostendrá con él un monodiálogo similar a los que hemos visto entre Augusto y Orfeo.

4. Dos alumnos representarán en clase la escena entre Augusto y Unamuno, desarrollando los mismos conceptos con palabras propias.

5. Se redactará un capítulo de la novela puesto en boca de Eugenia, de modo que nos cuente las cosas que ya sabemos, pero desde su punto de vista, dándonos a conocer sus verdaderos sentimientos hacia Augusto.

6. Se desarrollará un imaginario diálogo entre Mauricio y Rosario que se ajuste a lo que se nos dice en la novela acerca de ellos.

7. Exprese cada uno su opinión en torno a esta frase: «El perro sería el mejor amigo del hombre si tuviese dinero». ¿Revela una visión del mundo excesivamente cínica o responde en alguna medida a la realidad?

8. Elíjase el personaje secundario que se considere más interesante e invéntese un episodio de su vida, 303

reflejando los rasgos psicológicos que lo caracterizan.

9. Escríbase una redacción razonando cada cual a su manera la metáfora de que los seres humanos somos respecto a Dios lo mismo que los entes ficticios en relación a su autor.

10. A imitación de lo que hace Augusto, se recogerán en un monólogo las ideas que le vengan a uno a la cabeza al ir por la calle y observar lo que hay alrededor.

11. Se establecerá un debate entre dos grupos de alumnos, argumentando siempre con los datos que ofrece la novela. Unos intentarán justificar el comportamiento de Eugenia; otros lo censurarán.

12. Tras la muerte de Augusto, cada alumno asumirá el papel de otro personaje y pronunciará unas palabras en las que se refleje su opinión sobre el difunto y las relaciones que mantuvo con él.

13. Cada uno se convertirá en un improvisado amigo de Augusto y le aconsejará lo que debe hacer respecto a Eugenia, desde el momento en que se enamora de ella.

14. Se establecerá un debate en clase sobre el siguiente tema: «La ociosidad es fuente de todos los males».

15. En colaboración con el seminario de filosofía se desarrollará un pequeño estudio monográfico sobre el pensamiento de Unamuno, teniendo en cuenta los siguientes aspectos:
    — Angustia existencial
    — Ansia de inmortalidad
    — Conflictos de identidad
    — Dudas religiosas.

▨ Otros textos, otras sugerencias

1. Miguel de Unamuno: *Del sentimiento trágico de la vida*

Ya hemos dicho que en *Niebla* están planteados algunos de los asuntos que el autor expone en *Del sentimiento trágico de la vida.* Como veremos en los textos pertenecientes a este ensayo que ahora vamos a leer, trata del ansia de inmortalidad y del problema de la personalidad.

Imposible nos es, en efecto, concebirnos como no existentes, sin que haya esfuerzo alguno que baste a que la conciencia se dé cuenta de la absoluta inconciencia, de su propio anonadamiento. Intenta, lector, imaginarte en plena vela cuál sea   **5**
el estado de tu alma en el profundo sueño; trata de llenar tu conciencia con la representación de la no conciencia, y lo verás. Causa congojosísimo vértigo el empeñarse en comprenderlo. No podemos concebirnos como no existiendo.   **10**
El universo visible, el que es hijo del instinto de conservación, me viene estrecho, esme[1] como una jaula que me resulta chica, y contra cuyos barrotes da en sus revuelos mi alma; fáltame en él aire que respirar. Más, más y cada vez más; quiero   **15**
ser yo y sin dejar de serlo, ser además los otros, adentrarme la totalidad de las cosas visibles e invisibles, extenderme a lo ilimitado del espacio y prolongarme a lo inacabable del tiempo. De no serlo todo y por siempre, es como si no fuera, y por lo   **20**
menos ser todo yo, y serlo para siempre jamás. Y

---

[1] *esme:* me es, es para mí.

ser todo yo, es ser todos los demás. ¡O todo o nada!

¡O todo o nada! ¿Y qué otro sentido puede tener el «¡ser o no ser!», *To be or not to be*[2], shakesperiano, el de aquel mismo poeta que hizo decir de Marcio en su *Coriolano* (V, 4)[3] que sólo necesitaba la eternidad para ser dios [...]. ¡Eternidad! ¡Eternidad! Éste es el anhelo; la sed de eternidad es lo que se llama amor entre los hombres, y quien a otro ama es que quiere eternizarse en él. Lo que no es eterno tampoco es real.

Gritos de las entrañas del alma ha arrancado a los poetas de los tiempos todos esta tremenda visión del fluir de las olas de la vida, desde el «sueño de una sombra» [...] de Píndaro[4], hasta el «la vida es sueño», de Calderón, y el «estamos hechos de la madera de los sueños», de Shakespeare, sentencia esta última aún más trágica que la del castellano, pues mientras en aquélla sólo se declara sueño a nuestra vida, mas no a nosotros, los soñadores de ella, el inglés nos hace también a nosotros sueño, sueño que sueña.

[*Obras completas,* VII, edición de Manuel García Blanco, Escelicer, Madrid, 1969, págs. 131-132.]

- ¿En algún momento Unamuno hace experimentar al protagonista de *Niebla* esta congoja de la no existencia?

- ¿Cuáles son los episodios de la novela en que se plantea de forma más directa el conflicto existencial?

[2] Célebre frase del monólogo de Hamlet.
[3] Drama de asunto romano.
[4] Véase nota 3 del capítulo II de *Niebla.*

Actividades

Coméntense relacionándolos con las ideas expuestas en el texto 1.

2. Miguel de Unamuno: *Del sentimiento trágico de la vida*

[...] Uno de mis mejores amigos, con quien he paseado a diario durante muchos años enteros, cada vez que yo le hablaba de este sentimiento de la propia personalidad, me decía: «Pues yo no me siento a mí mismo; no sé qué es eso». **5**

En cierta ocasión, este amigo a que aludo me dijo: «Quisiera ser Fulano» (aquí un nombre), y le dije: «Eso es lo que yo no acabo nunca de comprender, que uno quiera ser otro cualquiera. Querer ser otro es dejar de ser uno el que es. Me ex- **10** plico que uno desee tener lo que otro tiene, sus riquezas o sus conocimientos; pero ser otro es cosa que no me la explico. Más de una vez se ha dicho que todo hombre desgraciado prefiere ser el que es, aun con sus desgracias, a ser otro sin ellas. Y **15** es que los hombres desgraciados, cuando conservan la sanidad en su desgracia, es decir, cuando se esfuerzan por perseverar en su ser, prefieren la desgracia a la no existencia. De mí sé decir que cuando era un mozo, y aun de niño, no lograron **20** convencerme las patéticas pinturas que del infierno se me hacían, pues ya desde entonces nada se me aparecía tan horrible como la nada misma. Era una furiosa hambre de ser, un apetito de divinidad, como nuestro ascético dijo[1]. **25**

Irle a uno con la embajada de que sea otro, de

---

[1] Según dijo el autor en la traducción inglesa de la obra, se refería a fray Juan de los Ángeles. En cambio, el traductor de la versión italiana puntualiza que se trata del P. Alonso Rodríguez. Son dos escritores ascéticos de nuestro Siglo de Oro.

que se haga otro, es irle con la embajada de que
deje de ser él. Cada cual defiende su personalidad,
y sólo acepta un cambio en su modo de pensar o
de sentir en cuanto este cambio pueda entrar en la   30
unidad de su espíritu y enzarzar en la continuidad
de él; en cuanto ese cambio pueda armonizarse e
integrarse con todo el resto de su modo de ser,
pensar y sentir, y pueda a la vez enlazarse a sus recuerdos. Ni a un hombre, ni a un pueblo —que es,   35
en cierto sentido, un hombre también— se le puede exigir un cambio que rompa la unidad y la continuidad de su persona. Se le puede cambiar mucho, hasta por completo casi; pero dentro de
continuidad.»   40

[*Obras completas,* VII, edición de Manuel García Blanco,
Escelicer, Madrid, 1969, pág. 144.]

● Relaciónese el tema aquí tratado con la actitud que
Augusto adopta en los párrafos 2010-2020 de *Niebla.*

● Afirma Unamuno que, de pequeño, no había cosa alguna, ni siquiera las penas del infierno, que le pare-
ciera «tan horrible como la nada misma». ¿Se manifiesta ese mismo horror en algún fragmento de nuestra novela?

3. Miguel de Unamuno: *Historia de «Niebla»*

Cuando Unamuno revisa la tercera edición de *Niebla* en 1935, vuelve a reflexionar sobre aquella conversación que mantuvo con Augusto Pérez más de veinte
años atrás, y la pone en relación con lo que ha sido su
vida desde entonces.

Cuando me negué a indultar de la muerte a mi
Augusto Pérez, me dijo éste: «No quiere usted de-

jarme ser yo, salir de la niebla, vivir, vivir, vivir, verme, oírme, tocarme, sentirme, dolerme, serme, ¿conque no lo quiere? ¿conque he de morir ente de ficción? ¡Pues bien, mi señor creador don Miguel, también usted se morirá, también usted, y se volverá a la nada de que salió!... ¡Dios dejará de soñarle! ¡Se morirá usted, sí, se morirá, aunque no lo quiera; se morirá usted y se morirán todos los que lean mi historia, todos, todos, todos, sin quedar uno! ¡Entes de ficción como yo, lo mismo que yo! ¡Se morirán todos, todos, todos!» Así me dijo, y ¡cómo me susurran, a través de más de veinte años, durante ellos, en terrible silbido casi silencioso, como el bíblico de Jehová, esas palabras proféticas y apocalípticas! Porque no es sólo que he venido muriéndome, es que se han ido muriendo, se me han muerto los míos, los que me hacían y me soñaban mejor. Se me ha ido el alma de la vida gota a gota, y alguna vez a chorro. ¡Pobres mentecatos los que suponen que vivo torturado por mi propia inmortalidad individual! ¡Pobre gente! No, sino por la de todos los que he soñado y sueño, por la de todos los que me sueñan y sueño. Que la inmortalidad, como el sueño, o es comunal o no es. No logro recordar a ninguno a quien haya conocido de veras —conocer de veras a alguien es quererle, y aunque se crea odiarle —y que se me haya ido sin que a solas me le diga: «¿Qué eres ahora tú? ¿qué es ahora de tu conciencia? ¿qué soy en ella yo ahora? ¿qué es lo que ha sido?» Ésta es la niebla, ésta la nivola, ésta la leyenda, ésta la vida eterna... Y esto es el verbo creador, soñador.

[*Niebla,* Espasa-Calpe, Madrid, 1935.]

● ¿Qué diferencia se advierte en la actitud de don Miguel entre el momento en que dialoga con Augusto Pérez y aquel otro en que escribe el prólogo a la tercera edición de *Niebla,* muchos años después?

- ¿Qué es lo que verdaderamente preocupa al autor, según nos dice en este texto?

4. Luigi Pirandello: *Seis personajes en busca de autor*

El italiano Luigi Pirandello (1867-1936) presenta claras afinidades con nuestro autor. Ambos se interesan por el conflicto entre realidad y apariencia. Concretamente, la pieza teatral *Seis personajes en busca de autor* presenta la misma confusión entre ficción y realidad que encontramos en *Niebla*. Un grupo de personajes reclaman el derecho a ser ellos, y no los actores, quienes encarnen su propia historia. En el prólogo a la pieza el dramaturgo reflexiona sobre sus relaciones con los seres que él ha creado.

¿Qué autor es capaz de decir cómo y por qué un personaje ha nacido en su fantasía? El misterio de la creación artística es el mismo misterio del nacimiento natural. Una mujer que ame puede desear convertirse en madre; pero el deseo solo, por intenso que sea, no basta. Un buen día se encontrará con que es madre, pero sin una advertencia precisa de cuándo le ha ocurrido. Del mismo modo, el artista, al vivir, acoge en sí muchos gérmenes de vida, y nunca puede decir cómo ni por qué, en un momento determinado, uno de estos gérmenes vitales penetra en su fantasía para convertirse en criatura viva en un plano superior al de la voluble existencia cotidiana.

Por mi parte, puedo decir solamente que, sin que recuerde haberles buscado, me encontré delante, tan vivos como para poderles tocar, tan vivos como para poder oír incluso su respiración, a esos seis personajes que ahora se ven en el escenario. Y cada uno esperaba, allí presente, con su secreto tormento, unidos todos desde el nacimiento

y por la madeja de sus acontecimientos recíprocos,
a que yo les hiciera entrar en el mundo del arte,
componiendo con sus personas, con sus pasiones
y casos, una novela, un drama o por lo menos un   **25**
cuento.

Como habían nacido vivos, querían vivir.

[...]

Criaturas de mi espíritu, esos seis personajes
vivían ya una vida que era suya propia y no mía,
una vida que no estaba ya en mi poder negarles.   **30**

Tanto es así que, persistiendo yo en mi determinación de arrojarles de mi espíritu, ellos, casi ya
totalmente separados de todo sostén narrativo,
personajes de una novela salidos por prodigio de
las páginas del libro que les contenía, seguían vi-   **35**
viendo por su cuenta; escogían determinados momentos de mi jornada para presentárseme en la soledad de mi estudio, y a veces uno a veces otro, a
veces dos a la vez, me tentaban, me proponían esta
o aquella escena para representar o describir, los   **40**
efectos que se podían extraer de ella, el nuevo interés que podía despertar una determinada situación insólita, y así sucesivamente.

Por un momento yo me dejaba convencer, y
cada vez bastaba esta condescendencia mía, este   **45**
dejarme arrebatar por un momento, para que ellos
extrajeran de ella un nuevo beneficio de vida, un
aumento de evidencia y, por eso mismo, de efica-
cia persuasiva sobre mí. Y así, cada vez se me hacía más difícil volver a librarme de ellos, mientras   **50**
que a ellos les resultaba más fácil volver a tentar-
me. En un determinado momento constituyeron
para mí una verdadera obsesión. Hasta que, de repente, se me apareció el modo de salir de todo ello.

—¿Por qué —me dije— no represento este   **55**
caso novísimo de un autor que se niega a hacer vivir a algunos personajes suyos nacidos en su fantasía vivos, y el caso de estos personajes que, teniendo ya infundida la vida, no se resignan a permanecer excluidos del mundo del arte? Se han se-   **60**   311

parado ya de mí, viven por su cuenta, han adquirido voz y movimiento, existen pues ya por sí mismos, en esa lucha que han tenido que sostener conmigo por su vida, personajes dramáticos, personajes que pueden moverse y hablar solos, que **65** se ven a sí mismos como tales, que han aprendido a defenderse de mí y que sabrán, por tanto, defenderse de los demás. Pues, entonces, dejémosles ir adonde suelen ir los personajes dramáticos para tener vida: a un escenario. Y vamos a ver qué **70** sucede.

[*Teatro,* Guadarrama, Madrid, 1968, págs. 22-25.]

● ¿Cómo explica Pirandello el proceso de creación de sus personajes? Compárese la actitud que manifiesta hacia ellos con la de Unamuno en *Niebla.*

5. Pedro Calderón de la Barca: *La vida es sueño*

He aquí el célebre monólogo de Segismundo (final de la jornada II), en el que se desarrolla la idea que da título a la obra calderoniana.

Es verdad; pues reprimamos
esta fiera condición,
esta furia, esta ambición,   **2150**
por si alguna vez soñamos;
y sí haremos, pues estamos
en mundo tan singular,
que el vivir sólo es soñar;
y la experiencia me enseña   **2155**
que el hombre que vive sueña
lo que es hasta despertar.

Sueña el rey que es rey, y vive
con este engaño mandando,
disponiendo y gobernando;   **2160**
y este aplauso, que recibe
prestado, en el viento escribe,
y en cenizas le convierte
la muerte (¡desdicha fuerte!);
¿que hay quien intente reinar,   **2165**
viendo que ha de despertar
en el sueño de la muerte?

    Sueña el rico en su riqueza,
que más cuidados[1] le ofrece;
sueña el pobre que padece   **2170**
su miseria y su pobreza;
sueña el que a medrar empieza,
sueña el que afana[2] y pretende,
sueña el que agravia y ofende;
y en el mundo, en conclusión,   **2175**
todos sueñan lo que son,
aunque ninguno lo entiende.

    Yo sueño que estoy aquí
destas prisiones cargado,
y soñé que en otro estado   **2180**
más lisonjero me vi.
¿Qué es la vida? Un frenesí.
¿Qué es la vida? Una ilusión,
una sombra, una ficción,
y el mayor bien es pequeño;   **2185**
que toda la vida es sueño,
y los sueños, sueños son.

[*Primera parte de comedias,* II, edición de Ángel Valbue-
na Briones, C.S.I.C., Madrid, 1981, págs. 511-512.]

---

[1] *cuidados:* preocupaciones.
[2] *afana:* se afana.

- Búsquense los fragmentos de *Niebla* en que se desarrolla la metáfora del sueño de la vida y compárense con la idea expuesta por Calderón.

6. Otras sugerencias

Además de los textos a los que acabamos de hacer referencia, nuestra novela puede ponerse en relación con la película *La rosa púrpura de El Cairo* de Woody Allen, en la que un personaje sale de la pantalla para incorporarse al mundo de su boquiabierta admiradora.

- Si uno o más alumnos tienen oportunidad de ver esta película, pueden elaborar un trabajo en el que se analice la mezcla de ficción y realidad, comparándolo luego con lo que ocurre en *Niebla*.

- Cada alumno creará una escena en la que su héroe cinematográfico predilecto haga una incursión en el mundo real.

Comentario de textos

1. Nuestro comentario (cap. XX, § 1240-1245)

Emprendería el viaje, ¿sí o no? Ya lo había anunciado, primero a Rosarito, sin saber bien lo que se decía, por decir algo, o más bien como un pretexto para preguntarle si le acompañaría en él, y luego a doña Ermelinda, para probarle... ¿qué? ¿qué es lo que pretendió probarle con aquello de que iba a emprender un viaje? ¡Lo que fuese! Mas era el caso que había soltado por dos veces prenda, que había dicho que iba a emprender un viaje largo y lejano y él era hombre de carácter, él era él; ¿tenía que ser hombre de palabra?

Los hombres de palabra primero dicen una cosa y después la piensan, y por último la hacen, resulte bien o mal luego de pensada; los hombres de palabra no se rectifican ni se vuelven atrás de lo que una vez han dicho. Y él dijo que iba a emprender un viaje largo y lejano.

¡Un viaje largo y lejano! ¿Por qué? ¿para qué? ¿cómo? ¿adónde?

Anunciáronle que una señorita deseaba verle. «¿Una señorita?» «Sí —dijo Liduvina—, me parece que es... ¡la pianista!» «¡Eugenia!» «La misma.» Quedóse suspenso. Como un relámpago de mareo pasóle por la mente la idea de despacharla, de que la dijeran que no estaba en casa. «Viene a conquistarme, a jugar conmigo como con un muñeco —se dijo—, a que la haga el juego, a que sustituya al otro...» Luego lo pensó mejor. «¡No, hay que mostrarse fuerte!»

315

—Dile que ahora voy.

Le tenía absorto la intrepidez de aquella mujer. «Hay que confesar que es toda una mu- **35** jer, que es todo un carácter, ¡vaya un arrojo! ¡vaya una resolución! ¡vaya unos ojos!; pero ¡no, no, no, no me doblega! ¡no me conquista!»

a) Cuestiones en torno al texto

— ¿Qué voces se oyen en este fragmento?

— ¿En qué partes puede dividirse?

— ¿Cuáles son las ideas centrales del texto?

— ¿Cómo aparece caracterizado el personaje?

— ¿Qué recursos retóricos reflejan la vehemencia de sus sentimientos?

— ¿Hay algún rasgo arcaizante en el lenguaje?

— ¿Se puede encontrar algún símil? Coméntese.

b) Notas previas

1. ASPECTOS LINGÜÍSTICOS

Es un texto de vocabulario rico y tono culto, con frases largas de cierta complejidad sintáctica.

Hay rasgos arcaizantes: «Mas era el caso...» (l. 8); «Anunciáronle...» (l. 22); «Quedóse suspenso» (l. 25).

Utiliza alguna frase coloquial: «había soltado por dos veces prenda» (l. 9); «despacharla» (l. 27); «a que la haga el juego» (l. 30); «¡vaya un...!» (l. 36).

Hay dos casos de laísmo: «la dijeran» (l. 27) y «la haga el juego» (l. 30).

2. ESTRUCTURA

Líneas 1-21: reflexiones y vacilaciones íntimas. Se emplea el estilo indirecto libre, es decir, el narrador reproduce literalmente el pensamiento del personaje, pero en 3.ª persona, no en 1.ª Las líneas 13-17 son una divagación sobre una cuestión general.

Líneas 22-39: el anuncio de la criada introduce una nueva presencia, la de Eugenia, que pasa a ocupar la atención del protagonista. El estilo indirecto libre alterna con el directo, pues a veces se reproducen literalmente las palabras del personaje. Se incluye también el brevísimo diálogo con Liduvina.

Alternan las formas verbales de pasado (*era, tenía, había anunciado...*) y presente (*dice, viene, hay...*).

3. TEMA

En la primera parte el tema que se aborda es la obligatoriedad o no de poner en ejecución lo que se ha dicho.

En la segunda, la presencia de un elemento agresor y la necesidad de adoptar una actitud frente a él.

Tienen en común la preocupación por la firmeza de carácter.

4. RECURSOS EXPRESIVOS

Hay muchas exclamaciones y preguntas que Augusto se dirige a sí mismo.

Abundan las estructuras paralelísticas, a veces reforzadas con anáfora: «primero a Rosarito, sin saber..., y luego a doña Ermelinda, para probarle...» (ls. 2-6); «Mas era el caso que había soltado por dos veces prenda, que había dicho...» (ls. 8-10); «él era hombre de carácter, él era él» (ls. 11-12); «los hombres de palabra pri-

317

mero dicen...»; «los hombres de palabra no se rectifican ni se vuelven atrás...» (ls. 13-17); «¿Por qué? ¿para qué? ¿cómo? ¿adónde?» (ls. 20-21); «Viene a conquistarme, a jugar conmigo..., a que la haga el juego, a que substitu- ya...» (ls. 28-30); «que es toda una mujer, que es todo un carácter» (ls. 35-36); «¡vaya un arrojo! ¡vaya una re- solución! ¡vaya unos ojos! » (ls. 36-37); «¡... no me do- blega! ¡no me conquista!» (ls. 38-39). Muchas de estas frases reiteran no sólo la estructura sino también el significado.

Se da una repetición de palabras clave: «un viaje lar- go y lejano» (ls. 10-11, 18-19, 20), «hombre de carácter», «hombre de palabra» (ls. 11, 12, 13 y 16), «no, no, no, no...» (l. 38).

Gradación o clímax: «Los hombres de palabra pri- mero... y después..., y por último...» (ls. 13-14).

Símiles: «como un relámpago de mareo» (ls. 25-26), «como con un muñeco» (l. 29).

5. CARACTERIZACIÓN DE LOS PERSONAJES

Augusto: indeciso, obsesionado por aparentar la fir- meza que no tiene.

Eugenia: indirectamente sabemos que es una mu- jer de carácter, que, según el protagonista, quiere do- minarlo.

c) **Redacción del comentario**

1. TEMA Y ESTRUCTURA

Este texto presenta dos partes claramente diferen- ciadas, en las que la atención del protagonista se dirige a dos asuntos distintos. En primer término (ls. 1-21) ve- mos que le angustia la conveniencia o no de hacer un viaje que ha anunciado. Intenta ver hasta qué punto se

318

ha comprometido. Se debate entre el escaso fundamento de esta idea y la necesidad de llevarla a la práctica para mantener su palabra.

Momentáneamente parece triunfar la segunda opción: «él era hombre de carácter» (l. 11); pero el párrafo termina con una pregunta que da al traste con esta seguridad: «¿tenía que ser hombre de palabra?» (l. 12). Esta expresión da pie a una divagación general sobre la actitud que mantienen los tales hombres de palabra (ls. 13-17). Está planteada como una verdad axiomática, indiscutible, sobre la que no cabe la menor duda. Eso lo devuelve a su resolución de antaño: «Y él dijo que iba a emprender un viaje largo y lejano» (ls. 18-19). Pero no nos engañemos; inmediatamente recae en la duda: «¿Por qué? ¿para qué? ¿cómo? ¿adónde?» (ls. 20-21).

El novelista utiliza la técnica denominada estilo indirecto libre. Consiste en reproducir paso a paso los pensamientos del personaje, pero no en 1.ª persona, como es habitual en los monólogos, sino en 3.ª, en boca del narrador, que nos da la impresión de estar metido dentro de él.

Todas estas cavilaciones se ven bruscamente interrumpidas por el anuncio de una visita. Comienza así la segunda parte del texto (ls. 22-39). Esa señorita, Eugenia, se convierte de aquí en adelante en el único centro de atención del protagonista, que, después de la sorpresa inicial, se percata de que le va a tocar el papel de víctima. Igual que antes había «decidido» ser un hombre de palabra, ahora está dispuesto a mantenerse firme y se impone una nueva consigna: «¡hay que mostrarse fuerte!» (ls. 31-32). Antes de enfrentarse a su «atacante», no puede dejar de admirar la firmeza de carácter de esa mujer: «¡vaya un arrojo! ¡vaya una resolución!» (ls. 36-37). Tras estas consideraciones, intenta convencerse a sí mismo de que toda esa fuerza no le va a ser- 319 vir a ella para dominarlo: «¡no me doblega! ¡no me conquista!» (ls. 38-39).

En esta segunda parte la técnica del narrador varía, pues el estilo indirecto libre que veíamos antes se combina con el directo, que reproduce literalmente en 1.ª persona los pensamientos de Augusto: «Viene a conquistarme...». Se intercala, también en estilo directo, el brevísimo diálogo que mantiene con Liduvina, la portadora de la noticia.

Puede deducirse fácilmente que la principal preocupación del personaje es mostrar la firmeza que no tiene. Todas sus resoluciones van en esa misma dirección.

El relato se sitúa en un tiempo pasado (*era, tenía, anunciáronle, quedóse, se dijo...*), con alusiones a otro pasado anterior, relativo a las manifestaciones sobre el viaje (*había anunciado, había dicho...*). Estas formas verbales alternan con el presente de las reflexiones generales (*dicen, piensan, hacen...*) y del estilo directo (*viene, hay...*). En «no me doblega» y «no me conquista» (ls. 38-39) encontramos un presente proyectado hacia el futuro. En realidad quiere decir «no me conquistará»; expresado de ese modo, pretende revelar mayor seguridad.

2. LENGUA Y ESTILO

Nos encontramos ante una prosa culta, como revelan la relativa complejidad y precisión sintáctica de las frases y el uso de un léxico rico y adecuado. Se percibe una clara tendencia arcaizante, pues se emplean construcciones en desuso: «Mas era el caso...» (l. 8), «anunciáronle» (l. 22), «quedóse» (l. 25)... El tono culto dominante no impide que se introduzcan expresiones coloquiales: «había soltado por dos veces prenda» (l. 9), «despacharla» (l. 27), «a que la haga el juego» (l. 30), «¡vaya un...!» (l. 36). Esta mezcla es uno de los rasgos

320

característicos del estilo unamuniano. También es habitual en él la presencia de laísmos y leísmos. En este texto tenemos dos ejemplos del primer fenómeno: «la dijeran» (l. 27) y «la haga el juego» (l. 30). En cambio, más adelante emplea la forma propia del complemento indirecto: «Dile» (l. 33).

Hay una gran abundancia de interrogaciones que el personaje se dirige a sí mismo y que, al parecer, aún no tienen respuesta. Son expresión de sus incertidumbres. También vemos muchas exclamaciones, fruto de la vehemencia de los sentimientos que lo embargan.

Puede observarse que se van repitiendo algunas expresiones que recogen las ideas centrales del texto: «un viaje largo y lejano» (ls. 10-11, 18-19, 20), «hombre de carácter», «hombre de palabra» (ls. 11, 12, 13 y 16)... Nótese que son varias las voces relativas al carácter, asunto que, como hemos visto, preocupa extraordinariamente a Augusto: «intrepidez», «toda una mujer», «todo un carácter», «arrojo», «resolución»... La obsesiva reiteración del adverbio *no* (l. 38) indica el esfuerzo del personaje por convencerse a sí mismo de que no se va a rendir.

Hay una extraordinaria abundancia de construcciones paralelísticas; es, sin duda, el recurso dominante en este texto. Algunas de ellas están reforzadas con anáfora: «primero a Rosarito, sin saber..., y luego a doña Ermelinda, para probarle...» (ls. 2-6); «Mas era el caso que había soltado por dos veces prenda, que había dicho...» (ls. 8-10); «él era hombre de carácter, él era él» (ls. 11-12); «los hombres de palabra primero dicen...»; «los hombres de palabra no se rectifican ni se vuelven atrás...» (ls. 13-17); «¿Por qué? ¿para qué? ¿cómo? ¿adónde?» (ls. 20-21); «pasóle por la mente la idea de despacharla, de que la dijeran...» (ls. 26-27); «Viene a conquistarme, a jugar conmigo..., a que la haga el juego, a que sustituya...» (ls. 28-30); «que es toda una mu-

321

jer, que es todo un carácter» (ls. 35-36); «¡vaya un arrojo! ¡vaya una resolución! ¡vaya unos ojos!» (ls. 36-37); «¡... no me doblega! ¡no me conquista!» (ls. 38-39).

Algunas de estas frases, además de tener estructuras paralelas, repiten el mismo significado. De esta forma se subraya la insistencia del personaje en las mismas ideas, el énfasis con que analiza la situación. Se trata, por otra parte, de un rasgo propio de la lengua literaria culta.

No abundan los recursos retóricos de otro tipo. Sí podemos señalar la presencia de una gradación o clímax en una frase que queda muy destacada dentro del conjunto: «Los hombres de palabra *primero* dicen una cosa y *después* la piensan, *y por último* la hacen...» El polisíndeton sirve, como siempre, para dar énfasis a cada uno de los miembros.

Hay dos símiles muy sencillos. «Como un relámpago de mareo» (ls. 25-26) refleja el vértigo momentáneo que le produce la idea que pasa por su mente; «jugar conmigo como con un muñeco» (ls. 28-29) es una comparación común en la lengua coloquial que expresa el estado de máxima indefensión en que se encuentra el sujeto.

3. CARACTERIZACIÓN DE LOS PERSONAJES

Este texto tiene un protagonista absoluto. Oímos su propia voz, de modo que tenemos oportunidad de conocerlo directamente. Se nos revela como un ser débil, indeciso, obsesionado por que lo consideren un hombre de palabra y por parecer fuerte. Incluso está dispuesto a sacrificar a ello su conveniencia y a emprender un viaje absurdo sólo porque lo ha dicho. Precisamente su debilidad es lo que lo lleva a valorar tanto la firmeza y energía de otros. En Eugenia encuentra un modelo de lo que él quisiera ser; por eso la teme y admira a un tiempo.

De Eugenia sólo conocemos en este texto un dato objetivo: es pianista. Respecto a lo demás, no sabemos otra cosa que lo que Augusto dice de ella. A juzgar por la impresión que le ha producido, deducimos que es una mujer dominante y con mucha personalidad. Esa fuerza que irradia de ella está centrada especialmente en los ojos, que subyugan a su oponente: «¡vaya unos ojos!» (l. 37).

Se alude a otros personajes. Rosario y doña Ermelinda en este fragmento no tienen otra función que haber sido receptoras de las palabras del protagonista; parece tener cierto interés por la primera, ya que esperaba que le acompañara en el viaje. Muy de pasada se habla del «otro», palabra inquietante que revela la existencia de un triángulo amoroso. Liduvina sí es una presencia real, pero muy secundaria; está en el juego y sabe perfectamente el impacto que va a causar su anuncio.

4. Conclusión

Como hemos podido observar, se trata de un texto que nos muestra al personaje desde dentro, dejando al desnudo sus debilidades, la lucha que mantiene consigo mismo para conseguir la apariencia externa que desea. La acción se trunca en el preciso momento en que va a tener que enfrentarse a la realidad.

2. Otras propuestas para el comentario

2.1. Coméntense los párrafos 26-29 (Cap. I)

1. ¿Qué distintas voces se dejan oír en este texto?

2. ¿En qué partes podríamos dividirlo?

323

3. ¿Qué rasgos caracterizan la lengua literaria de Unamuno, tanto léxica como sintácticamente?

4. ¿Hay construcciones paralelísticas? ¿Qué finalidad tienen?

5. ¿Con qué objetos concretos ejemplifica la actitud de Augusto hacia las cosas que lo rodean? Explíquese.

6. ¿Hay algún símil?

7. ¿Cuál es la idea fundamental que se desprende de las reflexiones de Augusto?

8. ¿Qué rasgos caracterizan su personalidad? ¿Con qué frase aparece definida? ¿Qué significa?

2.2. Coméntense los párrafos 126-140 (Cap. III)

1. ¿Cómo alternan el diálogo y el monólogo en este texto?

2. ¿Sobre qué tema versa el diálogo de Víctor y Augusto?

3. ¿Qué paralelismo establece el protagonista con el juego del ajedrez?

4. ¿Hay algo paradójico en el razonamiento de Augusto?

5. ¿Qué imagen estilística se da en «dulce resplandor de estrellas mellizas en la niebla»? ¿A qué se refiere?

6. ¿Puede encontrarse algún otro recurso retórico?

7. ¿Hay rasgos coloquiales en el diálogo que mantienen los dos amigos?

8. ¿Qué aspecto de la personalidad de Augusto se puede entrever en las palabras de Víctor? ¿Y en el monólogo?

2.3. Coméntense los párrafos 2171-2176 (Epílogo)

1. ¿Cuál es el recurso estilístico en que se basa este texto?

2. ¿Se repiten determinadas palabras y construcciones? ¿Con qué finalidad?

3. Coméntese el uso del pronombre demostrativo *esto* (§ 2174). ¿Refleja lo que «piensa» Orfeo?

4. ¿Qué gradación siguen las reflexiones del personaje?

5. ¿Qué es lo más terrible para Orfeo de la muerte de su amo?

6. ¿Cómo ve Orfeo al hombre? ¿Y sus relaciones con él?

7. ¿Qué opina el animal del lenguaje humano?

8. ¿Qué pretende Unamuno en este monólogo canino?

▨ Índice analítico

No pretendemos hacer un inventario exhaustivo de materias, sino únicamente apuntar algunos aspectos de interés que pueden servir para trabajar en clase.

1. Filosofía y religión

- **Ideas sobre Dios**: § 27, 377-383, 1105, 2007, 2024, 2031.

- **Meditaciones existenciales**: § 78, 141, 233, 387-397, 807-811, 1873-1931.

- **Dudas existenciales y problemas de identidad**: § 1234-1235, 1238, 1418-1421, 1831, 1900, 2038, 2127.

- **La vida como sueño**: § 761, 1105, 2031, 2037-2038, 2108.

- **El teatro de la vida**: § 1172, 1874-1885.

- **Exaltación de la duda**: § 1615-1620.

- **La lógica y el azar**: § 78, 133, 236, 388.

- **El tiempo y la eternidad**: § 393-394.

- **Formalismo**: § 1452.

- **Nominalismo**: § 2176.

- **Unión del alma y el cuerpo**: § 1688.

- **Mundo platónico de las ideas**: § 2187.

Actividades

- **La hormiga**: § 31.

- **Los árboles**: § 1236-1238.

4. **Política y sociedad**

   - **Anarquismo**: § 340-343, 378-381, 656, 680-682.

   - **La conversación**: § 1090.

   - **Función del lenguaje**: § 2176.

   - **Los viajes**: § 31.

   - **La calle**: § 96, 1234.

   - **Relación con los animales domésticos**:
     § 1703-1704, 1786, 2175-2181.

   - **Los toros**: § 11.

   - **El ajedrez**: § 133-149.

   - **El vino y la cerveza**: § 1451.

5. **Lengua y estilo**

   A lo largo del texto encontramos, como es lógico, muchos ejemplos de los rasgos estilísticos que hemos atribuido al autor. Señalemos sólo algunos ejemplos.

   - **Arcaísmos:** Se encuentra a cada paso el uso del pronombre enclítico en los tiempos verbales:

quedóse (§ 26), *dirigióse* (§ 187), *echóse* (§ 255)... También hay otras muestras morfosintácticas: *este su libro* (§ 1), *hubieren engullido* (§ 10), *profiriera* (§ 23), *este mi marido* (§ 358)...; y léxicas: *por ende* (§ 1464), *quedas* (§ 1681)...

- **Neologismos:** *topofobía, filotopía* (§ 31); *pincharanas, caza-vocablos, barrunta-fechas, cuentagotas* (§ 1456); *ginepsicología* (§ 1602), *antropismo* (§ 2178)...

- **Frases hechas y voces coloquiales:** *tomar el pelo, hacer el primo, quedarse con uno* (§ 7); *chisme* (§ 31), *de esta agua no beberé* (§ 376), *decirlo mil veces* (§ 378), *dar manotadas al aire* (§ 399), *un pobre panoli que vive en Babia* (§ 501), *dar la jaqueca* (§ 502), *dar en la flor de* (§ 506), *majadero* (§ 512), *cuchitril* (§ 544), *pachorra* (§ 547), *cogidas de bracete* (§ 558), *chalarse* (§ 596), *hacerse el de nuevas* (§ 835), *sulfurarse* (§ 932), *polvorilla* (§ 932), *hombrada* (§ 933), *marica* (§ 946), *pobre diablo* (§ 1011), *aficionado a correrla* (§ 1054), *gollerías* (§ 1059), *¡pa chasco!* (§ 1071), *matar el tiempo* (§ 1087), *metida en carnes* (§ 1405), *prójima* (§ 1564)...

- **Paradojas:** *burla muy en serio* (§ 6), *bufo trágico* (§ 8)... Con retruécano: *Pero acaso no hay nada más malicioso que la inocencia, o bien, más inocente que la malicia* (§ 1177)...

- **Retruécanos:** *Es la religiosidad lo que le hace al hombre ser belicoso o combativo, o bien es la combatividad la que le hace ser religioso* (§ 16); *una religión metafísica y una metafísica religiosa* (§ 19); *Conocer es perdonar, dicen. No, perdo-*

329

nar es conocer (§ 182); *¡Hay que vivir para amar! Sí, ¡y hay que amar para vivir!* (§ 247); *me sobra el cuerpo porque me falta alma. O ¿no es más bien que me falta alma porque me sobra cuerpo?* (§ 899).

- **Juegos de palabras:** *fundidos y confundidos* (§ 8); *La manía de viajar viene de topofobía, y no de filotopía* (§ 31); *Él, el otro, es decir, el uno* (§ 555); *el que no confunde se confunde* (§ 1885)...

- **Fonética y ortografía:** § 477-479.

6. Técnicas narrativas

- **Voces del relato:** La novela está puesta en boca de un narrador omnisciente que habla en 3.ª persona. Sólo excepcionalmente emplea la primera (§ 1621, 1933-2035, 2036-2037, 2145-2170). Hay, además, otras voces:

  - *Monólogos* (aparecen constantemente: § 31, 53, 78, 124, 182-183, 231...) y *monodiálogos* (§ 302, 387-397, 486, 591, 761, 899, 1447, 1785-1786, 1832...) *de Augusto Pérez.*
  - *Monólogo de Orfeo* (§ 2174-2188).

- **Teorías sobre la *nivola:*** § 1075-1102.

- **Existencia de los personajes de *nivola:*** § 1893-1909, 1933-2035, 2036-2038, 2057-2058, 2145-2167.

- **Existencia del autor de** *nivolas:* § 1957-1971, 2031-2033, 2166.

- **Relación del autor con sus criaturas**: § 1621, 1932-2036, 2145-2170.

- **Historias secundarias**: § 1053-1074, 1373-1403, 1406-1413.

- **Teorías sobre el humor**: § 10, 1584-1588, 1851-1863.

- **Pornografía**: § 1577-1583.

Colección anaquel

Títulos publicados